W9-BAS-526

COLLECTION FOLIO

Antoine
de Saint-Exupéry

Citadelle

Édition abrégée,
établie et préfacée
par Michel Quesnel

Gallimard

PRÉFACE

> Ainsi ont-ils travaillé toute leur vie pour un enrichissement sans usage, tout entiers échangés contre l'incorruptible broderie… n'ayant accordé qu'une part du travail pour l'usage et toutes autres parts pour la ciselure, l'inutile qualité du métal, la perfection du dessin, la douceur de la courbe, lesquelles ne servent à rien sinon à recevoir la part échangée et qui dure plus que la chair.

On peut s'interroger sur la place qu'il convient d'accorder, dans l'œuvre de Saint-Exupéry, à Citadelle. *Exclu tout jugement de valeur, la chronologie invite à y voir le septième des sept livres que le jeune écrivain s'est engagé, dès 1929, à fournir aux Éditions Gallimard. Scrupule exemplaire d'un auteur : son contrat rempli, il se serait retranché « derrière son ouvrage, pareil au moissonneur qui, ayant bien lié sa gerbe, se couche dans son champ ». Tel se serait retranché Mermoz, aux dires de Saint-Exupéry, tel se serait retranché Saint-Exupéry. Hélas ! le légendaire exupéryen accumule trop de clichés pour qu'on le surcharge de cette ultime intervention du hasard. Un hasard qui se fût d'ailleurs satisfait de dés pipés. En 1944,* Citadelle *n'est ni publié, ni même achevé. Ajoutons que l'entreprise date de 1936, époque à laquelle seuls* Courrier Sud *et* Vol de nuit *sont parus. Troisième dans l'ordre du projet, peut-on lui faire gloire de franchir, bon dernier, la ligne d'arrivée déterminée quinze ans plus tôt ? Septième ouvrage d'une série de sept, la fable est aimable mais difficile à soutenir. Au demeurant, les jugements de valeur n'ont jamais rien perdu de leur virulence. N'est-il pas regrettable que l'œuvre ne se soit pas close sur le sourire de la* Lettre à un otage, *voire sur la disparition du petit prince, prophétique de celle de l'auteur ? La sortie eût été autrement pathétique que cette histoire de Bédouins. Si le hasard avait joué la mystique des nombres, il s'était montré dépourvu de discernement littéraire.*

Négligeons pour l'instant les jugements de valeur et restons-en à la chronologie. 1936, vit, sous le titre Le Caïd, *la composition d'une douzaine de pages qui auraient dû constituer l'ouverture de l'ouvrage projeté. Elles furent très vite interrompues et n'eurent pas de suite immédiate. L'amorce d'un poème bucolique entrecoupé de décapitations et de digressions sur les femmes dut sembler à l'auteur terriblement hors de propos au moment où la guerre d'Espagne venait d'éclater et où de lourdes menaces pesaient sur l'Allemagne, donc sur l'Europe. Au plan personnel, l'incertitude de sa situation, l'amertume d'un mariage contestable et la préca-*

rité de sa santé gravement atteinte, lors de l'accident du Guatemala (février 1938), sont peu propices à la sérénité qu'exige une grande ambition d'écriture. Qu'attendre de la dispersion de ses activités dont aucune ne manque d'intérêt — articles, reportages, conférences, réalisations cinématographiques, brevets d'invention, prospections aériennes, records vainement défiés —, mais dont la cohérence n'est pas évidente, ni le bonheur constant ; de l'incessant changement de résidence, de ces voyages, Espagne, Allemagne, Russie, New York, deux fois, trois fois New York ? Tout cela dénonce une existence qui se cherche dans la fébrilité et l'angoisse. Éclate la Seconde Guerre mondiale. Soucieux de participer physiquement au combat, conscient de l'urgence d'un sursaut auquel provoquer les esprits en déroute, Saint-Exupéry se retrouve, se regroupe, reprend sa méditation suspendue, écrit.

Les quinze premiers chapitres de Citadelle *qui en compte deux cent dix-neuf seront rédigés avant l'arrivée — le 31 décembre 1940 — à New York. Le texte se déroule, fidèle et infidèle au projet initial. Son infléchissement tient à la nature et à la pression de l'événement. La France est submergée par l'armée nazie. Les premiers résistants qui se soulèvent le font pour défendre leur pays contre l'envahisseur. Rares sont encore ceux qui protestent pour l'homme contre l'inhumain. Saint-Exupéry, pour sa part, a mesuré, par-delà les maisons en ruine, la ruine des architectures mentales et des ensembles culturels. Il faut réarmer les consciences. C'est l'impératif auquel* Citadelle *désormais doit répondre.*

Que l'on n'imagine pas la période new-yorkaise comme une espèce de répit entre la Campagne de France et les missions méditerranéennes. Certes, Saint-Exupéry n'est plus exposé à la chasse allemande mais, précisément, cet éloignement du combat le prive d'une participation dans laquelle il voit la justification de son existence et la caution indispensable de son discours. Il n'aura de cesse qu'il ne retrouve en Afrique du Nord, en Sardaigne, en Corse, les risques de la guerre — non en aventurier « casse-cou », comme il est dit encore parfois si sottement — mais en homme solidaire de son peuple et des peuples qui refusent l'ignominie totalitaire, et en homme qui sait que la solidarité se doit d'engager le corps et l'esprit, et que, là où le corps n'accepte pas de s'impliquer, l'esprit flotte au vent des paroles, dans la vanité dérisoire des polémiques. Il n'est pas résistant de France, il n'est pas encore redevenu combattant des Forces de libération, il se trouve, au sens violent du terme, démobilisé, réduit à une substance pauvre, qui, à ses yeux, n'autorise pas le témoignage. Il lui faut rendre à ses propos ce sérieux que seule accorde l'acceptation de la mort.

L'angoisse de se sentir à l'écart, en quelque sorte « non autorisé » à parler, ne résume pas tous les tourments qui, entre janvier 1941 et avril 1943, le rongeront. Ce pauvre corps qu'il cherche à exposer comme témoin de son honnêteté, en attendant de s'effacer en mer, le fait quotidiennement souffrir. Hospitalité des uns et des autres, maisons louées ici et là : l'incertitude des résidences continue à accompagner, comme le signal obscur d'une déstabilisation de l'être, les déboires conjugaux, les dérobades de l'amitié. Guillaumet ne vient-il pas de disparaître, abattu lui aussi en Méditerranée ? N'est-ce pas la fin des camarades ? La Lettre aux Français *lui attire une sévère réponse de Jacques Maritain qu'il estime et qui l'apprécie. Est-ce la fin de toute compréhension possible entre des esprits droits, privés de complaisance, quand la mesure des événements les sépare ? Mais, par-delà les attaques dont il est l'objet, toujours politiquement partiales, parfois d'une ignominieuse lâcheté, accordant, pardessus l'Atlantique, aux séides d'Hitler les plus dévoyés, l'écho des stratèges des salons de New York, ce qui le blesse, c'est le spectacle de la France désarticulée, parcourue par la haine et rêvant d'extermination réciproque. Il se refuse à condamner Pétain, inévitable « syndic de faillite », ce qui reviendrait à ses yeux à condamner les millions de Français qui se sont réfugiés dans la confiance qu'ils lui portent ; il se refuse à rejoindre de Gaulle, ce qui reviendrait à reconnaître le clivage mortel que ses thuriféraires établissent entre héros et traîtres, bétail asservi et Légion de l'honneur. Au demeurant, l'un et l'autre prennent appui sur un désastre national dont ils ne sont pas responsables mais qu'ils utilisent, tantôt pour fonder dans l'immédiat un statut politique que le peuple n'a pas voulu, l'État français, l'Ordre moral et leurs arrogances périmées — procès qu'à dire vrai Saint-Exupéry n'instruit guère —, tantôt pour aménager dans l'avenir une forme de fascisme dont l'Europe est en train de se débarrasser et dont la France retrouverait le monopole. Accusations contestables ? Peut-être. Pour ce qui est de De Gaulle, excessive à tout le moins. Mais ce qui nous importe ici, c'est l'irrémédiable solitude dans laquelle ce double rejet et la hantise d'un peuple livré à ses exclusives plongent Saint-Exupéry.*

Drames personnels, vécus physiquement et affectivement, drame collectif éprouvé dans l'intimité d'une conscience brisée, l'époque est sombre. Elle n'en est pas moins féconde en écrits. Tenons-nous-en aux ouvrages littéraires : Pilote de guerre, Lettre à un otage, Le Petit Prince, Citadelle. *Tous répondent à l'urgence du moment. Tous l'excèdent par l'universalité des problèmes qu'ils abordent. Chacun le fait selon une démarche qui lui est singulière. Chacun naît d'une impulsion particulière. Il convient de distinguer ici les trois premiers textes cités du quatrième. Non parce que* Citadelle *est inachevé. Parce que sa raison d'être, aussi lié qu'il soit à l'histoire contemporaine, comme l'est toute la production de l'auteur à ce moment, est d'ordre totalement différent.*

Arrivant aux États-Unis, Saint-Exupéry ne dispose pas de ressources suffisantes pour y vivre. Ses avoirs sont bloqués en France. Ses éditeurs vont le dépanner. Ils lui procurent un appartement, lui avancent des subsides. N'est-il pas désormais un auteur à succès ? L'accueil fait à Terre des hommes (Wind, Sand and Stars) *est aussi fructueux que flatteur. Pourquoi en rester là ? On l'invite à témoigner sur cette drôle de guerre qu'il a faite, qui a si mal tourné et à laquelle, outre-Atlantique, on ne comprend pas grand-chose. Il comprend, quant à lui, qu'un éditeur n'est pas nécessairement un ange gardien pour exilés, que là où l'argent s'introduit, un devoir de réciprocité s'impose. On se fait de plus en plus insistant avec une courtoisie de moins en moins sensible. Déplaisant ? Qui aurait la naïveté de s'en étonner ? L'argument décisif semble avoir été, pourtant, celui de son traducteur, Galantière, et de quelques amis : ne doit-il pas à son pays, dont on ne retient que l'écrasement, d'expliquer pourquoi il a combattu malgré son infériorité numérique et technique, pourquoi il continue souterrainement à le faire ? Cette fois, l'obligation est moins indécente que celle d'une reconnaissance de dettes : ce sera* Pilote de guerre.

On a parfois soutenu que les ouvrages de commande pouvaient compter parmi les meilleurs. À témoin le XVIIe siècle, ou encore Valéry et quelques autres. Flight to Arras *(autrement dit* Pilote de guerre*) restera six mois en tête des meilleures ventes de livres aux États-Unis. Les éditeurs avaient judicieusement placé leur générosité. Il en ira tout autrement de la genèse de la* Lettre à un otage. *Passant en octobre 1940 à Saint-Amour dans le Jura, Saint-Exupéry a reçu des mains de son ami, Léon Werth, le manuscrit d'un récit de l'exode,* Trente-trois jours, *qu'il s'engage à préfacer et à faire éditer chez Brentano's à New York. Relecture faite, et déjà soucieux d'unir les Français, d'éviter tout ce qui peut approfondir leurs divergences, il s'inquiète de certaines paroles* *de Werth qui pressent l'avide allégeance de ceux qu'on va appeler les « collaborateurs ». Werth a-t-il tort ? Certainement pas. Mais ce procès prématuré n'est pas de nature à rassembler, il ne saurait qu'accentuer la fracture. Saint-Exupéry renonce à la préface, sans toutefois renoncer à la réflexion qui la nourrit, ni à l'hommage qu'elle constitue. Simplement, devenue indépendante du texte de Léon Werth, la* Lettre à un otage *qui désormais s'adresse à tous les otages demeurés en France, sera publiée isolément en juin 1943.*

Le nom de Werth n'y apparaît pas. Saint-Exupéry s'est refusé à jeter de l'huile sur le feu des discordes. Mais il ne s'est nullement éloigné de son ami. Au demeurant, Werth, malade, isolé dans une France où toutes les bassesses rivalisent, offre la double tare d'être juif et d'être communiste. On ne peut imaginer otage plus exposé. Le Petit Prince *lui sera dédié comme le signe d'une fidélité sans réserve et le rachat de son effacement de la* Lettre.

Le Petit Prince, *à son tour, dut l'existence à des sollicitations extérieures. Certes, sa frimousse étonnée était apparue aux environs de 1935, dans les marges des manuscrits ou de la correspondance de l'auteur. Mais il était hors de propos que ce gamin cosmique, cerné d'un trait plus ému qu'éloquent, plus nostalgique que prophétique, accédât à la dimension littéraire. C'est, semble-t-il, Élisabeth Reynal, l'épouse de son éditeur new-yorkais qui, voyant Saint-Exupéry s'enfoncer dans la mélancolie, lui suggéra de donner la parole à l'enfant qui resurgissait blond et bouclé dans les souvenirs de l'adulte. Faut-il accorder une quelconque influence à Annabella, l'épouse de Tyrone Power, qui, lorsqu'en 1941 Saint-Exupéry s'était fait hospitaliser à Hollywood, allait lui lire des extraits de* La Petite Sirène *d'Andersen, pour le distraire ou pour lui rendre la part d'images profondes que transmettent, il le dit lui-même, les livres de l'enfance ? Peut-être. Toujours est-il qu'aux fables émerveillées d'hier, il ajoutera le livre de sa propre enfance, assombri, certes, par la traversée des années ingrates. S'il arrive au petit prince de rire, il ne sourit pas. Mais le Petit Poucet sourit-il ? Ogre ou serpent, il y a toujours quelques monstres en réserve, fût-ce le monstre marin qui dort comme le gros chien de « Salvador Dalipetite fille », sous le drap bleu de la Méditerranée.*

Les amis auxquels il s'était ouvert du projet du Caïd, *à qui il en avait lu le début, avaient unanimement tenté de le détourner d'une entreprise qui ne retenait plus rien de l'aviateur et dont le récital lyrique leur semblait d'un insupportable archaïsme. Témoin des premiers temps du vol, l'auteur était déjà catalogué. On ne se soustrait pas sans dommages aux rubriques des catalogues. Quand, à l'automne de 1940, il reprit, sans vraiment en modifier l'ambition, le texte ébauché, il s'inquiéta à nouveau auprès de ceux en qui il avait placé sa confiance. Même scepticisme, même sentiment qu'il faisait fausse route, même obstination chez l'auteur. Les trois ouvrages rédigés aux États-Unis l'avaient été à la sollicitation plus ou moins désintéressée des uns et des autres, voire, à la sollicitation intime de son amitié pour Léon Werth.* Citadelle *le serait envers et contre tous.*

Si l'on se souvient des encouragements de Gide à l'époque de Vol de nuit, *et, plus tard, de sa suggestion de regrouper « comme un bouquet, une gerbe » divers articles parus dans* Marianne, L'Intransigeant, Paris-Soir, *et qui allaient devenir* Terre des hommes, *on s'aperçoit que seuls* Courrier Sud *et* Citadelle *ne doivent rien à des provocations étrangères. Le premier et le dernier ouvrage publiés auront été ceux de l'intimité. Intimité du chant funèbre d'une oarystis malheureuse, intimité d'un chant constant qui ne doit rien à la rencontre mais qui est consubstantiel à l'auteur comme la respiration, les battements du cœur, le mouvement du sang, intimité des grandes orgues déployées par ce solitaire dans la cathédrale désaffectée. « Je suis lourd d'une musique qui jamais plus ne sera comprise. » Il a le sentiment de n'avoir, en définitive, de vocation plus importante que de faire entendre cette musique. Nul besoin qu'on l'invite à l'organiser.*

Ses ouvrages précédents l'ont-ils ignorée ? Nullement. Sans revenir sur Courrier Sud *qui la laisse s'infiltrer à travers les mailles romanesques et s'organiser autour de quelques thèmes majeurs qui, déjà, n'ont qu'une relation lointaine à l'avion, reconnaissons-la dans les autres livres, mais ici et là, repoussant pour se faire entendre la trame narrative, les digressions philosophiques, les dialogues d'un réalisme quelque peu emprunté. Ils sont le libretto, elle soulève l'orchestre, elle est, hors de tout argument, l'argument sans nécessité.*

Saint-Exupéry a célébré la danse, elle qui ne conduit nulle part, qui ramène la danseuse à son lieu d'origine. Elle est une exaltation de la marche, délivrée de ses trajets et de la préoccupation de son but. Un geste sans finalité. Le don gratuit, et qui ne s'engrange pas, d'un corps délivré de sa pesanteur. C'est également ce que suggèrent les quelques lignes que nous proposons en exergue : « un enrichissement sans usage »... Dès le départ, Saint-Exupéry a voulu accorder à sa voix un espace où elle pût retentir, comme la scène accorde à la danse un espace où se dénouer, membre après membre, pour un jaillissement sans autre éloquence que celle du corps établi dans son rythme et soustrait à ses servitudes. Combien rencontrons-nous de pages de Chateaubriand, de Rousseau, qui nous surprennent par la légèreté de leur argument mais qui n'ont pour toute raison d'être que d'établir le souffle, la voix de Chateaubriand, de Rousseau. C'est peut-être à cela que l'on reconnaît les véritables écrivains. À la suprématie, sur les arguments, les faits relatés, du déploiement d'un certain souffle, de l'établissement d'un certain timbre de la voix. Le souffle, Citadelle *n'en manque pas, quant à l'accent d'une voix singulière, on l'identifie dès les premiers mots.*

Mais nous avons vu Saint-Exupéry hanté par la débâcle des consciences, « malade » de ne pouvoir redonner à sa génération la « substance humaine » dont elle s'est vidée. Nous sommes bien loin, ici, de l'« enrichis-

sement sans usage » du chant. « Ah ! général, il n'y a qu'un problème, un seul de par le monde : rendre aux hommes une signification spirituelle. Des inquiétudes spirituelles. » Rien de moins gratuit qu'une telle ambition. Le chant est sans doute important. Mais cette préoccupation est urgente. Les temps l'imposent. C'est elle qui va déterminer la méditation abondante et complexe de Citadelle. *D'où un infléchissement décisif du projet ancien. La « part du travail » accordée « pour l'usage », ce peuvent être* Pilote de guerre, *la* Lettre, Le Petit Prince *et l'instruction qu'ils développent, mais elle envahit également* Citadelle, *en organise la dimension éthique, philosophique, métaphysique, spirituelle. Est-elle conciliable avec ce déploiement d'une musique secrète qui jaillit, comme son expression intime, d'un individu ? Qu'il y ait adjonction d'une visée à une autre, la chose est claire. Mais celle-ci doit-elle éliminer celle-là ? Peut-elle ne pas l'éliminer ? Il ne semble pas que Saint-Exupéry se soit inquiété de ce problème. Il l'avait écarté en une formule. Il vient, nous l'avons vu, de dire la nécessité de rendre aux hommes « des inquiétudes spirituelles ». Il poursuit, dans l'évidence d'une continuité logique : « faire pleuvoir sur eux quelque chose qui ressemble à un chant grégorien ». Le chant a rejoint le message, l'unité d'intention de l'ouvrage est soudée.*

Elle l'est, en fait, depuis toujours. À dix-huit ans, l'adolescent écrivait à sa mère : « Je viens de lire un peu de Bible : quelle puissance de style et quelle poésie. Partout les lois de la morale éclatent dans leur utilité. » Puissance de la poésie, utilité des lois de la morale : exigence de l'usage et négligence de l'usage se concilient dans l'échange que l'homme fait, l'espace du poème, de la part qui, en lui, ne participera pas de la catastrophe du corps.

L'éclatante sollicitation des événements succédant à la lourde pesée du chant intérieur aurait pu faire bifurquer Citadelle *vers une méditation très éloignée du projet d'origine. Le « poème » aurait pu s'effacer derrière le* Discours de la méthode *auquel les temps aspirent, doublé d'un nouveau* Traité sur la tolérance *rendu bien nécessaire par le déchaînement des haines et des ostracismes. Il n'en sera rien. Certes, de l'ancienne à la nouvelle version des premières pages, le ton s'est durci. Mais la musique demeure, portant la réflexion. C'est que le conflit mondial n'a fait que rendre plus aiguë une exigence aussi naturelle à l'auteur que le timbre de sa voix : celle de se confronter à la vie de l'esprit et de ne se dérober à aucune préoccupation éthique. Voit-on que poésie et lois de la morale s'opposent dans la Bible ? Elles sont depuis toujours les deux sources du comportement de* Saint-Exupéry. *Elles seront les sources de l'inspiration de l'écrivain. Elles s'excluent si peu que, loin de disloquer dans leurs apparitions l'homogénéité du livre, elles présentent les mêmes caractères d'écriture. Elles se déploient avec une égale abondance et une même diversité.*

Le style, dans sa diversité, épouse tous les claviers. Des généraux et leur « solide stupidité » au sobre dialogue des jardiniers amis, de la sévérité de ton fusti-

geant les trois mille réfugiés berbères à l'émotion de la mort de l'enfant d'Ibrahim, la parole est aussi à l'aise dans l'humour le plus corrosif que dans l'hymne le plus largement déployé. Mais quelle diversité aussi dans l'affabulation ! Comment ne pas être sensible à l'alliance du pittoresque et de l'universel chez ce petit peuple exotique, ces brodeuses de nappes, ce ciseleur de cuivre quotidiennement côtoyés, introduits dans la réflexion et transmués en mythes, convoqués pour eux-mêmes et « pour l'exemple », chez ces lépreux féroces, ce chemineau taciturne et avide d'audience, cette jeune femme suppliciée dans les sables, témoin des mœurs barbares de certaines tribus et non moins irréelle que le pauvre éléphant absorbé tout debout et tout cru par le boa du Petit Prince, *intégrée à une méditation des liens qui irriguent* Citadelle. *Cet éventail de fables conciliant la tendre exactitude de l'observation immédiate et l'audace ironique du symbole diversifie une lecture qui requiert à la fois adhésion et distance pour s'ouvrir en retentissement.*

L'éclatement de cette diversité se rassemble dans le courant d'une constante abondance. Lire Citadelle, *c'est se laisser porter par les « fleuves emphatiques » dont parle Saint-John Perse. Flot, ou moins métaphoriquement, souffle dont le surgissement entraîne l'écho des cavernes originelles, qui se disperse en variations vite regroupées, s'apaise sur le bonheur d'une image, d'une formule définitive, rejaillit pour un nouveau parcours qui entraîne l'inépuisable variété des choses dites dans la grandeur sans égale de la monotonie. Un tel style implique un recours permanent à la rhétorique, car elle épouse et traduit le rythme vital ; il dispose comme autant de points de reconnaissance ses tics de langage, comme autant de rites ses retours maniaques, dans un déferlement de mots qui est d'abord le déferlement d'accords d'un chant symphonique avant d'être un déferlement de sens. Mélopée brève chez celui-ci, cantilène ardente chez celui-là, murmure étouffé de tel autre, fragmentations sarcastiques ailleurs, combien de voix traversent notre mémoire ? La voix de Saint-Exupéry n'est pas de celles-là. Elle est souffle et requiert le souffle, c'est-à-dire qu'elle exige l'ampleur de l'espace verbal et la faveur des échos.*

Mais la pensée qu'elle accompagne s'ordonne autour des mêmes exigences. Devant ces consciences en loques, il faut peser, en les soustrayant à toute prévention, les valeurs de ces humanismes qui n'ont pas su faire barrage à la barbarie. Devant la ruine de l'Europe, il faut évaluer les structures collectives qui se sont effondrées à la première grande marée. « Car j'ai vu trop souvent la pitié s'égarer. » Il n'est pas que la pitié qui se soit égarée. Ce sont aussi ces concepts sacralisés, situés au-dessus du soupçon, mais qui se sont peu à peu altérés et dont l'Histoire vient de dénoncer la fragilité. D'où une double méditation inquiète, d'une part, de l'architecture spirituelle qui vacille chez les individus, d'autre part des principes qui régissent l'organisation du pouvoir et la distribution de l'autorité. On s'en doute : comme il en va des inflexions du style, les inflexions d'une pensée qui n'a jamais que l'homme pour centre et pour visée se regroupent avant de se diversifier à nouveau et de s'unir enfin en Dieu, lieu de toutes convergences, critère du sens, finalité des hiérarchies, image sans image mais définitive de l'homme, sourire dans lequel le visage se dispose et les visages se reconnaissent : « Que m'importe que Dieu n'existe pas, Dieu donne à l'homme de la divinité. » Ici encore, l'espace ne sera jamais assez vaste pour qu'y tiennent l'évaluation des valeurs, l'appréciation des structures et les échos qui des unes aux autres se répercutent.

Autant d'arguments qui éclairent le déploiement de Citadelle. *Suffisent-ils à le justifier ? Ils n'en effacent pas les inconvénients. Car ils ignorent l'intolérance du lecteur à un texte excédant les communes mesures et que ne soutient nulle intrigue. L'initiation d'un jeune prince succédant à son père et découvrant les pièges et la solitude du pouvoir provoque la réflexion, ne suscite pas l'adhésion sympathique ou inquiète que fait naître l'univers de Proust, par exemple. « Mon poème », disait Saint-Exupéry, avant même que l'ouvrage n'ait reçu son nom. La* Recherche *ne se présente pas comme un poème mais comme un roman. Et Baudelaire qui usa de la prose pour écrire des poèmes savait qu'un poème en prose se doit d'être court. Faute d'une ossature narrative,* Citadelle *s'éparpille en une multitude d'anecdotes syncopées qui n'apparaissent pas pour piquer la curiosité, susciter l'intérêt, mais pour leur éclat ou pour leur valeur exemplaire, unies, certes, par l'identité de la pensée de l'auteur mais aussi étanches entre elles que ces poèmes en prose auxquels, d'ailleurs, on ne saurait les apparenter. Admettons-le : pour la majeure partie du public de Saint-Exupéry, la lecture de bout en bout de* Citadelle *est une rude épreuve, rendue plus difficile encore par la reprise constante des mêmes thèmes, le retour lancinant sur les mêmes questions. Peut-on secourir le lecteur dans cette vaste traversée, l'aider à ne pas laisser tomber le livre avant l'épuisement des deux cent dix-neuf chapitres qui le composent ?*

En l'allégeant. L'entreprise est iconoclaste. Qui peut se permettre de se substituer à Saint-Exupéry pour porter la main sur son texte ? L'argument de l'inachèvement de l'ouvrage peut être avancé pour autoriser quelques remaniements. Il n'est pas décisif. Nous avons laissé l'auteur et son volumineux « poème » aux États Unis. Nous les retrouvons en Afrique du Nord. Le travail se poursuit. Mais non plus pour la rédaction de quelques chapitres destinés à clore l'ensemble. L'ensemble est clos. Nul doute que la dernière fable, celle des deux jardiniers amis, ne soit destinée de longue date à couronner, dans la tendresse et la sobriété, l'édifice. Nul doute que la dernière parole, invoquant Dieu, « nœud essentiel d'actes divers », ne fasse figure de parole décisive. La fin de Citadelle *s'impose de façon aussi péremptoire, à la place qui est la sienne, que la première phrase de l'ouvrage. Et pourtant, Saint-Exupéry a fréquemment dit que son livre ne serait jamais terminé. Mais que signifie cette formule ? Certainement pas qu'il resterait suspendu en cours de route.*

Son achèvement est évident. Mais la nécessité du chapitre final ne se retrouve pas à l'intérieur du livre. Cette multitude de personnages que les jeux de la mémoire et de la fantaisie font défiler se succèdent dans un désordre qui ne devient un ordre que parce que c'est ce désordre-là, et non un autre, qui s'est trouvé réalisé sur le damier. Ce déluge, surtout, de concepts dont la pertinence, communément admise, pose problème, exige examen et réexamen, obéit plus à une inquiétude jamais dissipée, à une remontée de l'angoisse qu'à la discipline d'un plan qui ne serait d'ailleurs que « caricature de la vie ». L'exacte appréciation du travail en suspens, c'est, en définitive, le récitant qui, à l'intérieur même de l'ouvrage (chapitre CXXXIII*), l'exprimera. « J'ai écrit mon poème... Il me reste à le corriger. » Et le père du prince des sables, revenu pour la circonstance, d'ajouter : « Et de correction en correction, je marche vers Dieu. »*

Certes, nul ne saurait faire, en place et lieu de Saint-Exupéry, un pas vers Dieu. Mais il est clair que la longueur de Citadelle, *si elle tient au libre déploiement qu'il a voulu accorder à son souffle, trouve également son origine dans l'incessante reprise des thèmes majeurs : insistance jamais épuisée sur ce qui lui semble essentiel, modulation d'une pensée qui se cherche dans le souci d'une conception rigoureuse et d'une formulation bienvenue. Or, le caractère du souffle se mesure dès les premiers chapitres. Six cents pages ne l'établissent pas mieux que trois cents. Quant aux convictions de l'auteur, l'affirmation de certaines valeurs rarement reconnues — l'arbitraire, par exemple —, la mise en cause de telles autres — disons, la perfection —, les tâtonnements dont l'auteur les cerne, leur ressassement lassent plus qu'ils ne persuadent. Le lecteur s'exténue à retrouver de page en page une analyse reprise en termes quasiment identiques sans que l'on puisse honnêtement noter de l'une à l'autre variation ou progrès. Corriger, c'eût été sans doute émonder cet arbre — « mon arbre », disait-il encore — dont l'exubérante vitalité ne laissait plus que difficilement passer la lumière.*

Bien sûr, nous savons, pour lui emprunter une autre métaphore, que Saint-Exupéry envisageait la traversée de Citadelle *à la façon de ces promenades « dans une campagne étrangère » qu'il évoque au cours même du livre (chapitre* CXLVIII*). « Et peu à peu au cours du long pèlerinage, tandis que mon cheval boitait dans les ornières, ou tirait les rênes pour brouter l'herbe rase le long des murs, me vint le sentiment que mon chemin dans ses inflexions subtiles et ses respects et ses loisirs, et son temps perdu comme par l'effet de quelque rite ou d'une antichambre de roi, dessinait le visage d'un prince, et que tous ceux qui l'empruntaient, secoués par leurs carrioles ou balancés par leurs ânes lents, étaient, sans le savoir, exercés à l'amour. » Encore convient-il que le cheval ne boite pas trop bas ou ne s'égaille pas trop souvent vers des gourmandises de hasard. Le visage du prince n'a rien à redouter d'une approche divaguant moins que celle à laquelle l'auteur s'est complu avant de trouver le loisir* *d'abréger un peu le chemin. Même resserré, le déroulement de* Citadelle *reste suffisamment tributaire de la fantaisie et de l'inspiration de l'instant pour que l'exercice de l'amour échappe à la rigueur des itinéraires sans paresse.*

L'allure des carrioles brinquebalantes et le rythme des ânes lents est un luxe refusé à la plupart des lecteurs d'aujourd'hui. Le choix, dès lors, est simple : ou laisser partie du public bouder une œuvre tenue pour indigeste et se priver d'une pensée décisive et d'une voix incomparable, ou lui proposer une version plus succincte du livre. Nous optons pour la seconde démarche. Cela suppose des déterminations et des engagements délibérés.

On a souvent dit que, rescapé de son ultime et fatale mission — il était entendu qu'on ne lui en autoriserait aucune autre —, Saint-Exupéry aurait repris son texte et l'aurait considérablement allégé. En vérité, on n'avance dans ce domaine que des hypothèses. Qu'il ait eu l'intention de le revoir, il l'a suffisamment affirmé pour qu'on puisse l'en croire. Mais en quel sens ? Pour supprimer telles ou telles redondances ? Sans doute. Elles sont assez flagrantes pour qu'une relecture attentive ne les eût pas épargnées. Mais nous voyons également, ici et là, « Note pour plus tard », ce qui suppose de futurs et nouveaux développements. Et si l'ouvrage, remis sur le chantier, était finalement sorti, non amaigri, mais plus volumineux que jamais ? Qui saurait le dire ? Qui saurait prétendre que, devant son « poème », Saint-Exupéry ne risquait pas de céder à la fascination de Frenhofer, le héros du Chef-d'œuvre inconnu *de Balzac et de le surcharger au point de le rendre illisible ? Nous retenons, de ces suppositions contradictoires, qu'en aucun cas notre entreprise ne saurait se situer dans la logique de ce qu'aurait entrepris l'auteur s'il avait vécu. De cette logique, nous ne savons rien. La marche dans le « palais de mon père » (chapitre* CCV*) figure, elle aussi, la lente déambulation du lecteur parmi le « royaume des odeurs » de* Citadelle. *« Moi j'avance lentement, un pas lent sur la dalle d'or, un pas lent sur la dalle noire, dans les profondeurs de mon palais. » Ces profondeurs, en eût-il favorisé l'accès en raccourcissant quelques vestibules, les eût-il ouvertes sur de nouvelles pièces nécessaires ou inutiles, lui qui aimait tant les espaces qui ne servent à rien ? Ce que nous entreprenons est sans rapport avec l'inachèvement de la symphonie. Ce n'est qu'une tentative pour amener le lecteur à ne pas négliger, découragé par son volume, ce texte capital.*

Nous avons obéi, en portant la main sur ces pages, à quelques principes préalables. L'ordre des chapitres a été rigoureusement respecté. Il eût été pédagogique, peut-être, de regrouper les développements relatifs à la justice, à l'égalité, à la liberté… La facilité d'interprétation y aurait gagné. Mais la pédagogie conduit les enfants et les lecteurs ne sont pas des enfants. Au demeurant, c'eût été réécrire la Bible en regroupant tous les A, tous les B, tous les C… Somme toute, « un livre pour généraux » comme il eût dit, et les lecteurs ne sont pas généraux. Notre respect du mouvement du texte s'est accompagné, faut-il le préciser, du respect de chaque phrase, de chaque mot. Notre intervention n'est que d'élagage, nullement de modification.

Mais porter la hache dans l'arbre ne relève pas toujours d'une décision incontestable. Que couper ? Où porter ? Précisons nettement les règles qui ont gouverné notre choix. Nous avons sacrifié les redites, les reprises parasitaires de thèmes déjà largement illustrés. On nous dira qu'il n'existe pas de redite, que l'expression modifiée d'une conviction implique une inflexion, aussi subtile soit-elle, de la pensée. Mais c'est là provende de spécialistes à laquelle il convient d'ajouter variantes et repentirs. Soyons honnêtes : qui n'a jamais souffert des longueurs d'un ouvrage ? C'est à elles que nous nous en sommes pris, soucieux de conserver, dans l'éventail des diverses formulations, celle qui nous paraissait la plus décisive. Soucieux, également, de ne sacrifier aucun aspect de cette méditation et, en particulier, de respecter images, fables et paraboles. Il nous semble, en effet, que si la richesse de Citadelle *tient dans une grande mesure à l'ampleur de la réflexion, sa séduction tient à l'abondance de la vie qui triomphe dans l'éclatement des présences, l'accumulation des métaphores, l'éparpillement des personnages, ces brefs récits comme autant d'appels de lumière dans l'épaisseur ténébreuse de l'époque. Autour de la pensée, squelette subtilement articulé, ils sont l'épaisseur de la chair, la générosité du sang, l'éclat du regard, la séduction du sourire. Les choses nous paraissent à ce point évidentes qu'au traditionnel « index des principales rubriques » qui fait un sort privilégié aux concepts, aux thèmes clés et se révèle à peu près inutilisable — car, enfin, que faire de la rubrique « amour », avec ses dizaines d'apparitions tellement disparates ? comment admettre la confusion de « demeure », de « domaine » et de « maison », au sens proche, certes, mais aux résonances si étrangères ? — nous avons préféré une brève table des fables et des paraboles. Il importe plus au lecteur de sourire à l'histoire du tachu et de son frère le capitaine ou de s'émouvoir à la mort de l'enfant d'Ibrahim que de s'essouffler le long des articles « amour » ou « mort ».*

Certaines suppressions sont intervenues en cours de chapitre. D'autres sacrifient un chapitre entier. Dans ce dernier cas, nous avons conservé, pour la suite de l'ouvrage, la numérotation d'origine. Ce respect facilite un recours éventuel au texte complet mais nous vaut des passages à gué. (Nous sautons, par exemple, du chapitre XXXIII *au chapitre* XXXIX.*) Le public saura qu'il n'y a pas là étourderie mais parti pris. Au reste, Reverdy ne pensait-il pas qu'on doit lire la poésie comme on franchit un ruisseau à gué ? Ici, il arrive que les gués exigent de vastes enjambées. Mais il reste assez d'eau chantant autour des pierres pour séduire l'oreille du lecteur.*

Michel Quesnel.

I

Car j'ai vu trop souvent la pitié s'égarer. Mais nous qui gouvernons les hommes, nous avons appris à sonder leurs cœurs afin de n'accorder notre sollicitude qu'à l'objet digne d'égards. Mais cette pitié, je la refuse aux blessures ostentatoires qui tourmentent le cœur des femmes, comme aux moribonds, et comme aux morts. Et je sais pourquoi.

Il fut un âge de ma jeunesse où j'eus pitié des mendiants et de leurs ulcères. Je louais pour eux des guérisseurs et j'achetais des baumes. Les caravanes me ramenaient d'une île des onguents à base d'or qui recousent la peau sur la chair. Ainsi ai-je agi jusqu'au jour où j'ai compris qu'ils tenaient comme luxe rare à leur puanteur, les ayant surpris se grattant et s'humectant de fiente comme celui-là qui fume une terre pour en arracher la fleur pourpre. Ils se montraient l'un à l'autre leur pourriture avec orgueil, tirant vanité des offrandes reçues, car celui qui gagnait le plus s'égalait en soi-même au grand prêtre qui expose la plus belle idole. S'ils consentaient à consulter mon médecin, c'était dans l'espoir que leur chancre le surprendrait par sa pestilence et par son ampleur. Et ils agitaient leurs moignons pour tenir de la place dans le monde. Ainsi acceptaient-ils les soins comme un hommage, offrant leurs membres aux ablutions qui les flattaient, mais à peine le mal était-il effacé qu'ils se découvraient sans importance, ne nourrissant plus rien de soi, comme inutiles, et qu'ils s'occupaient désormais de ressusciter d'abord cet ulcère qui vivait d'eux. Et, une fois bien drapés de nouveau dans leur mal, glorieux et vains, ils reprenaient, la sébile à la main, la route des caravanes et, au nom de leur dieu malpropre, rançonnaient les voyageurs.

Il fut un âge aussi où j'eus pitié des morts. Croyant que celui-là que je sacrifiais dans son désert sombrait dans une solitude désespérée, n'ayant point encore entrevu qu'il n'est *jamais* de solitude pour ceux qui meurent. Ne m'étant point heurté encore à leur condescendance. Mais j'ai vu l'égoïste ou l'avare, celui-là même qui criait si fort contre toute spoliation, parvenu à sa dernière heure, prier qu'autour de lui l'on rassemblât les familiers de sa maison, puis partager ses biens dans une équité dédaigneuse comme des jouets futiles à des enfants. J'ai vu le blessé pusillanime, le même qui eût hurlé pour appeler à l'aide au cœur d'un danger sans grandeur, une fois rompu véritablement, repousser d'autrui toute assistance s'il se trouvait que cette assistance eût fait courir à ses compagnons quelque péril. Nous célébrons une telle abnégation. Mais je n'ai trouvé là encore que signe discret de mépris. Je connais celui-là qui partage sa gourde quand déjà il sèche au soleil, ou sa croûte de pain à l'apogée de la famine. Et c'est d'abord qu'il n'en connaît plus le besoin et, plein d'une royale ignorance, abandonne à autrui cet os à ronger.

Pourquoi donc les plaindrais-je ? Pourquoi perdrais-je mon temps à pleurer leur achèvement ? J'ai trop connu la perfection des morts. Qu'ai-je côtoyé de plus léger que la mort de cette captive dont on égaya mes seize ans et qui, lorsqu'on me l'apporta, s'occupait déjà de mourir, respirant par souffles si courts et cachant sa toux dans les linges, à bout de course comme la gazelle, déjà forcée, mais l'ignorant puisqu'elle aimait sourire. Mais ce sourire était vent sur une rivière, trace d'un songe, sillage d'un cygne, et de jour en jour s'épurant, et plus précieux, et plus difficile à retenir, jusqu'à devenir cette simple ligne tellement pure, une fois le cygne envolé.

Mort aussi de mon père. De mon père accompli et devenu de pierre. Les cheveux de l'assassin blanchirent, dit-on, quand son poignard, au lieu de vider ce corps périssable, l'eut empli d'une telle majesté. Le meurtrier, caché dans la chambre royale, face à face, non avec sa victime, mais avec le granit géant d'un sarcophage, pris au piège d'un silence dont il était lui-même la cause, on le découvrit au petit jour réduit à la prosternation par la seule immobilité du mort.

Ainsi mon père qu'un régicide installa d'emblée dans l'éternité, quand il eut ravalé son souffle suspendit le souffle des autres durant trois jours. Si bien que les langues ne se délièrent, que les épaules ne cessèrent d'être écrasées qu'après que nous l'eûmes porté en terre. Mais il nous parut si important, lui qui ne gouverna pas mais pesa et fonda sa marque, que nous crûmes, quand nous le descendîmes dans la fosse, au long de cordes qui craquaient, non ensevelir un cadavre, mais engranger une provision. Il pesait, suspendu, comme la première dalle d'un temple. Et nous ne l'enterrâmes point, mais le scellâmes dans la terre, enfin devenu ce qu'il est, cette assise.

C'est lui qui m'enseigna la mort et m'obligea quand j'étais jeune de la regarder bien en face, car il ne baissa jamais les yeux. Mon père était du sang des aigles.

Ce fut au cours de l'année maudite, celle que l'on surnomma « le Festin du Soleil », car le soleil, cette année-là, élargit le désert. Rayonnant sur les sables parmi les ossements, les ronces sèches, les peaux transparentes des lézards morts et cette herbe à chameaux changée en crin. Lui par qui se bâtissent les tiges des fleurs avait dévoré ses créatures, et il trônait, sur leurs cadavres éparpillés, comme l'enfant parmi les jouets qu'il a détruits.

Il absorba jusqu'aux réserves souterraines et but l'eau des puits rares. Il absorba jusqu'à la dorure des sables, lesquels se firent si vides, si blancs, que nous baptisâmes cette contrée du nom de Miroir. Car un miroir ne contient rien non plus et les images dont il s'emplit n'ont ni poids ni durée. Car un miroir parfois, comme un lac de sel, brûle les yeux.

Les chameliers, lorsqu'ils s'égarent, s'ils se prennent à ce piège qui n'a jamais rendu son bien, ne le reconnaissent pas d'abord, car rien ne le distingue, et ils y traînent, comme une ombre au soleil, le fantôme de leur présence. Collés à cette glu de lumière ils croient marcher, engloutis déjà dans l'éternité ils croient vivre. Ils poussent en avant leur caravane là où nul effort ne prévaut contre l'inertie de l'étendue. Marchant sur un puits qui n'existe pas, ils se réjouissent de la fraîcheur du crépuscule, quand désormais elle n'est plus qu'inutile sursis. Ils se plaignent peut-être, ô naïfs, de la lenteur des nuits, quand les nuits bientôt passeront sur eux comme battements de paupières. Et, s'injuriant de leurs voix gutturales, à cause de tendres injustices, ils ignorent que déjà, pour eux, justice est faite.

Tu crois qu'ici une caravane se hâte ? Laisse couler vingt siècles et reviens voir !

Fondus dans le temps et changés en sable, fantômes bus par le miroir, ainsi les ai-je moi-même découverts quand mon père, pour m'enseigner la mort, me prit en croupe et m'emporta.

« Là, me dit-il, il fut un puits. »

Au fond de l'une de ces cheminées verticales, qui ne reflètent, tant elles sont profondes, qu'une seule étoile, la boue même s'était durcie et l'étoile prise s'y était éteinte. Or, l'absence d'une seule étoile suffit pour culbuter une caravane sur sa route aussi sûrement qu'une embuscade.

Autour de l'étroit orifice, comme autour du cordon ombilical rompu, hommes et bêtes s'étaient en vain agglutinés pour recevoir du ventre de la terre l'eau de leur sang. Mais les ouvriers les plus sûrs, halés jusqu'au plancher de cet abîme, avaient en vain gratté la croûte dure. Semblable à l'insecte épinglé vivant et qui, dans le tremblement de la mort, a répandu autour de lui la soie, le pollen et l'or de ses ailes, la caravane, clouée au sol par un seul puits vide, commençait déjà de blanchir dans l'immobilité des attelages rompus, des malles éventrées, des diamants déversés en gravats, et des lourdes barres d'or qui s'ensablaient.

Comme je les considérais, mon père parla :

« Tu connais le festin des noces, une fois que l'ont déserté les convives et les amants. Le petit jour expose le désordre qu'ils ont laissé. Les jarres brisées, les tables bousculées, la braise éteinte, tout conserve l'empreinte d'un tumulte qui s'est durci. Mais à lire ces marques, me dit mon père, tu n'apprendras rien sur l'amour.

« À peser, retourner le livre du Prophète, me dit-il encore, à s'attarder sur le dessin des caractères ou sur l'or des enluminures, l'illettré manque l'essentiel qui est non l'objet vain mais la sagesse divine. Ainsi l'essentiel du cierge n'est point la cire qui laisse des traces, mais la lumière. »

Les juges de la ville condamnèrent une fois une jeune femme, qui avait commis quelque crime, à se dévêtir au soleil de sa tendre écorce de chair, et la firent simplement lier à un pieu dans le désert.

« Je t'enseignerai, me dit mon père, vers quoi tendent les hommes. »

Et de nouveau il m'emporta.

Comme nous voyagions, le jour entier passa sur elle, et le soleil but son sang tiède, sa salive et la sueur de ses aisselles. But dans ses yeux l'eau de lumière. La nuit tombait et sa courte miséricorde quand nous parvînmes, mon père et moi, au seuil du plateau interdit où, émergeant blanche et nue de l'assise du roc, plus fragile qu'une tige nourrie d'humidité mais désormais tranchée d'avec les provisions d'eaux lourdes qui font dans la terre leur silence épais, tordant ses bras comme un sarment qui déjà craque dans l'incendie, elle criait vers la pitié de Dieu.

« Écoute-la, me dit mon père. Elle découvre l'essentiel… »

Mais j'étais enfant et pusillanime :

« Peut-être qu'elle souffre, lui répondis-je, et peut-être aussi qu'elle a peur…

— Elle a dépassé, me dit mon père, la souffrance et la peur qui sont maladies de l'étable, faites pour l'humble troupeau. Elle découvre la vérité. »

Et je l'entendis qui se plaignait. Prise dans cette nuit sans frontières, elle appelait à elle la lampe du soir dans la maison, et la chambre qui l'eût rassemblée, et la porte qui se fût bien fermée sur elle. Offerte à l'univers entier qui ne montrait point de visage, elle appelait l'enfant que l'on embrasse avant de s'endormir et qui résume le monde. Soumise, sur ce plateau désert, au passage de l'inconnu, elle chantait le pas de l'époux qui sonne le soir sur le seuil et que l'on reconnaît et qui rassure. Étalée dans l'immensité et n'ayant plus rien à saisir, elle suppliait qu'on lui rendît les digues qui seules permettent d'exister, ce paquet de laine à carder, cette écuelle à laver, celle-là seule, cet enfant à endormir et non un autre. Elle criait vers l'éternité de la maison, coiffée avec tout le village par la même prière du soir.

II

Ainsi, du sommet de la tour la plus haute de la citadelle, j'ai découvert que ni la souffrance ni la mort dans le sein de Dieu, ni le deuil même n'étaient à plaindre. Car le disparu si l'on vénère sa mémoire est plus présent et plus puissant que le vivant. Et j'ai compris l'angoisse des hommes et j'ai plaint les hommes.

Et j'ai décidé de les guérir.

J'ai pitié de celui-là seul qui se réveille dans la grande nuit patriarcale, se croyant abrité sous les étoiles de Dieu, et qui sent tout à coup le voyage.

J'interdis que l'on interroge, sachant qu'il n'est jamais de réponse qui désaltère. Celui qui interroge, ce qu'il cherche d'abord c'est l'abîme.

Je condamne l'inquiétude qui pousse les voleurs au crime, ayant appris à lire en eux et sachant ne point les sauver si je les sauve de leur misère. Car s'ils croient convoiter l'or d'autrui ils se trompent. Mais l'or brille comme une étoile. Cet amour qui s'ignore soi-même ne s'adresse qu'à une lumière qu'ils ne captureront jamais. Ils vont de reflet en reflet, dérobant des biens inutiles, comme le fou qui pour se saisir de la lune qui s'y reflète puiserait l'eau noire des fontaines. Ils vont et jettent au feu court des orgies la cendre vaine qu'ils ont dérobée. Puis ils reprennent leurs stations nocturnes, pâles comme au seuil d'un rendez-vous, immobiles de peur d'effrayer, s'imaginant qu'ici réside ce qui peut-être un jour les comblera.

Celui-là, si je le libère, demeurera fidèle à son culte et mes hommes d'armes écrasant les branches le surprendront demain encore dans les jardins d'autrui, plein du battement de son cœur et croyant sentir vers lui, cette nuit-là, la fortune fléchir.

Et certes je les couvre d'abord de mon amour,

leur connaissant plus de ferveur qu'aux vertueux dans leurs boutiques. Mais je suis bâtisseur de cités. J'ai décidé d'asseoir ici les assises de ma citadelle. J'ai contenu la caravane en marche. Elle n'était que graine dans le lit du vent. Le vent charrie comme un parfum la semence du cèdre. Moi je résiste au vent et j'enterre la semence, en vue d'épanouir les cèdres pour la gloire de Dieu.

Il faut que l'amour trouve son objet. Je sauve celui-là seul qui aime ce qui est et que l'on peut rassasier.

C'est pourquoi également j'enferme la femme dans le mariage et ordonne de lapider l'épouse adultère. Et certes je comprends sa soif et combien grande est la présence dont elle se réclame. Je sais la lire, qui s'accoude sur la terrasse, quand le soir permet les miracles, fermée de toutes parts par la haute mer de l'horizon, et livrée, comme à un bourreau solitaire, au supplice d'être tendre.

Je la sens toute palpitante, jetée ici ainsi qu'une truite sur le sable, et qui attend, comme la plénitude de la vague marine, le manteau bleu du cavalier. Son appel, elle le jette à la nuit tout entière. Quiconque en surgira l'exaucera. Mais elle passera vainement de manteau en manteau, car il n'est point d'homme pour la combler. Une rive ainsi appelle, pour se rafraîchir, l'épanchement des vagues de la mer, et les vagues se succèdent éternellement. L'une après l'autre s'use. À quoi bon ratifier le changement d'époux : Quiconque aime d'abord l'approche de l'amour ne connaîtra point la rencontre…

Je sauve celle-là seule qui peut devenir, et s'ordonner autour de la cour intérieure, de même que le cèdre s'édifie autour de sa graine, et trouve, dans ses propres limites, son épanouissement. Je sauve celle-là qui n'aime point d'abord le printemps, mais l'ordonnance de telle fleur où le printemps s'est enfermé. Qui n'aime point d'abord l'amour, mais tel visage particulier qu'a pris l'amour.

C'est pourquoi cette épouse dispersée dans le soir je l'expurge ou je la rassemble. Je dispose autour d'elle, comme autant de frontières, le réchaud, la bouilloire, et le plateau de cuivre d'or, afin que peu à peu, au travers de cet assemblage, elle découvre un visage reconnaissable, familier, un sourire qui n'est que d'ici. Et ce sera pour elle l'apparition lente de Dieu. L'enfant alors criera pour obtenir d'être allaité, la laine à carder tentera les doigts, et la braise réclamera sa part de souffle. Dès lors elle sera capturée et prête à servir. Car je suis celui qui bâtit l'urne autour du parfum pour qu'il demeure. Je suis la routine qui comble le fruit. Je suis celui qui contraint la femme de prendre figure et d'exister, afin que plus tard je remette en son nom à Dieu non ce faible soupir dispersé dans le vent, mais telle ferveur, telle tendresse, telle souffrance particulière…

Ainsi ai-je longtemps médité sur le sens de la paix. Elle ne vient que des enfants nés, que des moissons faites, que de la maison enfin rangée. Elle vient de l'éternité où rentrent les choses accomplies. Paix des granges pleines, des brebis qui dorment, des linges pliés, paix de la seule perfection, paix de ce qui devient cadeau à Dieu, une fois bien fait.

Car il m'est apparu que l'homme était tout semblable à la citadelle. Il renverse les murs pour s'assurer la liberté, mais il n'est plus que forteresse démantelée et ouverte aux étoiles. Alors commence l'angoisse qui est de n'être point. Qu'il fasse sa vérité de l'odeur du sarment qui grille ou de la brebis qu'il doit tondre. La vérité se creuse comme un puits. Le regard, quand il se disperse, perd la vision de Dieu. En sait plus long sur Dieu que l'épouse adultère ouverte aux promesses de la nuit, tel sage qui s'est rassemblé, et ne connaît rien que le poids des laines.

Citadelle, je te construirai dans le cœur de l'homme.

III

Car j'ai découvert une grande vérité. À savoir que les hommes habitent, et que le sens des choses change pour eux selon le sens de la maison. Et que le chemin, le champ d'orge et la courbe de la colline sont différents pour l'homme selon qu'ils composent ou non un domaine. Car voilà tout à coup cette matière disparate qui s'assemble et pèse sur le cœur. Et celui-là n'habite point le même univers qui habite ou non le royaume de Dieu. Et, qu'ils se trompent, les infidèles, qui rient de nous, et qui croient courir les richesses tangibles, quand il n'en est point. Car s'ils convoitent ce troupeau c'est déjà par orgueil. Et les joies de l'orgueil elles-mêmes ne sont point tangibles.

Ainsi de ceux qui croient le découvrir en le divisant, mon territoire. « Il y a là, disent-ils, des moutons, des chèvres, de l'orge, des demeures et des montagnes — et quoi de plus ? » Et ils sont pauvres de ne rien posséder de plus. Et ils ont froid. Et j'ai découvert qu'ils ressemblent à celui-là qui dépèce un cadavre. « La vie, dit-il, je la montre au grand jour : ce n'est que mélange d'os, de sang, de muscles et de viscères. » Quand la vie était cette lumière des yeux qui ne se lit plus dans leur cendre. Quand mon territoire est bien autre chose que ces moutons, ces champs, ces demeures et ces montagnes, mais ce qui les domine et les noue. Mais la patrie de mon amour. Et les voilà heureux s'ils le savent, car ils habitent ma maison.

Et les rites sont dans le temps ce que la demeure est dans l'espace. Car il est bon que le temps qui s'écoule ne nous paraisse point nous user et nous perdre, comme la poignée de sable, mais nous accomplir. Il est bon que le temps soit une construction. Ainsi, je marche de fête en fête, et d'anniversaire en anniversaire, de vendange en vendange, comme je marchais, enfant, de la salle du Conseil à la salle du repos, dans l'épaisseur du palais de mon père, où tous les pas avaient un sens.

J'ai imposé ma loi qui est comme la forme des murs et l'arrangement de ma demeure. L'insensé est venu me dire : « Délivre-nous de tes contraintes, alors nous deviendrons plus grands. » Mais je savais qu'ils y perdraient d'abord la connaissance d'un visage et, de ne plus l'aimer, la connaissance d'eux-mêmes, et j'ai décidé, malgré eux, de les enrichir de leur amour. Car ils me proposaient, pour s'y promener plus à l'aise, de jeter bas les murs du palais de mon père où tous les pas avaient un sens.

C'était une vaste demeure avec l'aile réservée aux femmes et le jardin secret où chantait le jet d'eau. (Et j'ordonne que l'on fasse ainsi un cœur à la maison afin que l'on y puisse et s'approcher et s'éloigner de quelque chose. Afin que l'on y puisse et sortir et rentrer. Sinon, l'on n'est plus nulle part. Et ce n'est point être libre que de n'être pas.) Il y avait aussi les granges et les étables. Et il arrivait que les granges fussent vides et les étables inoccupées. Et mon père s'opposait à ce que l'on se servît des unes pour les fins des autres. « La grange, disait-il, d'abord est une grange, et tu n'habites point une maison si tu ne sais plus où tu te trouves. Peu importe, disait-il encore, un usage plus ou moins fertile. L'homme n'est pas un bétail à l'engrais, et l'amour, pour lui, compte plus que l'usage. Tu ne peux aimer une maison qui n'a point de visage et où les pas n'ont point de sens. »

Il y avait la salle réservée aux seules grandes ambassades, et que l'on ouvrait au soleil les seuls jours où montait la poussière de sable soulevée par les cavaliers, et, à l'horizon, ces grandes oriflammes où le vent travaillait comme sur la mer. Celle-là, on la laissait déserte à l'occasion des petits princes sans importance. Il y avait la salle où l'on rendait la justice, et celle où l'on portait les morts. Il y avait la chambre vide, celle dont nul jamais ne connut l'usage — et qui peut-être n'en avait aucun, sinon d'enseigner le sens du secret et que jamais on ne pénètre toutes choses.

Et les esclaves, qui parcouraient les corridors portant leurs charges, déplaçaient de lourdes tentures qui croulaient contre leur épaule. Ils montaient des marches, poussaient des portes, et redescendaient d'autres marches, et, selon qu'ils étaient plus près ou plus loin du jet d'eau central, se faisaient plus ou moins silencieux, jusqu'à devenir inquiets comme des ombres aux lisières du domaine des femmes dont la connaissance par erreur leur eût coûté la vie. Et les femmes elles-mêmes : calmes, arrogantes, ou furtives, selon leur place dans la demeure.

J'entends la voix de l'insensé : « Que de place dilapidée, que de richesses inexploitées, que de commodités perdues par négligence ! Il faut démolir ces murs inutiles, et niveler ces courts escaliers qui compliquent la marche. Alors l'homme sera libre. » Et moi je réponds : « Alors les hommes deviendront bétail de place publique, et, de peur de tant s'ennuyer, inventeront des jeux stupides qui seront encore régis par des règles, mais par des règles sans grandeur. Car le palais peut favoriser des poèmes. Mais quel poème écrire sur la niaiserie des dés qu'ils lancent ? Longtemps peut-être encore ils vivront de l'ombre des murs, dont les poèmes leur porteront la nostalgie, puis l'ombre elle-même s'effacera et ils ne les comprendront plus. »

Et de quoi, désormais, se réjouiraient-ils ?

Ainsi de l'homme perdu dans une semaine sans jours, ou une année sans fêtes, qui ne montre point de visage. Ainsi de l'homme sans hiérarchie, et qui jalouse son voisin, si en quelque chose celui-ci le dépasse, et s'emploie à le ramener à sa mesure. Quelle joie tireront-ils ensuite de la mare étale qu'ils constitueront ?

Moi je recrée les champs de force. Je construis des barrages dans les montagnes pour soutenir les eaux. Je m'oppose ainsi, injuste, aux pentes naturelles. Je rétablis les hiérarchies là où les hommes se rassemblaient comme les eaux, une fois qu'elles se sont mêlées dans la mare. Je bande les arcs. De l'injustice d'aujourd'hui je crée la justice de demain. Je rétablis les directions, là où chacun s'installe sur place et nomme bonheur ce croupissement. Je méprise les eaux croupissantes de leur justice et délivre celui qu'une belle injustice a fondé. Et ainsi j'ennoblis mon empire.

Car je connais leurs raisonnements. Ils admiraient l'homme qu'a fondé mon père. « Comment oser brimer, se sont-ils dit, une réussite si parfaite ? » Et, au nom de celui-là que de telles contraintes avaient fondé, ils ont brisé ces contraintes. Et tant qu'elles ont duré dans le cœur, elles ont encore agi. Puis, peu à peu, on les a oubliées. Et celui-là que l'on voulait sauver est mort.

C'est pourquoi je hais l'ironie qui n'est point de l'homme mais du cancre. Car le cancre leur dit : « Vos coutumes ailleurs sont autres. Pourquoi n'en point changer ? » De même qu'il leur eût dit : « Qui vous force d'installer les moissons dans la grange et les troupeaux dans les étables ? » Mais c'est lui qui est dupe des mots, car il ignore ce que les mots ne peuvent saisir. Il ignore que les hommes habitent une maison.

Et ses victimes qui ne savent plus la reconnaître commencent de la démanteler. Les hommes dilapident ainsi leur bien le plus précieux : le sens des choses.

Je me souviens de ce mécréant qui visita mon père :

« Tu ordonnes que chez toi l'on prie avec des chapelets de treize grains. Qu'importe treize grains, disait-il, le salut n'est-il pas le même si tu en changes le nombre ? »

Et il fit valoir de subtiles raisons pour que les hommes priassent sur des chapelets de douze grains. Moi, enfant, sensible à l'habileté du discours, j'observais mon père, doutant de l'éclat de sa réponse, tant les arguments invoqués m'avaient paru brillants :

« Dis-moi, reprenait l'autre, en quoi pèse plus lourd le chapelet de treize grains…

— Le chapelet de treize grains, répondit mon père, pèse le poids de toutes les têtes qu'en son nom j'ai déjà tranchées… »

Dieu éclaira le mécréant qui se convertit.

IV

Demeure des hommes, qui te fonderait sur le raisonnement ? Qui serait capable, selon la logique, de te bâtir ? Tu existes et n'existes pas. Tu es et tu n'es pas. Tu es faite de matériaux disparates, mais il faut t'inventer pour te découvrir. De même que celui-là, qui a détruit sa maison avec la prétention de la connaître, ne possède plus qu'un tas de pierres, de briques et de tuiles, ne retrouve ni l'ombre ni le silence ni l'intimité qu'elles servaient, et ne sait quel service attendre de ce tas de briques, de pierres et de tuiles, car il leur manque l'invention qui les domine, l'âme et le cœur de l'architecte. Car il manque à la pierre l'âme et le cœur de l'homme.

Mais comme il n'est de raisonnements que de la brique, de la pierre et de la tuile, non de l'âme et du cœur qui les dominent, et les changent, de par leur pouvoir, en silence, comme l'âme et le cœur échappent aux règles de la logique et aux lois des nombres, alors, moi, j'apparais avec mon arbitraire. Moi l'architecte. Moi qui possède une âme et un cœur. Moi qui seul détiens le pouvoir de changer la pierre en silence. Je viens, et je pétris cette pâte, qui n'est que matière, selon l'image créatrice qui me vient de Dieu seul et hors des voies de la logique. Moi je bâtis ma civilisation, épris du seul goût qu'elle aura, comme d'autres bâtissent leur poème et infléchissent la phrase et changent le mot, sans être contraints de justifier l'inflexion ni le changement, épris du seul goût qu'elle aura, et qu'ils connaissent par le cœur.

Citadelle ! Je t'ai donc bâtie comme un navire. Je t'ai clouée, gréée, puis lâchée dans le temps qui n'est plus qu'un vent favorable.

Navire des hommes, sans lequel ils manqueraient l'éternité !

Mais je les connais, les menaces qui pèsent contre mon navire. Toujours tourmenté par la mer obscure du dehors. Et par les autres images possibles. Car il est toujours possible de jeter bas le temple et d'en prélever les pierres pour un autre temple. Et l'autre n'est ni plus vrai, ni plus faux, ni plus juste, ni plus injuste. Et nul ne connaîtra le désastre, car la qualité du silence ne s'est pas inscrite dans le tas de pierres.

C'est pourquoi je désire qu'ils épaulent solidement les maîtres couples du navire. Afin de les sauver de génération en génération, car je n'embellirai point un temple si je le recommence à chaque instant.

V

C'est pourquoi je désire qu'ils épaulent solidement les maîtres couples du navire. Construction d'hommes. Car autour du navire il y a la nature aveugle, informulée encore et puissante. Et celui-là risque d'être exagérément en repos qui oublie la puissance de la mer.

Ils croient absolue en elle-même la demeure qui leur fut donnée. Tant l'évidence devient, une fois montrée. Quand on habite le navire, on ne voit plus la mer. Ou, si l'on aperçoit la mer, elle n'est plus qu'ornement du navire. Tel est le pouvoir de l'esprit. La mer lui parut faite pour porter le navire.

Mais il se trompe.

Car celui qui n'y prête plus attention et ne sait plus qu'il habite un navire, celui-là par avance est comme démantelé et il verra bientôt sourdre la mer dont la vague lavera ses jeux imbéciles.

Car m'a été proposée cette image même de mon empire, une fois que nous fûmes en pleine mer dans le but d'un pèlerinage, quelques-uns de mon peuple et moi-même.

Ils se trouvaient donc enfermés à bord d'un vaisseau de haute mer. Quelquefois en silence je me promenais parmi eux. Accroupis autour des plateaux de nourriture, allaitant les enfants ou pris dans l'engrenage du chapelet de la prière, ils s'étaient faits habitants du navire. Le navire s'était fait demeure.

Mais voilà qu'une nuit les éléments se soulevèrent. Et comme je vins les visiter, dans le silence de mon amour, je vis que rien n'avait changé. Ils ciselaient leurs bagues, filaient leur laine, ou parlaient à voix basse, tissant inlassablement cette communauté des hommes, ce réseau de liens qui fait que si ensuite l'un d'eux meurt il arrache à tous quelque chose. Et je les écoutais parler, dans le silence de mon amour, dédaignant le contenu de leurs paroles, leurs histoires de bouilloires ou de maladies, sachant que ce n'est point dans l'objet que réside le sens des choses, mais dans la démarche. Et celui-là, quand il souriait avec gravité, faisait don de lui-même... et cet autre qui s'ennuyait, ne sachant point que c'était par crainte ou absence de Dieu. Ainsi les regardais-je dans le silence de mon amour.

Et cependant la lourde épaule de la mer dont il n'y avait rien à connaître les pénétrait de ses mouvements, lents et terribles. Il arrivait qu'au sommet d'une ascension tout flottât dans une sorte d'absence. Alors le navire tout entier tremblait comme si s'était fendue son armature, comme déjà épars, et, tant que durait cette fonte des réalités, ils s'interrompaient de prier, de parler, d'allaiter les enfants ou de ciseler l'argent pur. Mais chaque fois un craquement unique, dur comme la foudre, traversait les bois de part en part. Le navire retombait comme en soi-même, pesant à rompre sur tous ses contreforts, et cet écrasement arrachait aux hommes des vomissements.

Ainsi se serraient-ils comme dans une étable craquante sous l'écœurant balancement des lampes à huile.

Je leur fis dire, de peur qu'ils ne s'angoissent :

« Que ceux d'entre vous qui travaillent l'argent me cisèlent une aiguière. Que ceux qui préparent les repas des autres s'y efforcent mieux. Que les valides prennent soin des malades. Que ceux qui prient s'enfoncent plus loin dans la prière... »

Et à celui-là que je découvrais appuyé, blême, contre une poutre et qui écoutait à travers les calfats épais le chant interdit de la mer :

« Va dans la cale me dénombrer les moutons morts. Il arrive qu'ils s'étouffent l'un l'autre dans leur terreur... »

Il me répondit :

« Dieu pétrit la mer. Nous sommes perdus. J'entends craquer les maîtres couples du navire... Ils ne doivent point se révéler puisqu'ils sont cadres et armatures. Ainsi des assises du globe auxquelles nous confions nos maisons et la procession d'oliviers et la tendresse des moutons de laine qui mâchent lentement l'herbe de Dieu dans le soir. Il est bon de s'occuper des oliviers, des moutons et du repas et de l'amour dans la maison. Mais il est mauvais que le cadre même nous tourmente. Que ce qui était fait redevienne ouvrage. Voici qu'ici ce qui doit se taire prend la parole. Qu'allons-nous devenir si les montagnes balbutient ? J'ai entendu, moi, ce balbutiement et ne saurais plus l'oublier…

— Quel balbutiement ? lui demandai-je.

— Seigneur, j'habitais autrefois un village bâti sur le dos rassurant d'une colline, bien planté dans la terre et son ciel, un village établi pour durer et qui durait. Une usure merveilleuse luisait sur la margelle de nos puits, sur la pierre de nos seuils, sur l'épaulement courbe de nos fontaines. Mais voici qu'une nuit quelque chose se réveilla dans notre assise souterraine. Nous comprîmes que sous nos pieds la terre recommençait de vivre et de se pétrir. Ce qui était fait redevenait ouvrage. Et nous eûmes peur. Nous eûmes peur non tant pour nous-mêmes que pour l'objet de nos efforts. Pour ce contre quoi nous nous échangions au cours de la vie. J'étais, moi, ciseleur et j'eus peur pour la grande aiguière d'argent, à laquelle depuis deux années je travaillais. Contre laquelle j'avais échangé deux années de veilles. L'autre tremblait pour ses tapis de haute laine qu'il avait tissés dans la joie. Chaque jour il les déroulait au soleil. Il était fier d'avoir échangé quelque chose de sa chair racornie contre cette vague qui paraissait d'abord profonde. Un autre eut peur pour les oliviers qu'il avait plantés. Et je prétends qu'aucun d'entre nous ne craignait la mort, mais tous nous tremblions pour de petits objets stupides. Nous découvrions que la vie n'a de sens que si on l'échange peu à peu. La mort du jardinier n'est rien qui lèse un arbre. Mais si tu menaces l'arbre, alors meurt deux fois le jardinier. Et il y avait parmi nous un vieux conteur qui connaissait les plus beaux contes du désert. Et qui les avait embellis. Et qui était seul à les connaître n'ayant point de fils. Et tandis que la terre commençait de glisser il tremblait pour de pauvres contes qui jamais plus ne seraient chantés par personne. Mais la terre continuait de vivre et de se pétrir et une grande marée ocre commençait de se former et de descendre. Et que veux-tu que l'on échange de soi pour embellir une marée mouvante qui se retourne lentement et avale tout ? Que bâtir sur ce mouvement ?

« Sous la pesée les maisons viraient lentement et sous l'effet d'une torsion presque invisible les poutres éclataient brusquement comme des barils de poudre noire. Ou bien les murs commençaient de trembler jusqu'à brusquement se répandre. Et ceux d'entre nous qui survivaient perdaient leur signification. Sauf le conteur devenu fou et qui chantait.

« Où nous emportes-tu ? Ce navire sombrera avec le fruit de nos efforts. Dehors je sens que le temps coule en vain. Je sens le temps qui coule. Il ne doit point couler ainsi, sensible, mais durcir et mûrir et vieillir. Il doit ramasser peu à peu l'ouvrage. Mais que durcit-il, désormais, qui vienne de nous et qui restera ? »

VI

Et je m'en fus parmi mon peuple songeant à l'échange qui n'est plus possible lorsque rien de stable ne dure à travers les générations, et au temps qui coule alors, inutile, comme un sablier.

Mais il faut bâtir le grand caisson pour recevoir ce qui restera d'eux. Et le véhicule pour l'emporter. Car, moi, je respecte d'abord ce qui dure plus que les hommes. Et sauve ainsi le sens de leurs échanges. Et constitue le grand tabernacle auquel ils confient tout d'eux-mêmes.

C'est ainsi que me promenant parmi ceux de mon peuple dans le delta du soir, où tout se défait, je les ai considérés dans leurs vieux vêtements fripés sur le seuil de leurs humbles échoppes, se délassant de leur activité d'abeilles, et je m'intéressais moins à eux qu'à la perfection du gâteau de miel auquel ils avaient tout le long du jour collaboré. Et je méditais devant l'un d'entre eux qui était aveugle et qui avait de plus perdu sa jambe. Si vieux, si moribond, tout geignant comme un vieux meuble chaque fois qu'il se remuait et qui répondait lentement car il était très vieux en âge et perdait la clarté des mots, mais qui devenait de plus en plus lumineux et clair et compréhensif dans l'objet même de son échange. Car de ses mains tremblantes il ajoutait encore son travail devenu élixir de plus en plus subtil. Et lui, s'évadant si merveilleusement de sa vieille chair racornie, devenait de plus en plus heureux, de plus en plus inattaquable. De plus en plus impérissable. Et, mourant, ne le savait point, les mains pleines d'étoiles...

Ainsi ont-ils travaillé toute leur vie pour un enrichissement sans usage, tout entiers échangés contre l'incorruptible broderie... n'ayant accordé qu'une part du travail pour l'usage et toutes autres parts pour la ciselure, l'inutile qualité du métal, la perfection du dessin, la douceur de la courbe, lesquelles ne servent à rien sinon à recevoir la part échangée et qui dure plus que la chair.

Et au cours de mes longues promenades j'ai bien compris que la qualité de la civilisation de mon empire ne repose point sur la qualité des nourritures mais sur celle des exigences et sur la ferveur du travail. Elle n'est point faite de la possession mais du don. Civilisé d'abord l'artisan dont je parle et qui se recrée dans l'objet, et en revanche, éternel, ne craignant plus de mourir. Civilisé aussi celui-là qui combat et s'échange contre l'empire. Mais cet autre s'enveloppe sans bénéfice du luxe acheté chez les marchands, même s'il ne nourrit son œil que de perfection, si d'abord il n'a rien créé. Et je connais ces races abâtardies qui n'écrivent plus leurs poèmes mais les lisent, qui ne cultivent plus leur sol mais s'appuient d'abord sur les esclaves. C'est contre eux que les sables du Sud préparent éternellement dans leur misère créatrice les tribus vivantes qui monteront à la conquête de leurs provisions mortes. Je n'aime pas les sédentaires du cœur. Ceux-là qui n'échangent rien ne deviennent rien. Et la vie n'aura point servi à les mûrir. Et le temps coule pour eux comme la poignée de sable et les perd. Et qu'ai-je à remettre à Dieu en leur nom ?

Ainsi ai-je connu leur misère quand se brisait le réservoir avant qu'il fût plein. Car la mort de l'aïeul devenu terre après s'être tout entier échangé n'est qu'une merveille et c'est l'instrument que l'on enterre désormais inutile. J'ai vu dans mes tribus ces enfants menacés de mort et qui s'essoufflaient sans rien dire, les yeux à demi clos, enfermant un reste de braise sous leurs cils immenses. Car il arrive que Dieu, semblable au moissonneur, fauche des fleurs mêlées à l'orge mûre. Et quand il ramène sa gerbe, riche de ses graines, il y trouve ce luxe inutile.

« C'est l'enfant d'Ibrahim qui meurt », disait le peuple. Et je m'en fus de mes pas lents, ignoré d'eux, dans la demeure d'Ibrahim, sachant que l'on comprend au travers des illusions du langage si l'on s'enferme dans le silence de l'amour. Et ils ne prirent point attention à moi, occupés qu'ils étaient de l'écouter mourir.

On parlait bas dans la maison, on avançait en glissant les babouches comme s'il y avait là quelqu'un qui eût très peur et que le moindre son un peu clair eût fait fuir. On n'osait remuer ni ouvrir ni fermer les portes, comme s'il y eût là une flamme tremblante allumée sur l'huile légère. Quand je l'aperçus je vis bien qu'il était en fuite à cause du souffle court, à cause des petits poings fermés, cramponné qu'il était au galop de sa fièvre, à cause de ses yeux obstinément clos et qui se refusaient à voir. Et je les aperçus autour de lui qui cherchaient à l'apprivoiser comme l'on cherche à apprivoiser les petits animaux sauvages. On lui présentait comme en tremblant le bol de lait. Peut-être éprouverait-il le désir du lait et il s'arrêterait dans sa bonne odeur et il boirait. Et l'on communiquerait avec lui comme avec la gazelle qui broute dans la paume Mais il demeurait tellement sérieux et impassible. Ce n'est point du lait qu'il lui fallait. Alors les vieilles tout doucement, tout doucement comme elles parlent aux tourterelles, commençaient de chanter à voix basse telle chanson qu'il avait aimée — celle des neuf étoiles qui se baignent dans la fontaine — mais sans doute était-il trop loin, et il n'entendait pas. Il ne se retournait même pas dans sa fuite. Tellement infidèle de mourir. Alors on mendiait au moins de lui ce geste, ce coup d'œil que le voyageur sans ralentir jette à l'ami… un signe de reconnaissance. On le retournait dans son lit, on épongeait son visage en sueur, on le forçait de boire — et tout cela peut-être bien pour le réveiller de la mort.

Et je les abandonnai, occupés qu'ils étaient de lui tendre des pièges pour qu'il vécût. Oh ! si faciles à éventer par cet enfant de neuf ans. Et à lui tendre des jouets pour l'enchaîner par le bonheur. Mais sa petite main les repoussait inexorable quand on les plaçait trop contre lui comme celui-là écarte les broussailles qui ont ralenti son galop.

Et je m'en fus et me retournai vers le seuil. Il n'était là qu'un moment, une lueur, un aspect de la ville parmi d'autres. Un enfant appelé par erreur avait souri, avait répondu à l'appel. Il venait de se retourner vers le mur. Présence d'enfant déjà plus fragile qu'une présence d'oiseau… et je les laissai faire le silence pour apprivoiser l'enfant qui meurt.

Je cheminais le long de la ruelle. J'entendais à travers les portes réprimander les servantes. On mettait en ordre la maison, on faisait les bagages dans la maison pour la traversée de la nuit. Peu m'importait que la réprimande fût juste ou injuste. Je n'entendais que la ferveur. Et plus loin, contre la fontaine, une petite fille pleurait, le front bien enfoui dans son coude. Je posai doucement la main sur ses cheveux et renversai vers moi son visage, mais sans lui demander la cause de son chagrin, sachant bien qu'elle ne pouvait point la connaître. Car le chagrin est toujours fait du temps qui coule et n'a point formé son fruit. Il est chagrin de la fuite des jours, du bracelet perdu lequel est du temps qui s'égare, ou de la mort du frère laquelle est du temps qui ne sert plus. Et celle-là, quand elle aura vieilli, son chagrin sera chagrin du départ de l'amant, qui sera, sans qu'elle le sache, chemin perdu vers le réel et la bouilloire et la maison bien enfermée et les enfants que l'on allaite. Et le temps tout à coup coulera inutile à travers elle comme à travers le sablier.

Or voici qu'une femme apparut sur le seuil, radieuse, et me regarda bien en face dans la plénitude de sa joie à cause de l'enfant peut-être qui s'était endormi, ou de la soupe parfumée ou d'un simple retour. Et ayant le temps tout à coup à elle. Et je passai devant mon savetier à la jambe unique occupé d'embellir de filigranes d'or ses babouches et je compris bien, malgré qu'il n'eût plus de voix, qu'il chantait :

« Qu'y a-t-il, savetier, qui te rend si joyeux ? »

Mais je n'écoutai point la réponse, sachant qu'il se tromperait et me parlerait de l'argent gagné ou du repas qui l'attendait ou du repos. Ne sachant point que son bonheur était de se transfigurer en babouches d'or.

VII

Car j'ai découvert cette autre vérité. Et c'est que vaine est l'illusion des sédentaires qui croient pouvoir habiter en paix leur demeure car toute demeure est menacée. Ainsi le temple que tu as bâti sur la montagne, soumis au vent du nord, s'est usé peu à peu comme une étrave ancienne et commence déjà de sombrer. Et celui-là que les sables assiègent ils en prendront peu à peu possession. Tu retrouveras sur ses fondations un désert étale comme la mer. Ainsi de toute construction et surtout de mon indivisible palais fait de moutons, de chèvres, de demeures et de montagnes, démarche d'abord de mon amour mais qui, si meurt le roi en qui se résume ce visage, se résoudra de nouveau en montagnes, chèvres, demeures et moutons. Et, perdu désormais dans le disparate des choses, ne sera plus que matériaux en vrac offerts à de nouveaux sculpteurs. Ils viendront, ceux du désert, leur refaire un visage. Ils viendront, avec cette image qu'ils portent dans le cœur, ordonner selon le sens nouveau les caractères anciens du livre.

Ainsi ai-je moi-même agi. Nuits somptueuses de mes expéditions de guerre, je ne saurais trop vous célébrer. Ayant bâti, sur la virginité du sable, mon campement triangulaire, je montais sur une éminence pour attendre que la nuit se fît, et, mesurant des yeux la tache noire à peine plus grande qu'une place de village où j'avais parqué mes guerriers, mes montures et mes armes, je méditai d'abord sur leur fragilité. Quoi de plus misérable, en effet, que cette poignée d'hommes à demi nus sous leurs voiles bleus, menacés par le gel nocturne où des étoiles se trouvaient déjà prises, menacés par la soif car il fallait ménager les outres jusqu'au puits du neuvième jour, menacés par le vent de sable qui, s'il se lève, montre la puissance d'une révolte, menacés enfin par les coups qui font blettir comme des fruits la chair de l'homme. Et l'homme n'est plus bon qu'à rejeter. Quoi de plus misérable que ces paquets d'étoffe bleue à peine durcis par l'acier des armes, posés à nu sur une étendue qui les interdisait ?

Mais que m'importait cette fragilité ? Je les nouais et les sauvais de se disperser et de périr. Rien qu'en ordonnant pour la nuit ma figure triangulaire, je la distinguais d'avec le désert. Mon campement se fermait comme un poing. J'ai vu le cèdre ainsi s'établir parmi la rocaille et sauver de la destruction l'ampleur de ses branchages, car il n'est point non plus de sommeil pour le cèdre qui combat nuit et jour dans sa propre épaisseur et s'alimente dans un univers ennemi des ferments mêmes de sa destruction. Le cèdre se fonde dans chaque instant. Dans chaque instant je fondais ma demeure afin qu'elle durât. Et de cet assemblage qu'un simple souffle eût dispersé je tirais cette assise angulaire, irréductible comme une tour et permanente comme une étrave. Et de peur que mon campement ne s'endormît et ne se défît dans l'oubli je le flanquais de sentinelles qui recevaient les rumeurs du désert. Et de même que le cèdre aspire la rocaille pour la changer en cèdre mon campement se nourrissait des menaces venues du dehors. Bénis soient l'échange nocturne, les messagers silencieux que nul n'a entendus venir et qui surgissent autour des feux et s'accroupissent, disant la marche de ceux-là qui progressent au nord ou ce passage de tribus dans le sud à la poursuite de leurs chameaux volés, ou cette rumeur chez d'autres à cause de meurtre et ces projets surtout de ceux-là qui se taisent sous leurs voiles et méditent la nuit à venir. Tu les as écoutés, les messagers qui viennent raconter leur silence ! Bénis soient ceux-là qui surgissent autour de nos feux si brusquement, avec des mots si funèbres que les feux aussitôt sont noyés dans le sable et que les hommes plongent, à plat ventre, sur leurs fusils, ornant le campement d'une couronne de poudre.

Car la nuit, à peine faite, devient source de prodiges !

Chaque soir ainsi je considérais mon armée prise dans l'étendue comme un navire, mais permanente, sachant bien que le jour la montrerait intacte et toute remplie comme les coqs par la jubilation du réveil. Alors, tandis que l'on équipe les montures, on entend ces éclats de voix qui sonnent dans le matin frais comme des cuivres. Alors les hommes, comme enivrés par la liqueur du jour naissant, gonflent des poumons neufs et savourent l'âpre plaisir de l'étendue.

Je les menais vers l'oasis à conquérir. Quiconque ne comprend pas les hommes eût cherché dans l'oasis même la religion de l'oasis. Mais ceux de l'oasis ignorent leur demeure. Et c'est au cœur d'un rezzou rongé par le sable qu'il importe de la découvrir. Car je leur enseignais cet amour.

Je leur disais : « Vous trouverez là-bas l'herbe odorante, le chant des fontaines, et des femmes aux longs voiles de couleur qui fuiront effrayées comme un troupeau de biches agiles, mais douces à saisir, faites comme elles sont pour la capture… »

Je leur disais : « Elles croient vous haïr et pour vous repousser useront des dents et des ongles. Mais il vous suffira pour les dompter de votre poing noué dans les boucles bleues de leur chevelure ! »

Je leur disais : « Il vous suffira d'exercer votre force dans sa douceur pour les retenir immobiles. Elles fermeront encore les yeux pour vous ignorer, mais votre silence pèsera sur elles comme l'ombre d'un aigle. Alors enfin elles ouvriront leurs yeux sur vous et vous les emplirez de larmes.

« Vous aurez été leur immensité, comment vous oublieraient-elles ? »

Et je leur disais pour conclure et les enivrer vers ce paradis :

« Vous connaîtrez donc là-bas des palmeraies et des oiseaux de toutes couleurs... L'oasis se rendra à vous parce que vous portez dans le cœur la religion de l'oasis alors que ceux que vous en chassez n'en sont plus dignes. Leurs femmes elles-mêmes, lavant leur linge dans le ruisseau qui chante sur de petites pierres rondes et blanches, croient accomplir un triste devoir universel quand elles célèbrent une fête. Mais vous, qui vous êtes racornis dans le sable et desséchés dans le soleil et salés de la croûte brûlante des salines, vous les épouserez et, les poings sur les hanches, les regardant laver leur linge dans l'eau bleue, vous savourerez votre victoire.

« Vous durez aujourd'hui dans le sable à la façon du cèdre grâce aux ennemis qui vous cernent et vous durcissent, vous durerez, l'ayant conquise, dans l'oasis si l'oasis pour vous n'est point l'abri où l'on s'enferme et où l'on oublie, mais une victoire permanente sur le désert.

« Ceux-là, vous les avez vaincus, car ils s'enfermaient dans leur égoïsme, satisfaits par leurs provisions. Ils ne voyaient dans la couronne de sable qui les assiégeait qu'un ornement pour oasis, riant des importuns qui cherchaient à les émouvoir afin qu'au seuil de cette patrie de fontaines l'on relevât les sentinelles qui s'endormaient.

« Ils croupissaient dans l'illusion du bonheur qu'ils tiraient de biens possédés. Alors que le bonheur n'est que chaleur des actes et contentement de la création. Ceux qui n'échangent plus rien d'eux-mêmes et reçoivent d'autrui leur nourriture, fût-elle la mieux choisie et la plus délicate, ceux-là mêmes qui, subtils, écoutent les poèmes étrangers sans écrire leurs propres poèmes, jouissent de l'oasis sans la vivifier, usent des cantiques qu'on leur fournit, ceux-là s'attachent d'eux-mêmes à leurs râteliers dans l'étable et, réduits au rôle de bétail, sont prêts pour l'esclavage. »

Je leur ai dit : « L'oasis une fois conquise, rien d'essentiel n'a changé pour vous. Ce n'est qu'une autre forme de campement dans le désert. Car mon empire est menacé de toutes parts. Sa matière n'est qu'un assemblage familier de chèvres, de moutons, de demeures et de montagnes, mais si se rompt le nœud qui les noue ensemble, il n'en restera rien que matériaux en vrac et offerts au pillage. »

VIII

Il m'apparut qu'ils se trompaient sur le respect. Car je me suis moi-même exclusivement préoccupé des droits de Dieu à travers l'homme. Et certes le mendiant lui-même, sans m'exagérer son importance, je l'ai toujours conçu comme un ambassadeur de Dieu.

Mais les droits du mendiant et de l'ulcère du mendiant et de sa laideur honorés pour eux-mêmes comme idoles, je ne les ai pas reconnus.

Qu'ai-je côtoyé de plus repoussant que ce quartier de ville bâti au flanc d'une colline et qui coulait comme un égout jusqu'à la mer ? Les corridors qui débouchaient sur les ruelles versaient par bouffées molles une haleine empestée. La racaille n'émergeait de ces profondeurs spongieuses que pour s'injurier d'une voix usée et sans colère véritable, à la façon des bulles molles qui éclatent, régulières, à la surface des marais.

J'y ai vu ce lépreux, riant grassement et s'épongeant l'œil d'un linge sordide. Il était avant tout vulgaire et se plaisantait soi-même par bassesse.

Mon père décida l'incendie. Et cette tourbe qui tenait à ses bouges moisis commença de fermenter, réclamant au nom de ses droits. Le droit à la lèpre dans la moisissure.

« Ceci est naturel, me dit mon père, car la justice selon eux c'est de perpétuer ce qui est. »

Et ils criaient dans leur droit à la pourriture. Car, fondés par la pourriture, ils étaient pour la pourriture.

« Et si tu laisses se multiplier les cafards, me dit mon père, alors naissent les droits des cafards. Lesquels sont évidents. Et il naîtra des chantres pour te les célébrer. Et ils te chanteront combien grand est le pathétique des cafards menacés de disparition.

« Être juste..., me dit mon père, il faut choisir. Juste pour l'archange ou juste pour l'homme ? Juste pour la plaie ou pour la chair saine ? Pourquoi l'écouterais-je, celui-là qui vient me parler au nom de sa pestilence ?

« Mais je le soignerai à cause de Dieu. Car il est aussi demeure de Dieu. Mais non point selon son désir qui n'est que désir exprimé par l'ulcère.

« Quand je l'aurai nettoyé et lavé et enseigné, alors son désir sera autre et il se reniera lui-même tel qu'il était. Et pourquoi, aurais-je, moi, servi d'allié à celui-là qu'il aura lui-même renié ? Pourquoi l'aurais-je, selon le désir du lépreux vulgaire, empêché de naître et d'embellir ?

« Pourquoi prendrais-je le parti de ce qui est contre ce qui sera. De ce qui végète contre ce qui demeure en puissance ?

« La justice selon moi, me dit mon père, est d'honorer le dépositaire à cause du dépôt. Autant que je m'honore moi-même. Car il reflète la même lumière. Aussi peu visible qu'elle soit en lui. La justice est de le considérer comme véhicule et comme chemin. Ma charité c'est de l'accoucher de lui-même.

« Mais dans cet égout qui plonge vers la mer je m'attriste devant cette pourriture. Dieu s'y trouve déjà tellement gâté... J'attends d'eux le signe qui me montrera l'homme et ne le reçois point.

— Cependant, j'ai vu tel ou tel, dis-je à mon père, partager son pain et aider plus pourri que lui à décharger son sac, ou prendre en pitié tel enfant malade...

— Ils mettent tout en commun, répondit mon père, et de cette bouillie font leur charité. Ce qu'ils appellent charité. Ils partagent. Mais dans ce pacte, que savent faire aussi les chacals autour d'une charogne, ils veulent célébrer un grand sentiment. Ils veulent nous faire croire qu'il est là un don ! Mais la valeur du don dépend de celui à qui on l'adresse. Et ici au plus bas. Comme l'alcool à l'ivrogne qui boit. Ainsi le don est maladie. Mais si moi c'est la santé que je donne, je taille alors dans cette chair... et elle me hait.

La charité selon le sens de mon empire c'est la collaboration.

Mais je sentais aussi la bonté de mon père. « Quiconque, disait-il, a eu un grand rôle, quiconque a été honoré ne peut être avili. Quiconque a régné ne peut être dépossédé de son règne, tu ne peux transformer en mendiant celui-là qui donnait aux mendiants, car ce que tu abîmes ici c'est quelque chose comme l'armature et la forme de ton navire. C'est pourquoi j'use de châtiments à la mesure des coupables. Ceux-là que j'ai cru devoir ennoblir, je les exécute mais ne les réduis point à l'état d'esclaves, s'ils ont failli. J'ai rencontré un jour une princesse qui était laveuse de linge. Et ses compagnes riaient d'elle : « Où est ta royauté, laveuse de linge ? Tu pouvais faire tomber les têtes et voilà enfin qu'impunément nous pouvons te salir de nos injures... Ce n'est que justice ! » Car la justice selon elles était compensation.

« Et la laveuse de linge se taisait. Peut-être humiliée pour elle-même mais surtout pour plus grand qu'elle-même. Et la princesse s'inclinait toute raide et blanche sur son lavoir. Et ses compagnes impunément la poussaient du coude. Rien d'elle n'invitant la verve car elle était belle de visage, réservée de geste et silencieuse, je compris que ses compagnes raillaient non la femme mais sa déchéance. Car celui-là que tu as envié, s'il tombe sous tes griffes, tu le dévores. Je la fis donc comparaître :

« Je ne sais rien de toi sinon que tu as régné. À dater de ce jour tu auras droit de vie et de mort sur tes compagnes de lavoir. Je te réinstalle dans ton règne. Va. »

« Et quand elle eut repris sa place au-dessus de la tourbe vulgaire elle dédaigna justement de se souvenir des outrages. Et celles-là même du lavoir, n'ayant plus à nourrir leurs mouvements intérieurs de sa déchéance, les nourrirent de sa noblesse et la vénérèrent. Elles organisèrent de grandes fêtes pour célébrer son retour à la royauté et se prosternaient à son passage, ennoblies elles-mêmes de l'avoir autrefois touchée du doigt. »

« C'est pourquoi, me disait mon père, je ne soumettrai point les princes aux injures de la populace ni à la grossièreté des geôliers. Mais je leur ferai trancher la tête dans un grand cirque de clairons d'or. »

« Quiconque abaisse, disait mon père, c'est qu'il est bas. »

« Jamais un chef, disait mon père, ne sera jugé par ses subalternes. »

IX

Ainsi me parlait mon père :

« Force-les de bâtir ensemble une tour et tu les changeras en frères. Mais si tu veux qu'ils se haïssent, jette-leur du grain. »

Il me disait encore :

« J'ai vu des danseuses composer leur danse. Et la danse une fois créée et dansée, certes personne n'emportait le fruit du travail pour en faire des provisions. La danse passe comme un incendie. Et cependant je dis civilisé le peuple qui compose ses danses, malgré qu'il ne soit pour les danses ni récolte ni greniers. Alors que je dis brut le peuple qui aligne sur ses étagères des objets, fussent-ils les plus fins, nés du travail d'autrui, même s'il se montre capable de s'enivrer de leur perfection.

« L'homme, disait mon père, c'est d'abord celui qui crée. Et seuls sont frères les hommes qui collaborent. Et seuls vivent ceux qui n'ont point trouvé leur paix dans les provisions qu'ils avaient faites. »

On lui fit un jour une objection :

« Qu'appelles-tu créer ? Car s'il s'agit d'une invention qui se remarque, bien peu en sont capables. Et tu parles dès lors pour quelques-uns seulement, mais les autres ? »

Mon père leur répondit :

« Créer, c'est manquer peut-être ce pas dans la danse. C'est donner de travers ce coup de ciseau dans la pierre. Peu importe le destin du geste. Cet effort t'apparaît stérile à toi, aveugle, qui te tiens le nez contre, mais recule-toi. Considère de plus loin le mouvement de ce quartier de ville. Il n'est plus là qu'une grande ferveur et qu'une poussière dorée du travail. Et les gestes manqués tu ne les remarques plus. Car ce peuple penché sur l'ouvrage, bon gré mal gré, édifie ses palais ou ses citernes ou ses grands jardins suspendus. Ses œuvres naissent comme nécessairement de l'enchantement de ses doigts. Et je te le dis, elles naissent autant de ceux-là qui manquent leurs gestes que de ceux-là qui les réussissent, car tu ne peux partager l'homme, et si tu sauves seuls les grands sculpteurs tu seras privé de grands sculpteurs. Qui serait assez fou, pour choisir un métier qui donne si peu de chances de vivre ? Le grand sculpteur naît du terreau de mauvais sculpteurs. Ils lui servent d'escalier et l'élèvent. Et la belle danse naît de la ferveur à danser. Et la ferveur à danser exige que tous dansent — même ceux-là qui dansent mal — sinon il n'est point de ferveur mais académie pétrifiée et spectacle sans signification.

« Ne condamne pas leurs erreurs à la façon de l'historien qui juge une ère déjà conclue. Mais qui reprochera au cèdre de n'être encore que graine ou tige ou brindille poussée de travers ?

Laisse faire. D'erreur en erreur se soulèvera la forêt de cèdres qui distribuera, les jours de grand vent, l'encens de ses oiseaux. »

Et mon père disait pour conclure :

« Je te l'ai déjà dit. Erreur de l'un, réussite de l'autre, ne t'inquiète point de ces divisions. Il n'est de fertile que la grande collaboration de l'un à travers l'autre. Et le geste manqué sert le geste qui réussit. Et le geste qui réussit montre le but qu'ils poursuivaient ensemble à celui-là qui a manqué le sien. Celui qui trouve le dieu le trouve pour tous. Car mon empire est semblable à un temple et j'ai sollicité les hommes. J'ai convié les hommes à le bâtir. Ainsi c'est leur temple. Et la naissance du temple tire d'eux-mêmes leur plus haute signification. Et ils inventent la dorure. Et celui-là qui la cherchait sans la réussir aussi l'invente. Car c'est de cette ferveur d'abord que la dorure nouvelle est née. »

Il disait ailleurs :

« N'invente point d'empire où tout soit parfait. Car le bon goût est vertu de gardien de musée. Et si tu méprises le mauvais goût tu n'auras ni peinture, ni danse, ni palais, ni jardins. Tu auras fait le dégoûté par crainte du travail malpropre de la terre. Tu en seras privé par le vide de ta perfection. Invente un empire où simplement tout soit fervent.

X

Mes armées étaient lasses comme d'avoir porté un lourd fardeau. Mes capitaines me venaient voir :

« Quand rentrons-nous chez nous ? Le goût des femmes des oasis conquises ne vaut pas le goût de nos femmes.

L'un me disait :

« Seigneur, je rêve de celle-là qui est faite de mon temps, de mes disputes. Je voudrais revenir et planter à l'aise. Seigneur, il est une vérité que je ne sais plus approfondir. Laisse-moi croître dans le silence de mon village. Ma vie, j'éprouve le besoin de la méditer. »

Et je compris qu'ils avaient besoin de silence. Car dans le silence seul, la vérité de chacun se noue et prend des racines. Car le temps d'abord compte comme dans l'allaitement. Et l'amour maternel lui-même est d'abord fait d'allaitement. Et qui voit croître l'enfant dans l'instant ? Personne. Ce sont ceux qui viennent d'ailleurs qui disent : « Comme il a grandi ! » Mais la mère ni le père ne l'ont vu grandir. Il est devenu, dans le temps. Et il était à chaque instant, ce qu'il devait être.

Voilà donc que mes hommes avaient besoin de temps, ne fût-ce que pour comprendre un arbre. Pour s'asseoir chaque jour sur la marche du seuil en face du même arbre aux mêmes branches. Et peu à peu voilà que l'arbre se révèle.

Car ce poète, un soir auprès du feu dans le désert, racontait simplement son arbre. Et mes hommes l'écoutaient dont beaucoup n'avaient jamais vu qu'herbe à chameau et palmiers nains et ronces. « Tu ne sais pas, leur disait-il, ce qu'est un arbre. J'en ai vu un qui avait poussé par hasard dans une maison abandonnée, un abri sans fenêtres, et qui était parti à la recherche de la lumière. Comme l'homme doit baigner dans l'air, comme la carpe doit baigner dans l'eau, l'arbre doit baigner dans la clarté. Car planté dans la terre par ses racines, planté dans les astres par ses branchages, il est le chemin de l'échange entre les étoiles et nous. Cet arbre, né aveugle, avait donc déroulé dans la nuit sa puissante musculature et tâtonné d'un mur à l'autre et titubé et le drame s'était imprimé dans ses torsades. Puis, ayant brisé une lucarne dans la direction du soleil, il avait jailli droit comme un fût de colonne, et j'assistais, avec le recul de l'historien, aux mouvements de sa victoire.

« Contrastant magnifiquement avec les nœuds ramassés pour l'effort de son torse dans son cercueil, il s'épanouissait dans le calme, étalant tout grand comme une table son feuillage où le soleil était servi, allaité par le ciel lui-même, nourri superbement par les dieux.

« Et je le voyais chaque jour dans l'aube se réveiller de son faîte à sa base. Car il était chargé d'oiseaux. Et dès l'aube commençait de vivre et de chanter, puis, le soleil une fois surgi, il lâchait ses provisions dans le ciel comme un vieux berger débonnaire, mon arbre maison, mon arbre château qui restait vide jusqu'au soir... »

Ainsi racontait-il et nous savions qu'il faut longtemps regarder l'arbre pour qu'il naisse de même en nous. Et chacun jalousait celui-là qui portait dans le cœur cette masse de feuillage et d'oiseaux.

« Quand, me demandaient-ils, quand finira la guerre ? Nous voudrions aussi comprendre quelque chose. Il est temps pour nous de devenir... »

Et, si l'un d'eux capturait un renard des sables encore jeune et qu'il pût nourrir de ses mains, il le nourrissait, ou des gazelles quelquefois quand elles daignaient ne point mourir, et le renard des sables chaque jour lui devenait plus précieux de s'enrichir de ses poils soyeux et de son espièglerie et surtout de ce besoin de nourriture qui exigeait si impérieusement la sollicitude du guerrier. Et celui-là vivait de l'illusion vaine de faire passer de lui au petit animal quelque chose de soi comme si l'autre était nourri, formé et composé de son amour.

Puis un jour s'échappait dans le sable le renard appelé par l'amour, qui vidait d'un coup le cœur de l'homme. Et il en est un que j'ai vu mourir pour ne s'être défendu qu'avec mollesse au cours d'une embuscade. Et me revint à la mémoire, quand nous apprîmes sa mort, la phrase mystérieuse qu'il avait prononcée après la fuite de son renard, lorsque ses compagnons le devinant mélancolique lui avaient suggéré d'en capturer un autre : « Il faut trop de patience, avait-il répondu, non pour le prendre mais pour l'aimer. »

Voilà pourtant qu'ils étaient las des renards et des gazelles, ayant compris la vanité de leurs échanges, car un renard échappé pour l'amour n'enrichit point d'eux le désert.

XI

Ils se trompaient mais qu'y pouvais-je ? Quand la foi s'éteint c'est Dieu qui meurt et qui se montre désormais inutile. Quand leur ferveur s'épuise c'est l'empire lui-même qui se décompose car il est fait de leur ferveur. Non qu'il soit duperie en lui-même. Mais si je nomme domaine telle procession d'oliviers et la cabane où l'on s'abrite, et que celui-là qui les contemple éprouve l'amour et les rassemble dans son cœur, s'il vient à ne plus voir que des oliviers parmi d'autres et parmi eux une cabane perdue et qui n'a plus de signification sinon d'abriter de la pluie, qui donc sauverait le domaine d'être vendu et dispersé ? Puisque cette vente ne changerait rien ni à la cabane ni aux oliviers ! Seul compte pour l'homme le sens des choses.

Certes, je le connais, le forgeron de mon village qui me vient et me dit :

« Peu m'importe ce qui ne me concerne point. Si j'ai mon thé, mon sucre, mon âne bien nourri et ma femme à côté de moi, si mes enfants progressent en âge et en vertu, alors je suis pleinement heureux et je ne demande plus rien d'autre. Pourquoi ces souffrances ? »

Et comment serait-il heureux s'il est seul au monde dans sa maison ? S'il habite avec sa famille une tente perdue dans le désert ? Je l'oblige donc à se corriger :

« Si tu retrouves le soir d'autres amis sous d'autres tentes, si ceux-là ont quelque chose à te dire et t'enseignent les nouvelles du désert... »

Car je vous ai vus, ne l'oubliez pas ! Je vous ai vus autour des feux nocturnes occupés de rôtir le mouton ou la chèvre et j'ai entendu vos éclats de voix. Je me suis donc à pas lents et dans le silence de mon amour approché de vous. Vous parliez certes de vos fils, et de celui-là qui grandit et de celui-là qui est malade, vous parliez certes de la maison, mais sans trop insister. Et vous ne commenciez de vous animer que lorsque s'asseyait le voyageur qui débarquait de sa caravane lointaine et vous développait les merveilles de là-bas et les éléphants blancs d'un prince et le mariage à mille kilomètres de celle-là dont vous saviez à peine le nom. Ou encore ce remue-ménage des ennemis. Ou qui racontait cette comète ou cet affront ou cet amour ou ce courage devant la mort ou cette haine contre vous ou cette grande sollicitude. Alors vous étiez pleins d'espace et liés à tant de choses, alors elle prenait sa signification votre tente aimée et haïe, menacée et protégée. Alors vous étiez pris dans un réseau miraculeux qui vous changeait vous-même en plus vaste que vous…

Car vous avez besoin d'une étendue que le langage seul en vous délivre.

Je me souviens de ce qu'il advint d'eux quand mon père parqua les trois mille réfugiés berbères dans un camp au nord de la ville. Il ne voulait point qu'ils se mélangeassent avec les nôtres. Comme il était bon, il les nourrit et les alimenta en étoffes, en sucre et en thé. Mais sans exiger leur travail contre les dons de sa magnificence. Ainsi n'eurent-ils plus à s'inquiéter pour leur subsistance et chacun eût pu dire : « Peu m'importe ce qui ne me concerne point. Si j'ai mon thé, mon sucre et mon âne bien nourri et ma femme à côté de moi, si mes enfants progressent en âge et en vertu alors je suis pleinement heureux et je ne demande rien d'autre... »

Mais qui eût pu les croire heureux ? Nous allions parfois les visiter quand mon père désirait m'enseigner.

« Vois, disait-il, ils deviennent bétail et commencent doucement de pourrir... non dans leur chair mais dans leur cœur. »

Car tout pour eux perdait sa signification. Si tu ne joues point ta fortune aux dés il est bon cependant que les dés te puissent signifier en rêve des domaines et des troupeaux, des barres d'or, des diamants que tu ne possèdes point. Qui sont d'ailleurs. Mais vient l'heure où les dés ne peuvent plus rien représenter. Et il n'est plus de jeu possible.

Et voilà que nos protégés n'avaient plus rien à se dire. Ayant usé leurs histoires de famille qui se ressemblaient toutes. Ayant achevé de se décrire l'un à l'autre leur tente quand toutes leurs tentes étaient semblables. Ayant achevé de craindre et d'espérer, et d'inventer. Ils usaient encore du langage pour des effets rudimentaires : « Prête-moi ton réchaud », pouvait dire l'un, « Où est mon fils ? » pouvait dire l'autre. Humanité couchée sur sa litière, sous sa mangeoire, qu'eût-elle désiré ? Au nom de quoi se fût-elle battue ? Pour le pain ? Ils en recevaient. Pour la liberté ? Mais dans les limites de leur univers ils étaient infiniment libres. Noyés même dans cette liberté démesurée qui vide certains riches de leurs entrailles. Pour triompher de leurs ennemis ? Mais ils n'avaient plus d'ennemis !

Mon père me dit :

« Tu peux venir avec un fouet, et traverser le campement, seul, en les flagellant au visage, tu ne soulèveras rien de plus en eux qu'en une meute de chiens, quand elle grogne en reculant, et aimerait mordre. Mais aucun ne se sacrifie et tu n'es point mordu. Et tu croises tes bras devant eux. Et tu les méprises... »

Il me disait aussi :

« Ce sont là des carcasses d'hommes. Mais l'homme n'y est plus. Ils peuvent t'assassiner en lâches, derrière ton dos, car la pègre se montre dangereuse. Mais ils ne soutiendront pas ton regard. »

Cependant la discorde s'installa chez eux comme une maladie. Une discorde incohérente qui ne les partageait point en deux camps mais les dressait tous contre chacun, car celui-là les spoliait qui mangeait sa part des provisions. Ils se surveillaient les uns les autres comme des chiens qui tournent autour de l'auge, et voici qu'au nom de leur justice ils commirent des meurtres, car leur justice était d'abord égalité. Et quiconque se distinguait en quoi que ce fût était écrasé par le nombre.

« La masse, me dit mon père, hait l'image de l'homme car la masse est incohérente, pousse dans tous les sens à la fois et annule l'effort créateur. Il est certes mauvais que l'homme écrase le troupeau. Mais ne cherche point là le grand esclavage : il se montre quand le troupeau écrase l'homme. »

Ainsi, au nom de droits obscurs, les poignards qui trouaient des ventres nourrissaient chaque nuit des cadavres. Et, de même que l'on vide les ordures, on les traînait à l'aube aux lisières du campement où nos tombereaux les chargeaient comme un service de voirie. Et je me souvenais des paroles de mon père : « Si tu veux qu'ils soient frères, oblige-les de bâtir une tour. Mais si tu veux qu'ils se haïssent, jette-leur du grain. »

Et nous constatâmes peu à peu qu'ils perdaient l'usage de mots qui ne leur servaient plus. Et mon père me promenait parmi ces faces comme absentes qui nous regardaient sans nous connaître, hébétées et vides. Ils ne formaient plus que ces grognements vagues qui réclament la nourriture. Ils végétaient sans regrets ni désirs ni haine ni amour. Et voici que bientôt ils ne se lavèrent même plus et ne détruisirent plus leur vermine. Elle prospéra. Alors commencèrent d'apparaître les chancres et les ulcères. Et voici que le campement commença d'empuantir l'air. Mon père craignait la peste. Et sans doute aussi réfléchissait-il sur la condition d'homme.

« Je me déciderai à réveiller l'archange qui dort étouffé sous leur fumier. Car je ne les respecte pas, mais à travers eux je respecte Dieu... »

XII

Et mon père envoya un chanteur à cette humanité pourrissante. Le chanteur s'assit vers le soir sur la place et il commença de chanter. Il chanta les choses qui retentissent les unes sur les autres. Il chanta la princesse merveilleuse que l'on ne peut atteindre qu'à travers deux cents jours de marche dans le sable sans puits sous le soleil. Et l'absence de puits devient sacrifice et ivresse d'amour. Et l'eau des outres devient prière car elle mène à la bien-aimée. Il disait : « Je souhaitais la palmeraie et la pluie tendre... mais celle-là surtout dont j'espérais qu'elle me recevrait dans son sourire... et je ne savais plus distinguer ma fièvre de mon amour... »

Et ils eurent soif de la soif, et tendant leurs poings dans la direction de mon père : « Scélérat ! Tu nous as privés de la soif qui est ivresse du sacrifice pour l'amour ! »

Il chanta cette menace qui règne lorsque la guerre est déclarée et change le sable en nid à vipères. Chaque dune s'augmente d'un pouvoir qui est de vie et de mort. Et ils eurent soif du risque de mort qui anime le sable. Il chanta le prestige de l'ennemi quand on l'attend de toutes parts et qu'il roule d'un bord à l'autre sous l'horizon, comme un soleil dont on ne saurait d'où il va surgir ! Et ils eurent soif d'un ennemi qui les eût entourés de sa magnificence, comme la mer.

Et quand ils eurent soif de l'amour entrevu comme un visage, les poignards jaillirent des gaines. Et voilà qu'ils pleuraient de joie en caressant leurs sabres ! Leurs armes oubliées, rouillées, avilies, mais qui leur apparurent comme une virilité perdue, car seules elles permettent à l'homme de créer le monde. Et ce fut le signal de la rébellion, laquelle fut belle comme un incendie !

Et tous, ils moururent en hommes !

XIII

Ainsi tentions-nous du chant des poètes sur cette armée qui commençait de se diviser. Mais il arrivait ce prodige que les poètes étaient inefficaces et que les soldats riaient d'eux.

« Que l'on nous chante nos vérités, répondaient-ils. Le jet d'eau de notre maison et le parfum de notre soupe du soir. Que nous importent ces radotages ? »

C'est alors que j'appris cette autre vérité : à savoir que le pouvoir perdu ne se retrouve plus. Et qu'elle avait perdu sa fertilité, l'image de l'empire. Car les images meurent comme les plantes quand leur pouvoir s'est usé et qu'elles ne sont plus que matériaux morts près de se disperser, et humus pour plantes nouvelles. Et je m'en fus à l'écart pour réfléchir sur cette énigme. Car rien n'est plus vrai ni moins vrai. Mais plus efficace ou moins efficace. Et je ne tenais plus dans les mains le nœud miraculeux de leur diversité. Il m'échappait. Et mon empire se délabrait comme de soi-même, car le cèdre, quand l'orage en brise les branches et que le vent de sable le racornit et qu'il cède au désert, ce n'est point que le sable soit devenu plus fort mais que le cèdre a déjà renoncé et ouvert sa porte aux barbares.

Quand un chanteur chantait, on lui reprochait d'exagérer son émotion. Et il est vrai que le pathétique sonnait faux et nous paraissait d'un autre âge. Est-il lui-même dupe, disait-on, de l'amour qu'il exprime pour des chèvres, pour des moutons, pour des demeures, pour des montagnes qui ne sont qu'objets disparates ? Est-il dupe lui-même de l'amour qu'il exprime pour des courbes de fleuves que ne menacent point les hasards de la guerre, et qui ne méritent pas le sang ? Et il est vrai que les chanteurs eux-mêmes avaient mauvaise conscience comme s'ils eussent conté des fables grossières à des enfants qui n'eussent plus été assez crédules…

Mes généraux, dans leur solide stupidité, me venaient reprocher mes chanteurs. « Ils chantent faux ! » me disaient-ils. Mais je comprenais leur fausse note, puisqu'ils célébraient un dieu mort.

Mes généraux, dans leur solide stupidité, m'interrogeaient alors : « Pourquoi nos hommes ne veulent-ils plus se battre ? » Comme ils eussent dit, scandalisés dans leur métier : « Pourquoi ne veulent-ils plus faucher les blés ? » Et moi je changeais la question qui ainsi posée ne menait à rien. Il ne s'agissait point d'un métier. Et je me demandais dans le silence de mon amour : « Pourquoi ne veulent-ils plus mourir ? » Et ma sagesse cherchait une réponse.

Car on ne meurt point pour des moutons, ni pour des chèvres ni pour des demeures ni pour des montagnes. Car les objets subsistent sans que rien leur soit sacrifié. Mais on meurt pour sauver l'invisible nœud qui les noue et les change en domaine, en empire, en visage reconnaissable et familier. Contre cette unité l'on s'échange car on la bâtit aussi quand on meurt. La mort paie à cause de l'amour. Et celui-là qui eût lentement échangé sa vie contre l'ouvrage bien fait et qui dure plus que la vie, contre le temple qui fait son chemin dans les siècles, celui-là accepte aussi de mourir si ses yeux savent dégager le palais du disparate des matériaux, et s'il est ébloui par sa magnificence et désire s'y fondre. Car il est reçu par plus grand que lui et il se donne à son amour.

Mais comment eussent-ils accepté d'échanger leur vie contre des intérêts vulgaires ? L'intérêt d'abord commande de vivre. Quoi que fissent mes chanteurs ils offraient à mes hommes de la fausse monnaie en échange de leur sacrifice.

Et çà et là il se levait de faux prophètes qui en réunissaient quelques-uns. Et les fidèles, bien que rares, se trouvaient animés et prêts à mourir pour leurs croyances. Mais leurs croyances ne valaient rien pour les autres. Et toutes les croyances s'opposaient les unes aux autres. Et de petites églises se bâtissaient ainsi, qui se haïssaient, ayant coutume de tout diviser en erreur et en vérité. Et ce qui n'est point vérité est erreur, et ce qui n'est point erreur est vérité. Mais moi, qui sais bien que l'erreur n'est point le contraire de la vérité mais un autre arrangement, un autre temple bâti des mêmes pierres, ni plus vrai ni plus faux mais autre, les découvrant prêts à mourir pour des vérités illusoires, je saignais dans mon cœur. Et je disais à Dieu : « Ne peux-tu m'enseigner une vérité qui domine leurs vérités particulières et les accueille toutes en son sein ? Car si, de ces herbes qui s'entre-dévorent, je fais un arbre qu'une âme unique anime, alors cette branche s'accroîtra de la prospérité de l'autre branche, et tout l'arbre ne sera plus que collaboration merveilleuse et épanouissement dans le soleil.

« N'aurai-je point le cœur assez vaste pour les contenir ? »

C'était aussi ridicule des vertueux et triomphe des marchands. On vendait. On louait les vierges. On pillait les provisions d'orge que j'avais réservées en vue des famines. On assassinait. Mais je n'étais point assez naïf pour croire que la fin de l'empire était due à cette faillite de la vertu, sachant avec trop de clarté que cette faillite de la vertu était due à la fin de l'empire.

« Seigneur, disais-je, donne-moi cette image contre laquelle ils s'échangeront dans leur cœur. Et tous, à travers chacun, croîtront en puissance. Et la vertu sera signe de ce qu'ils sont. »

XIV

Dans le silence de mon amour j'en fis exécuter un grand nombre. Mais chaque mort alimentait la lave souterraine de la rébellion. Car on accepte l'évidence. Mais il n'en était point. On découvrait mal au nom de quelle vérité claire celui-là de nouveau était mort. C'est alors que je reçus de la sagesse de Dieu des enseignements sur le pouvoir.

Car le pouvoir ne s'explique point par la rigueur. Mais par la seule simplicité du langage.

Ceux que j'exécutais, me signifiant que je n'avais pu les convertir, me démontraient mon erreur. Alors j'inventai cette prière :

« Seigneur, mon manteau est trop court et je suis un mauvais berger qui ne sait abriter son peuple. Je réponds aux besoins de ceux-ci et je lèse ceux-là dans les leurs.

« Seigneur, je sais que toute aspiration est belle. Celle de la liberté et celle de la discipline. Celle du pain pour les enfants et celle du sacrifice du pain. Celle de la science qui examine et celle du respect qui accepte et fonde. Celle des hiérarchies qui divinise et celle du partage qui distribue. Celle du temps qui permet la méditation et celle du travail qui remplit le temps. Celle de l'amour par l'esprit qui châtie la chair et grandit l'homme, et celle de la pitié qui panse la chair. Celle de l'avenir à construire et celle du passé à sauver. Celle de la guerre qui plante les graines, et celle de la paix qui les récolte.

« Mais je sais aussi que ces litiges ne sont que litiges de langage et que chaque fois que l'homme s'élève, il les observe d'un peu plus haut. Et les litiges ne sont plus.

« Seigneur, je veux fonder la noblesse de mes guerriers et la beauté des temples contre quoi les hommes s'échangent et qui donne un sens à leur vie. Mais, ce soir, en me promenant dans le désert de mon amour, j'ai rencontré une petite fille en larmes. J'ai renversé sa tête pour lire dans ses yeux. Et son chagrin m'a ébloui. Si je refuse, Seigneur, de le connaître, je refuse une part du monde et n'ai point achevé mon œuvre. Ce n'est pas que je me détourne de mes grands buts, mais que cette petite fille soit consolée ! Car alors seulement le monde va bien. Elle est aussi signe du monde. »

XV

La guerre est chose difficile quand elle n'est plus pente naturelle ni expression d'un désir. Mes généraux, dans leur solide stupidité, étudiaient des tactiques habiles et discutaient et cherchaient la perfection avant d'agir. Car ils n'étaient point animés par Dieu, mais honnêtes et travailleurs. Ils échouaient donc. Et je les réunis pour les prêcher :

« Vous ne vaincrez point car vous cherchez la perfection. Mais elle est objet de musée. Vous interdisez les erreurs et vous attendez pour agir de connaître si le geste à oser est d'une efficacité bien démontrée. Mais où avez-vous lu démonstration de l'avenir ? De même que vous empêcheriez ainsi dans votre territoire l'éclosion de peintres, de sculpteurs et de tout inventeur fertile, vous empêcherez ainsi la victoire. Car je vous le dis, moi : la tour, la cité ou l'empire grandissent comme l'arbre. Elles sont manifestations de la vie puisqu'il faut l'homme pour qu'elles naissent. Et l'homme croit calculer. Il croit que la raison gouverne l'érection de ses pierres, quand l'ascension de ces pierres est née d'abord de son désir. Et la cité est contenue en lui, dans l'image qu'il porte dans son cœur, comme l'arbre est contenu dans sa graine. Et ses calculs ne font qu'habiller son désir. Et l'illustrer. Car vous n'expliquez point l'arbre si vous montrez l'eau qu'il a bue, les sucs minéraux qu'il a puisés et le soleil qui lui prêta sa force. Et vous n'expliquez point la ville si vous dites : "Voici pourquoi cette voûte ne croule pas... voilà les calculs des architectes..." Car si la ville doit naître on trouvera toujours des calculateurs qui calculent juste. Mais ceux-là ne sont que serviteurs. Et si vous le poussez au premier rang, croyant que les villes sortent de ses mains, aucune ville ne surgira du sable. Il sait comment naissent les villes mais il ne sait point pourquoi. Mais le conquérant ignorant, jetez-le avec son peuple sur la terre âpre et la rocaille, vous reviendrez plus tard et brillera dans le soleil la cité aux trente coupoles... Et les coupoles tiendront debout comme les branches du cèdre. Car le désir du conquérant sera devenu cité aux coupoles, et il aura trouvé, comme des moyens, comme des voies et comme des routes tous les calculateurs qu'il désirait.

« Ainsi, leur disais-je, vous perdrez la guerre parce que vous ne désirez rien. Aucune pente ne vous sollicite. Et vous ne collaborez point mais vous vous détruisez les uns les autres dans vos décisions incohérentes. Regardez la pierre comme elle pèse. Elle roule vers le fond du ravin. Car elle est collaboration de tous les grains de la poussière dont elle est pétrie et qui pèsent tous vers le même but. Regardez l'eau dans le réservoir. Elle s'appuie contre les parois et attend les occasions. Car vient le jour où les occasions se montrent. Et l'eau nuit et jour inlassablement pèse. Elle est en sommeil en apparence et cependant vivante. Car à la moindre craquelure la voilà qui se met en marche, s'insinue, rencontre l'obstacle, tourne l'obstacle si c'est possible, et rentre en apparence dans son sommeil, si le chemin n'aboutit pas, jusqu'à la nouvelle craquelure qui ouvrira une autre route. Elle ne manque point l'occasion nouvelle. Et, par des voies indéchiffrables, que nul calculateur n'eût calculées, une simple pesée aura vidé le réservoir de vos provisions d'eau.

« Votre armée est semblable à une mer qui ne pèserait point contre sa digue. Vous êtes une pâte sans levain. Une terre sans graine. Une foule sans souhaits. Vous administrez au lieu de conduire. Vous n'êtes que témoins stupides. Et les forces obscures qui pèsent, elles, contre les parois de l'empire se passeront bien d'administrateurs pour vous noyer sous leurs marées. Après quoi, vos historiens, plus stupides que vous, expliqueront les causes du désastre, nommeront sagesse, calcul et science de l'adversaire les moyens de sa réussite. Mais moi je dis qu'il n'est ni sagesse, ni calcul, ni science de l'eau quand elle dissout les digues et engloutit les villes des hommes.

« Mais je sculpterai l'avenir à la façon du créateur qui tire son œuvre du marbre à coups de ciseau. Et tombent une à une les écailles qui cachaient le visage du dieu. Et les autres diront : « Ce marbre contenait ce dieu. Il l'a trouvé. Et son geste était un moyen. » Mais moi je dis qu'il ne calculait point mais qu'il forgeait la pierre. Le sourire du visage n'est point fait d'un mélange de sueur, d'étincelles, de coups de ciseau et de marbre. Le sourire n'est point de la pierre mais du créateur. Délivre l'homme et il créera.

Dans leur solide stupidité, mes généraux se réunirent : « Il faut comprendre, se disaient-ils, pourquoi nos hommes se divisent et se haïssent. » Et ils les faisaient comparaître. Et les écoutaient les uns les autres cherchant à concilier leurs thèses et à établir la justice et à rendre à celui-là son dû et à reprendre à l'autre ce qu'il détenait indûment. Et s'ils se haïssaient pour des mobiles de jalousie, les généraux cherchaient à déterminer qui avait raison et qui avait tort. Et bientôt ils ne comprirent plus rien à rien tant les problèmes s'embrouillaient les uns les autres, tant le même acte montrait de visages divers, noble sous telle lumière, bas sous telle autre, cruel à la fois et généreux. Et leurs conseils se poursuivaient la nuit. Et comme ils ne prenaient plus de sommeil, leur stupidité allait s'accroissant. Alors ils me vinrent trouver : « Il n'est plus qu'une solution, me dirent-ils, à ce fatras. Et c'est le déluge des Hébreux ! »

Mais je me souvenais de mon père : « Quand la moisissure prend dans le blé, cherche-la en dehors du blé, change-le de grenier. Lorsque les hommes se haïssent, n'écoute point l'exposé imbécile des raisons qu'ils ont de haïr. Car ils en ont bien d'autres, encore, que celles qu'ils disent, et auxquelles ils n'ont point songé. Ils en ont tout autant de s'aimer. Et tout autant de vivre dans l'indifférence. Et moi qui ne m'intéresse jamais aux paroles, sachant que ce qu'elles charrient n'est que signe difficile à lire, de même que les pierres de l'édifice ne montrent ni l'ombre ni le silence, de même que les matériaux de l'arbre n'expliquent point l'arbre, pourquoi me serais-je intéressé aux matériaux de leur haine ? Ils la bâtissaient comme un temple avec les mêmes pierres qui leur eussent servi pour bâtir l'amour. »

J'assistais donc simplement à cette haine qu'ils habillaient de leurs mauvaises raisons et n'estimais point les en guérir par l'exercice d'une vaine justice. Elle n'eût fait que les durcir dans leurs raisons en fondant leurs torts ou leurs avantages. Et la rancune de ceux auxquels j'eusse donné tort, et la morgue de ceux auxquels j'eusse donné raison. Et ainsi j'eusse creusé l'abîme. Mais je me souvenais de la sagesse de mon père.

Il se fit qu'ayant conquis des territoires neufs il y avait installé, comme ils étaient peu sûrs encore, des généraux pour appuyer les gouverneurs. Or, les voyageurs qui circulaient de ces provinces neuves à la capitale s'en venaient prévenir mon père :

« Dans telle province, lui disaient-ils, le général a insulté le gouverneur. Ils ne se parlent plus. »

Lui venait celui d'une autre province :

« Seigneur, le gouverneur a pris en haine le général. »

Puis d'ailleurs revenait un troisième :

« Seigneur, on implore là-bas ton arbitrage pour résoudre un grave litige. Le général et le gouverneur sont en procès. »

Et mon père d'abord écouta les mobiles des brouilles. Et ces mobiles chaque fois étaient évidents. Quiconque eût subi de tels affronts eût décidé de les venger. Il n'y avait bien là que trahisons honteuses et litiges inconciliables. Et rapts et injures. Et toujours, de toute évidence, il en devait être un qui avait raison, et l'autre tort. Mais ces racontars fatiguaient mon père.

« J'ai mieux à faire, me dit-il, qu'à étudier leurs stupides querelles. Elles naissent d'un bout à l'autre du territoire, différentes chaque fois et pourtant semblables. Par quel miracle aurais-je chaque fois choisi des gouverneurs et des généraux qui ne se pussent l'un l'autre tolérer ?

« Quand les bêtes que tu installes dans une étable meurent l'une après l'autre, ne te penche pas sur elles pour chercher la cause du mal. Penche-toi sur l'étable et brûle-la. »

Il convoqua donc un messager :

« J'ai mal défini leurs prérogatives. Ils ignorent lequel des deux a préséance sur l'autre dans les banquets. Ils se surveillent avec hargne. Et s'avancent tous deux de front jusqu'à l'instant de s'asseoir. Alors le plus grossier l'emporte en prenant place, ou le moins stupide. L'autre le hait. Et il se jure bien d'être moins sot la fois prochaine et de presser le pas pour s'asseoir d'abord. Et voilà qu'ensuite, naturellement, ils se volent leurs femmes, se pillent leurs troupeaux, ou s'injurient. Et ce ne sont là que balivernes sans intérêt mais dont ils pâtissent car ils y croient. Mais moi je n'écouterai point le bruit qu'ils font.

« Tu veux qu'ils s'aiment ? Ne leur jette point le grain du pouvoir à partager. Mais que l'un serve l'autre. Et que l'autre serve l'empire. Alors ils s'aimeront de s'épauler l'un l'autre et de bâtir ensemble. »

Il les châtia donc cruellement pour l'inutile tintamarre de leurs brouilles : « L'empire, leur disait-il, n'a que faire de vos scandales. Un général, de toute évidence, doit obéir au gouverneur. Je châtierai donc celui-là pour n'avoir point su commander. Et l'autre pour n'avoir point su obéir. Et je vous conseille le silence. »

Et d'un bout à l'autre du territoire les hommes se réconcilièrent. Les chameaux volés furent rendus. Les épouses adultères furent restituées ou répudiées. Les injures furent réparées. Et celui qui obéissait se découvrait flatté par les louanges de celui qui le commandait. Et s'ouvraient à lui des sources de joie. Et celui-là qui commandait était heureux de montrer sa puissance en grandissant son subalterne. Et il le poussait devant lui les jours de banquets, afin qu'il s'assît le premier.

« Et ce n'était pas qu'ils fussent stupides, disait mon père. Mais c'est que les mots du langage ne charrient rien qui soit digne d'intérêt. Apprends à écouter non le vent des paroles ni les raisonnements qui leur permettent de se tromper. Apprends à regarder plus loin. Car leur haine n'était point absurde. Si chaque pierre n'est point à sa place, il n'est point de temple. Et si chaque pierre est à sa place et sert le temple, alors compte seul le silence qui est né d'elles, et la prière qui s'y forme. Et qui entend que l'on parle des pierres ? »

C'est pourquoi je ne m'intéressais point aux problèmes de mes généraux qui venaient me prier de chercher dans les actes des hommes les causes de leurs dissensions afin que j'y misse ordre par ma justice. Mais, dans le silence de mon amour, je traversais le campement et les regardais se haïr. Puis je me retirais pour faire part à Dieu de ma prière.

« Seigneur, les voilà qui se divisent de ne plus bâtir l'empire. Car l'erreur est de croire qu'ils cessent de bâtir pour la raison qu'ils seraient divisés. Éclaire-moi sur la tour à leur faire bâtir qui leur permettra de s'échanger en elle dans leurs aspirations diverses. Qui appellera tout en eux et comblera chacun de le solliciter tout entier dans toute sa grandeur. Mon manteau est trop court et je suis un mauvais berger qui ne sait point les ranger sous son aile. Et ils se haïssent parce qu'ils ont froid. Car la haine n'est jamais qu'insatisfaction. Toute haine a un sens profond mais qui la domine. Et les herbes diverses se haïssent et se mangent entre elles, mais non l'arbre unique dont chaque branche s'accroît de la prospérité des autres. Prête-moi un copeau de ton manteau que j'y rassemble mes guerriers et mes laboureurs et mes savants et mes époux et mes épouses et jusqu'aux enfants qui pleurent... »

XVI

Ainsi de la vertu. Mes généraux, dans leur solide stupidité, me venaient parler de la vertu :

« Voilà, me disaient-ils, que leurs mœurs se corrompent. Et c'est pourquoi l'empire se décompose. Il importe de durcir les lois et d'inventer des sanctions plus cruelles. Et de trancher les têtes de ceux-là qui auront failli. »

Moi, je songeais :

« Il importe peut-être en effet de trancher des

têtes. Mais la vertu est d'abord conséquence. La pourriture de mes hommes est avant tout pourriture de l'empire qui fonde les hommes. Car s'il était vivant et sain il exalterait leur noblesse. »

Et je me souvenais des paroles de mon père :

« La vertu c'est la perfection dans l'état d'homme et non l'absence de défauts. Si je veux bâtir une cité je prends la pègre et la racaille et je l'ennoblis par le pouvoir. Je lui offre d'autres ivresses que l'ivresse médiocre de la rapine, de l'usure ou du viol. Les voilà, de leurs bras noueux, qui bâtissent. Leur orgueil devient tour et temple et rempart. Leur cruauté devient grandeur et rigueur dans la discipline. Et voilà qu'ils servent une ville née d'eux-mêmes et contre laquelle ils se sont échangés dans leur cœur. Et ils mourront, pour la sauver, sur ses remparts. Et tu ne découvriras plus chez eux que vertus les plus éclatantes.

« Mais toi qui fais le dégoûté devant la puissance de la terre, devant la grossièreté de l'humus et de sa pourriture et de ses vers, tu demandes d'abord à l'homme de n'être pas et de ne point montrer d'odeur. Tu blâmes en eux l'expression de leur force. Et tu installes des émasculés à la tête de ton empire. Et ils pourchassent le vice qui n'est que puissance sans emploi. C'est la puissance et la vie qu'ils pourchassent. Et à leur tour ils deviennent gardiens de musée et veillent un empire mort. »

« Le cèdre, disait mon père, se nourrit de la boue du sol, mais la change en épais feuillage qui se nourrit, lui, de soleil.

« Le cèdre, disait encore parfois mon père, c'est la perfection de la boue. C'est la boue devenue vertu. Si tu veux sauver ton empire crée-lui sa ferveur. Il drainera les mouvements des hommes. Et les mêmes actes, les mêmes mouvements, les mêmes aspirations, les mêmes efforts, bâtiront ta cité au lieu de la détruire.

« Et maintenant je te le dis :

« Ta cité mourra d'être achevée. Car ils vivaient non de ce qu'ils recevaient mais de ce qu'ils donnaient. Pour se disputer les provisions faites ils redeviendront loups dans leurs tanières. Et si ta cruauté parvient à les réduire ils deviendront au lieu bétail dans l'étable. Car une cité ne s'achève point. Je dis qu'est achevée mon œuvre simplement quand manque ma ferveur. Ils meurent alors parce qu'ils sont déjà morts. Mais la perfection n'est point un but que l'on atteigne. C'est l'échange en Dieu. Et je n'ai jamais achevé ma ville… »

XVII

C'est pourquoi j'ai toujours méprisé comme vain le vent des paroles. Et je me suis défié des artifices du langage. Et quand mes généraux, dans leur solide stupidité, me venaient dire : « Le peuple se révolte, nous te proposons d'être habile… », je renvoyais mes généraux. Car l'habileté n'est qu'un vain mot. Et il n'est point de détour possible dans la création. On fonde ce que l'on fait et rien de plus. Et si tu prétends, poursuivant un but, tendre vers un autre, et qui diffère du premier, celui-là seul qui est dupe des mots te croira habile. Car ce que tu fondes, en fin de compte, c'est ce vers quoi tu vas d'abord et rien de plus. Tu fondes ce dont tu t'occupes et rien de plus. Même si tu t'en occupes pour lutter contre. Je fonde mon ennemi si je lui fais la guerre. Je le forge et je le durcis. Et si je prétends vainement au nom des libertés futures renforcer ma contrainte, c'est la contrainte que je fonde. Et si je fais la guerre pour obtenir la paix, je fonde la guerre. La paix n'est point un état que l'on atteigne à travers la guerre. Si je crois à la paix conquise par les armes et si je désarme, je meurs. Car la paix, je ne puis l'établir que si je fonde la paix.

Bâtir la paix c'est bâtir l'étable assez grande pour que le troupeau entier s'y endorme. C'est bâtir le palais assez vaste pour que tous les hommes s'y puissent rejoindre sans rien abandonner de leurs bagages. Il ne s'agit point de les amputer pour les y faire tenir. Bâtir la paix c'est obtenir de Dieu qu'Il prête son manteau de berger pour recevoir les hommes dans toute l'étendue de leurs désirs. Ainsi de la mère qui aime ses fils. Et celui-là timide et tendre. Et l'autre ardent à vivre. Et l'autre peut-être bossu, chétif et malvenu. Mais tous, dans leur diversité, émeuvent son cœur. Et tous, dans la diversité de leur amour, servent sa gloire.

XVIII

Et c'est pourquoi ce soir-là, du haut du roc noir que je gravis, je considérai les taches noires de mon campement dans l'étendue, toujours formé selon la figure triangulaire, toujours orné de sentinelles aux trois sommets, toujours doté de fusils et de poudre, et cependant près d'être soufflé et dispersé et répandu comme l'arbre mort, et je pardonnai aux hommes.

Car je compris. La chenille meurt quand elle forme sa chrysalide. La plante meurt quand elle monte en graine. Quiconque mue connaît la tristesse et l'angoisse. Tout en lui se fait inutile.

Quiconque mue n'est que cimetière et regrets. Et cette foule attendait la mue, ayant usé le vieil empire que nul ne saurait rajeunir. On ne guérit ni la chenille ni la plante, ni l'enfant qui mue et réclame pour se retrouver bienheureux de rentrer dans l'enfance et de voir rendues leurs couleurs aux jeux qui l'ennuient et leur douceur aux bras maternels, et le goût du lait — mais il n'est plus de couleur des jeux, ni de refuge dans les bras maternels ni de goût du lait — et il va, triste. Ayant usé le vieil empire, les hommes, sans le connaître, réclamaient l'empire nouveau. L'enfant qui a mué et perdu l'usage de la mère ne connaîtra point de repos qu'il n'ait trouvé la femme. Seule, de nouveau, elle l'assemblera. Mais qui peut montrer leur empire aux hommes ? Qui peut, dans le disparate du monde, par la seule vertu de son génie, tailler un visage nouveau et les forcer de tourner les yeux en sa direction et de le connaître ? Et le connaissant, de l'aimer ? Ce n'est point œuvre de logicien mais de créateur et de sculpteur. Car celui-là seul forge dans le marbre qui n'a point à se justifier et imprime dans le marbre le pouvoir d'éveiller l'amour.

XIX

J'ai donc fait venir les architectes et leur ai dit :

« C'est vous dont dépend la cité future, non dans sa signification spirituelle, mais dans le visage qu'elle montrera et qui fera son expression. Et je pense bien avec vous qu'il s'agit d'installer heureusement les hommes. Afin qu'ils disposent des commodités de la ville et ne perdent point leurs efforts en vaines complications et en dépenses stériles. Mais j'ai toujours appris à distinguer l'important de l'urgent. Car il est urgent, certes, que l'homme mange, car s'il n'est pas nourri il n'est point d'homme et il ne se pose plus de problème. Mais l'amour et le sens de la vie et le goût de Dieu sont plus importants. Et je ne m'intéresse point à une espèce qui engraisse. La question que je me pose n'est point de savoir si l'homme, oui ou non, sera heureux, prospère et commodément abrité. Je me demande d'abord quel homme sera prospère, abrité et heureux. Car, à mes boutiquiers enrichis que gonfle la sécurité je préfère le nomade qui s'enfuit éternellement et poursuit le vent, car il embellit de jour en jour de servir un seigneur si vaste. Si contraint de choisir j'apprenais que Dieu refuse au premier Sa grandeur et ne l'accorde qu'au second, je plongerais mon peuple dans le désert. Car j'aime que l'homme donne sa lumière. Et peu m'importe le cierge gras. À sa seule flamme je mesure sa qualité.

« Et c'est pourquoi je vous le dis : Si vous bâtissez le temple inutile puisqu'il ne sert ni à la cuisson, ni au repos, ni à l'assemblée des notables, ni aux réserves d'eau, mais simplement à l'agrandissement du cœur de l'homme, et au calme des sens, et au temps qui mûrit, car il est tout semblable à un cellier du cœur où l'on s'installe pour baigner quelques heures dans la paix équitable et l'apaisement des passions et la justice sans déshérités, si donc vous bâtissez un temple où la douleur due aux ulcères devient cantique et offrande, où la menace de mort devient port entrevu dans les eaux enfin calmes, croirez-vous avoir gâché vos efforts ? »

XX

Mes généraux, dans leur solide stupidité, me fatiguaient de leurs démonstrations. Car, réunis comme en congrès, ils se disputaient sur l'avenir. Et c'est ainsi qu'ils désiraient se faire habiles. Car à mes généraux on avait d'abord enseigné l'histoire et ils connaissaient une par une toutes les dates de mes conquêtes et toutes celles de mes défaites et celles des naissances et celles des morts. Ainsi leur paraissait-il évident que les événements se déduisent les uns des autres. Et ils voyaient l'histoire de l'homme sous l'image d'une longue chaîne de causes et de conséquences qui prenait sa racine dans la première ligne du livre d'histoire et se prolongeait jusqu'au chapitre où l'on notait pour les générations futures que la création ainsi avait heureusement abouti à cette constellation de généraux. Ainsi, ayant pris trop d'élan, de conséquence en conséquence démontraient-ils l'avenir. Ou bien, ils me venaient, chargés de leurs lourdes démonstrations : « Ainsi dois-tu agir pour le bonheur des hommes ou pour la paix, ou pour la prospérité de l'empire. Nous sommes des savants, disaient-ils, nous avons étudié l'histoire... »

Mais je savais qu'il n'est de science que de ce qui se répète.

Ils exercent certes leur logique, mes généraux, quand ils cherchent et découvrent une cause à l'effet qui leur est montré. Car, me disent-ils, tout effet a une cause et toute cause a un effet. Et de cause à effet, ils s'en vont, redondants, vers l'erreur. Car autre chose est de remonter des effets aux causes ou de descendre des causes aux effets.

Moi aussi, dans le sable vierge et répandu à la

façon d'un talc, j'ai relu, après coup, l'histoire de mon ennemi. Sachant qu'un pas est toujours précédé d'un autre pas qui l'autorise et que la chaîne va de chaînon en chaînon sans qu'aucun chaînon puisse jamais manquer. Si le vent ne s'est point levé et, tourmentant le sable, n'en a point essuyé la page d'écriture, superbement, comme d'une ardoise d'écolier, je puis remonter d'empreinte en empreinte jusqu'à l'origine des choses ou, poursuivant la caravane, la surprendre dans le ravin où elle a cru bon de s'attarder. Mais au cours de cette lecture je n'ai point reçu d'enseignement qui me permît de la précéder dans sa marche. Car la vérité qui la domine est d'une autre essence que le sable dont je dispose. Et la connaissance des empreintes n'est que connaissance d'un reflet stérile, lequel ne m'instruira ni sur la haine, ni sur la terreur, ni sur l'amour qui d'abord gouverne les hommes.

« Alors, me diront-ils, mes généraux, solidement plantés dans leur stupidité, tout se démontre encore. Si je connais la haine, l'amour ou la terreur qui les domine, je prévoirai leurs mouvements. L'avenir donc est contenu dans le présent… »

Mais je leur répondrai qu'il m'est toujours possible de prévoir la caravane un pas de plus qu'elle n'en a fait. Ce pas nouveau répétera sans doute l'autre dans sa direction et dans son ampleur. Il est science de ce qui se répète. Mais elle s'échappe bientôt hors du chemin que ma logique aura tracé car elle changera de désir...

Et, comme ils ne me comprenaient point, je leur racontai le grand exode.

C'était du côté des mines de sel. Et les hommes se sauvaient tant bien que mal de vivre parmi les minéraux car rien ici n'autorisait la vie. Le soleil pesait et brûlait, et les entrailles du sol, loin de livrer une eau limpide, ne livraient que des barres de sel qui eussent tué l'eau si les puits n'avaient été secs. Pris entre l'astre et le sel gemme, les hommes venus d'ailleurs avec leurs outres pleines se hâtaient au travail et détachaient à coups de pioche ces cristaux transparents qui figurent la vie et la mort. Puis ils s'en retournaient liés comme par un cordon ombilical aux terres heureuses et à leurs eaux fertiles.

Le soleil donc était ici âpre, dur et blanc comme la famine. Et les rochers crevaient le sable par endroits, flanquant les mines de sel de leurs assises d'ébène dur comme du diamant noir et dont les vents en vain mordaient les crêtes. Et celui-là qui eût assisté aux traditions séculaires de ce désert les eût prévues durables et fixées pour des siècles. La montagne continuerait de s'user avec lenteur comme sous la dent d'une lime trop faible, les hommes continueraient d'extraire le sel, les caravanes continueraient d'acheminer l'eau et les vivres et de relever ces forçats…

Mais il advint une aube où les hommes se tournèrent du côté de la montagne. Et ce qu'ils n'avaient point vu encore se montra.

Car le hasard des vents qui avaient mordu le roc depuis tant de siècles y avait sculpté un visage géant et qui exprimait la colère. Et le désert, et les salines souterraines, et les tribus, fixées sur une assise plus inhumaine que l'eau salée des océans, sur une assise de sel durcie, étaient dominés par un visage noir, sculpté dans le roc, furieux, sous la profondeur d'un ciel pur et ouvrant la bouche pour maudire. Et les hommes fuirent, pris d'épouvante, quand ils le connurent. L'aventure se propagea au fond des puits et quand les ouvriers émergeaient de la gangue, ils se retournaient d'abord vers la montagne puis, le cœur saisi, se hâtaient vers la tente, empaquetaient tant bien que mal leurs ustensiles, injuriaient la femme, l'enfant et l'esclave et, poussant devant eux leur fortune condamnée sous le soleil inexorable, empruntaient les pistes du Nord. Et comme l'eau manquait, ils périssaient tous. Et vaines parurent les prédictions des logiciens qui voyaient s'user la montagne et se perpétuer les hommes. Comment eussent-ils prévu ce qui allait naître ?

Quand je remonte vers le passé je divise le temple en pierres. Et l'opération est prévisible et simple. De même si je répands en os et viscères le corps démantelé, et en gravats le temple, ou en chèvres, moutons, demeures et montagnes le domaine... Mais si je marche vers l'avenir, il me faudra toujours compter avec la naissance d'êtres nouveaux qui s'ajouteront aux matériaux et ne seront point prévisibles puisque d'une autre essence. Ces êtres-là je les dis uns et simples puisqu'ils meurent et disparaissent d'être divisés. Car le silence est quelque chose qui s'ajoute aux pierres mais qui meurt si on les sépare. Car le visage est quelque chose qui s'ajoute au marbre ou aux éléments du visage mais qui meurt si on le brise ou si on les distingue. Car le domaine est quelque chose qui s'ajoute aux chèvres, aux demeures, aux moutons et aux montagnes...

Je ne saurai prévoir mais je saurai fonder. Car l'avenir on le bâtit. Si je rassemble en un visage unique le disparate de mon époque, si j'ai des mains divines de sculpteur, mon désir deviendra. Et je me tromperai si je dis que j'ai su prévoir. Car j'aurai créé. Dans le disparate d'alentour j'aurai montré un visage et je l'aurai imposé et il gouvernera les hommes. Comme le domaine qui exige parfois jusqu'à leur sang.

Ainsi m'est-il apparu une nouvelle vérité et c'est qu'il est vain et illusoire de s'occuper de l'avenir. Mais que la seule opération valable est d'exprimer le monde présent. Et qu'exprimer c'est bâtir avec le disparate présent le visage un qui le domine, c'est créer le silence avec les pierres.

Toute autre prétention n'est que vent de paroles…

XXIII

Mauvais, quand le cœur l'emporte sur l'âme.

Quand le sentiment l'emporte sur l'esprit.

Ainsi dans mon empire il m'est apparu qu'il était plus facile de souder les hommes par le sentiment que par l'esprit qui domine le sentiment. Sans doute signe de ce que l'esprit doit devenir sentiment, mais qu'il n'est point d'abord de sentiment qui compte.

Ainsi m'est-il apparu qu'il ne fallait point soumettre celui qui crée aux souhaits de la multitude. Car c'est sa création même qui doit devenir le souhait de la multitude. La multitude doit recevoir de l'esprit et changer ce qu'elle a reçu en sentiment. Elle n'est qu'un ventre. La nourriture qu'elle reçoit, elle la doit changer en grâce et en lumière.

XXV

C'est pourquoi j'ai fait venir les éducateurs et leur ai dit :

« Vous n'êtes point chargés de tuer l'homme dans les petits d'hommes, ni de les transformer en fourmis pour la vie de la fourmilière. Car peu m'importe à moi que l'homme soit plus ou moins comblé. Ce qui m'importe c'est qu'il soit plus ou moins homme. Je ne demande point d'abord si l'homme, oui ou non, sera heureux, mais quel homme sera heureux. Et peu m'importe l'opulence des sédentaires repus, comme du bétail dans l'étable.

« Vous ne les comblerez point de formules qui sont vides, mais d'images qui charrient des structures.

« Vous ne les emplirez point d'abord de connaissances mortes. Mais vous leur forgerez un style afin qu'ils puissent saisir.

« Vous ne jugerez pas de leurs aptitudes sur leur seule apparente facilité dans telle ou telle direction. Car celui-là va le plus loin et réussit le mieux qui a travaillé le plus contre soi-même. Vous tiendrez donc compte d'abord de l'amour.

« Vous ne vous appesantirez point sur l'usage. Mais sur la création de l'homme, afin que celui-ci rabote sa planche dans la fidélité et l'honneur, et il la rabotera mieux.

« Vous enseignerez le respect, car l'ironie est du cancre, et oubli des visages.

« Vous lutterez contre les liens de l'homme avec les biens matériels. Et vous fonderez l'homme dans le petit d'homme en lui enseignant d'abord l'échange car, hors l'échange, il n'est que racornissement.

« Vous enseignerez la méditation et la prière car l'âme y devient vaste. Et l'exercice de l'amour. Car qui le remplacerait ? Et l'amour de soi-même c'est le contraire de l'amour.

« Vous châtierez d'abord le mensonge, et la délation qui certes peut servir l'homme et en apparence la cité. Mais seule, la fidélité crée les forts. Car il n'est point de fidélité dans un camp et non dans l'autre. Qui est fidèle est toujours fidèle. Et celui-là n'est point fidèle qui peut trahir son camarade de labour. Moi j'ai besoin d'une cité forte, et je n'appuierai pas sa force sur le pourrissement des hommes.

« Vous enseignerez le goût de la perfection car toute œuvre est une marche vers Dieu et ne peut s'achever que dans la mort.

« Vous n'enseignerez point d'abord le pardon ou la charité. Car ils pourraient être mal compris et n'être plus que respect de l'injure ou de l'ulcère. Mais vous enseignerez la merveilleuse collaboration de tous à travers tous et à travers chacun. Alors le chirurgien se hâtera à travers le désert pour réparer le simple genou d'un homme de peine. Car il s'agit là d'un véhicule. Et ils ont tous deux le même conducteur. »

XXVI

Car je me penchais d'abord sur le grand miracle de la mue et du changement de soi-même. Car il était dans la ville un lépreux.

« Voici, me dit mon père, l'abîme. »

Et il me conduisit dans les faubourgs aux lisières d'un champ maigre et sale. Autour du champ une barrière et au centre du champ une maison basse où logeait le lépreux tranché ainsi d'avec les hommes.

« Tu crois, me dit mon père, qu'il va hurler son désespoir ? Observe-le quand il sortira pour le voir bâiller.

« Ni plus ni moins que celui-là en qui est mort l'amour. Ni plus ni moins que celui-là qui a été défait par l'exil. Car je te le dis : l'exil ne déchire pas, il use. Tu ne te repais plus que de songes et tu joues avec des dés vides. Peu importe son opulence. Il n'est plus que roi d'un royaume d'ombres.

« La nécessité, me dit mon père, voilà le salut. Tu ne peux jouer avec des dés vides. Tu ne peux pas te satisfaire de tes rêves pour la seule raison que tes rêves ne résistent point. Elles sont décevantes, les armées lancées dans les songes creux de l'adolescence. L'utile c'est ce qui te résiste. Et le malheur de ce lépreux n'est point pour lui qu'il pourrisse, mais bien que rien ne lui résiste. Le voilà enfermé, sédentaire dans ses provisions. »

Ceux de la ville parfois le venaient observer. Ils se réunissaient autour du champ comme ceux-là qui ayant fait l'ascension de la montagne se penchent ensuite sur le cratère du volcan. Car ils pâlissent d'entendre sous leurs pieds le globe préparer ses éructations. Ils s'agglutinaient donc, comme autour d'un mystère, autour du carré de champ du lépreux. Mais il n'était point de mystère.

« Ne te fais point d'illusions, me disait mon père. N'imagine point son désespoir et ses bras tordus dans l'insomnie et sa colère contre Dieu ou contre soi-même ou contre les hommes. Car il n'est rien en lui sinon absence qui grandit. Qu'aurait-il de commun avec les hommes ? Ses yeux coulent et ses bras tombent de lui comme des branches. Et il ne reçoit plus de la ville que le bruit d'un lointain charroi. La vie ne l'alimente plus que d'un vague spectacle. Un spectacle n'est rien. Tu ne peux vivre que de ce que tu transformes. Tu ne vis point de ce qui est entreposé en toi comme en un magasin. Et celui-là vivrait s'il pouvait fouetter le cheval et porter des pierres et contribuer à l'édification du temple. Mais tout lui est donné. »

Cependant il s'établit une coutume. Les habitants venaient chaque jour, émus par sa misère, jeter leurs offrandes au-delà des pieux qui hérissaient cette frontière. Et voilà qu'il était servi, paré et vêtu comme une idole. Nourri des meilleurs mets. Et même, les jours de fête, honoré de musique. Et cependant, s'il avait besoin de tous, nul n'avait besoin de lui. Il disposait de tous les biens, mais il n'avait point de biens à offrir.

« Ainsi des idoles de bois, me dit mon père, que tu surcharges de présents. Et brûlent en face d'elles les lampions des fidèles. Et fume l'arôme des sacrifices. Et s'orne leur chevelure de pierreries. Mais je te le dis, la foule qui jette à ses idoles ses bracelets d'or et ses pierreries, celle-là s'augmente, mais l'idole de bois demeure de bois. Car elle ne transforme rien. Or vivre, pour l'arbre, c'est prendre de la terre et en pétrir des fleurs. »

Et je vis le lépreux sortir de sa tanière et promener sur nous son regard mort. Plus inaccessible à ce bruit qui cependant cherchait à le flatter qu'aux vagues de la mer. Défait d'avec nous-mêmes et désormais inaccessible. Et si l'un de la foule exprimait sa pitié, il le regardait avec un mépris vague… Non solidaire. Écœuré d'un jeu sans caution. Car qu'est-ce qu'une pitié qui ne prend point dans les bras pour bercer ? Et en retour, si quelque chose d'animal encore sollicitait de lui sa colère d'être devenu ainsi spectacle et curiosité de foire, colère peu profonde en vérité, car nous n'étions plus de son univers, comme les enfants autour du bassin où tourne l'unique carpe lente, que nous importait sa colère, car qu'est-ce qu'une colère qui ne peut frapper et ne fait que lâcher des mots vides dans le vent qui les emporte ? Ainsi m'apparut-il dépouillé par son opulence. Et je me souvenais de ceux-là qui, lépreux dans le Sud, à cause de lois concernant la lèpre, rançonnaient les oasis du haut de leur cheval dont ils n'avaient point le droit de descendre. Tendant leur sébile au bout d'un bâton. Et regardant durement et sans voir, car les visages heureux, pour eux, n'étaient que territoire de chasse. Et pourquoi même eussent-ils été irrités par un bonheur aussi étranger à leur univers que les jeux silencieux des petits animaux dans la clairière. Regardant donc froidement sans voir. Puis passant à pas lents devant les échoppes et descendant, du haut de leur cheval, un panier à l'extrémité d'une corde. Et attendant avec patience que le marchand l'eût empli. Patience morne et qui faisait peur. Car immobiles, ils n'étaient plus pour nous que végétation lente de la maladie. Et four, creuset et alambic de pourriture. Ils n'étaient plus pour nous que lieux de passage et champs clos et demeures pour le mal. Mais qu'attendaient-ils ? Rien. Car on n'attend point en soi-même, mais on attend d'un autre que soi-même. Et plus ton langage est rudimentaire, plus sont grossiers tes liens avec les hommes, moins tu peux connaître l'attente et l'ennui.

Mais qu'eussent-ils pu attendre de nous, ces hommes qui étaient si absolument tranchés d'avec nous ? Ils n'attendaient rien.

« Vois, dit mon père. Il ne peut même plus bâiller. Il a renoncé jusqu'à l'ennui qui est attente des hommes. »

XXVIII

La ville cependant, cette nuit-là, était suspendue hors du sommeil à cause d'un homme qui devait à l'aube expier un crime. Car on le disait innocent. Et des patrouilles circulaient qui avaient pour mission d'empêcher que la foule ne s'assemblât, car quelque chose tirait les hommes hors des demeures et les faisait se réunir.

Et moi je me disais : « C'est la souffrance d'un seul qui allume cet incendie. Celui-là dans sa geôle est brandi sur tous comme un tison. »

Me vint le besoin de le connaître. Et je m'en fus vers la prison. Je l'aperçus, carrée et noire, qui se découpait sur les étoiles. Les hommes d'armes m'ouvrirent les portes qui tournaient lentement sur leurs gonds. Les murs me parurent d'une épaisseur inusitée et des barreaux protégeaient les lucarnes. Et là aussi des patrouilles noires qui circulaient le long des vestibules et dans les cours, ou qui se levaient à mon passage comme des animaux nocturnes... Et partout cette odeur de chambrée et ces échos profonds de crypte quand on laissait choir une clef ou quand on marchait sur les dalles. Et je songeais : « Faut-il que l'homme soit dangereux pour qu'il soit nécessaire, lui si faible, de chair si chétive, qu'un clou peut vider de sa vie, de l'écraser ainsi sous une montagne ! »

Et tous les pas que j'entendais lui marchaient sur le ventre. Et tous ces murs, toutes ces poternes, tous ces contreforts pesaient sur lui. « Il est l'âme de la prison, me disais-je, songeant à lui. Il est le sens et le centre et la vérité de la prison. Et cependant que montre-t-il de lui, sinon un simple tas de hardes, couché en travers des barreaux et peut-être même endormi et respirant mal. Tel qu'il est, pourtant, levain d'une ville. Et causant, en se retournant d'un mur vers l'autre, ce tremblement de terre. »

On m'ouvrit le judas et je le regardai. Sachant bien qu'il était ici quelque chose à comprendre. Et je le vis.

Et je songeais : « Il n'a rien peut-être à se reprocher sinon l'amour des hommes. Mais celui qui bâtit une demeure donne une forme à sa demeure. Et certes toute forme peut être souhaitable. Mais non toutes ensemble. Sinon il n'est plus de demeure.

« Un visage tiré de la pierre est fait de tous les visages refusés. Tous peuvent être beaux. Mais non tous ensemble. Sans doute son rêve est-il beau.

« Nous sommes lui et moi sur la crête de la montagne. Lui et moi, seuls. Nous sommes cette nuit sur la crête du monde. Nous nous retrouvons et nous nous joignons. Car rien à cette altitude ne nous divise. Il désire comme moi la justice. Et cependant il mourra… »

Je souffrais dans mon cœur.

Cependant pour que le désir se change en acte, pour que la force de l'arbre se fasse branche, pour que la femme devienne mère, il faut un choix. C'est de l'injustice du choix que naît la vie. Car celle-là aussi, qui était belle, mille l'aimaient. Et, pour être, elle les a réduits au désespoir. Est toujours injuste ce qui est.

Je comprenais que toute création d'abord est cruelle.

Je refermai la porte et m'en fus le long des corridors. Plein d'estime et d'amour : « Qu'est-ce de lui laisser la vie dans l'esclavage, quand sa grandeur c'est son orgueil ? » Et je croisai les patrouilles, les geôliers, les balayeurs du petit jour. Et tout ce peuple servait son prisonnier. Et ces murs lourds gardaient leur prisonnier, comme ces ruines déchiquetées qui tirent leur sens du trésor enfoui. Et je me retournai une fois encore vers la prison. Avec sa tour en forme de couronne rejetée vers les astres, navire en marche avec sa cargaison, tout entière servante, et je me disais : « Qui l'emporte ? » Puis quand j'en fus loin, tassée dans la nuit, cette gueule de poudrière...

Je songeais à ceux de la ville. « Certes, ils le pleureront, songeais-je. Mais il est bon aussi qu'ils pleurent. »

Car je méditais les chants, les rumeurs et les méditations de mon peuple. « Ils l'enterreront. Mais on n'enterre point, songeais-je. Ce que l'on enterre est semence. Je n'ai point de pouvoir contre la vie et il aura raison un jour. Je le pends au bout d'une corde. Mais j'entendrai chanter sa mort. Et cet appel retentira sur qui veut concilier ce qui se divise. Mais que concilierai-je ?

« Il me faut absorber dans une hiérarchie et non, dans le même instant, dans une autre. Je ne dois point confondre la béatitude et la mort. Je marche vers la béatitude mais ne dois point refuser les contradictions. Je dois les recevoir. Ceci est bien, ceci est mal, j'ai horreur du mélange qui n'est que sirop pour les faibles et qui les émascule, mais je dois me grandir de ce que j'accepte mon ennemi. »

XXIX

Ainsi ai-je connu les limites de mon empire. Mais ces limites l'exprimaient déjà car je n'aime que ce qui résiste. L'arbre ou l'homme d'abord, c'est celui qui d'abord résiste. Et c'est pourquoi je comparais à des couvercles pour coffrets vides ces bas-reliefs de danseuses obstinées qui furent masques quand ils couvraient l'obstination et le remue-ménage intérieur et la poésie, fille des litiges. J'aime qui se montre par sa résistance, celui qui se ferme et se tait, celui qui se conserve dur, et, les lèvres scellées dans les supplices, celui qui a résisté aux supplices et à l'amour.

Celui qui préfère et qui est injuste de ne point aimer. Toi, comme une tour redoutable, et qui jamais ne sera prise…

Car je hais la facilité. Et il n'est point d'homme s'il ne s'oppose. Sinon la fourmilière où Dieu ne s'inscrit plus. Homme sans levain. Et voilà bien le miracle qui m'apparut dans ma prison. Plus fort que toi, que moi, que nous tous, que mes geôliers et mes ponts-levis et mes remparts. Voilà bien l'énigme qui me tourmentait, la même que de l'amour, quand, nue, je la tenais soumise. Grandeur de l'homme et cependant sa petitesse car je le sais grand dans la foi et non dans l'orgueil de sa révolte.

XXX

Ainsi m'est-il apparu que l'homme n'était point digne d'intérêt si, non seulement il n'était point capable de sacrifice, de résistance aux tentations et d'acceptation de la mort — car alors il n'a plus de forme — mais de même si, fondu dans la masse, gouverné par la masse, il subissait ses lois. Car il en est ainsi du sanglier ou de l'éléphant solitaire et de l'homme sur sa montagne, et la masse doit permettre son silence à chacun et ne point l'en tirer par haine de ce qui est semblable au cèdre, quand il domine la montagne.

Celui-là qui me vient avec son langage pour saisir et exprimer l'homme dans la logique de son exposé me paraît semblable à l'enfant qui s'installe au pied de l'Atlas avec son seau et sa pelle et forme le projet de saisir la montagne et de la transporter ailleurs. L'homme c'est ce qui est, non point ce qui s'exprime. Certes, le but de toute conscience est d'exprimer ce qui est, mais l'expression est œuvre difficile, lente et tortueuse, — et l'erreur est de croire que n'est pas ce qui ne peut d'abord s'énoncer. Car énoncer et concevoir ont même sens. Mais est faible la part de l'homme que j'ai jusqu'à aujourd'hui appris à concevoir. Or, ce que j'ai conçu un jour n'en existait pas moins la veille, et je me leurre si j'imagine que ce que je ne puis exprimer de l'homme n'est point digne d'être considéré. Car non plus, je n'exprime point la montagne mais je la signifie. Mais je confonds signifier et saisir. Je signifie à qui connaît déjà, mais si celui-là ignorait, comment saurais-je lui transmettre cette montagne avec ses crevasses aux pierres roulantes et ses pans de lavande et son faîte crénelé dans les étoiles ?

Et je sais quand celle-là n'est point forteresse démantelée ou barque sans direction dont on détache la corde à son gré de l'anneau de fer pour la conduire là où il plaît — mais existence merveilleuse avec les lois de sa gravitation interne et ses silences plus majestueux que le silence de la machinerie des étoiles.

Ainsi donc me vint ce litige dominant d'admirer pour moi l'homme soumis et l'homme irréductible qui montre ce qu'il est. Sachant comprendre le problème, mais non le formuler. Car ceux-là que la discipline la plus dure régit et qui, sur un signe de moi, acceptent la mort, ceux-là mêmes qu'aimante ma foi, mais si bien durcis dans leur discipline que je puis, face à eux, les injurier et les soumettre comme des enfants, et qui, par contre, lâchés à l'aventure et heurtés contre d'autres, montrent la trempe de l'acier et la colère sublime et le courage dans la mort.

J'ai compris qu'il n'était que deux aspects du même homme. Et que celui-là que nous admirons comme le grain irréductible, ou celle-là impossible à soumettre, et dans mes bras absente comme un navire de haute mer, celui-là que je dis un homme, car il ne transige, ni ne pactise, ni ne compose, ni ne se défait d'une part de soi par habileté ou convoitise ou lassitude, celui-là que je puis écraser sous la meule sans en faire sourdre l'huile du secret, celui qui porte au cœur ce dur noyau d'olive, celui dont je n'admets ni que la foule, ni que le tyran le contraigne, devenu diamant au cœur, toujours je lui ai découvert l'autre face. Et soumis, et discipliné et respectueux et plein de foi et d'abandon, fils sage d'une race spirituelle et dépositaire de ses vertus...

Mais ceux-là que j'appelais libres et ne décidant que de soi-même, et inexorablement seuls, ceux-là ne sont point gouvernés, manque de vent dans leur mâture, et leurs résistances ne sont jamais que caprices incohérents.

Ainsi fut la nuit des fiançailles et du condamné à mort. Et j'eus ainsi le sentiment de l'existence. Gardez votre forme, soyez permanents comme l'étrave, ce que vous puisez du dehors changez-le en vous-mêmes à la façon du cèdre. Moi je suis le cadre et l'armature et l'acte créateur dont vous naissez, il faut maintenant, comme l'arbre géant qui développe ses branchages, et non les branchages d'un autre, forme ses aiguilles ou ses feuilles, non celles d'un autre, croître et vous établir...

Mais tous ceux-là je les dirai de la racaille, qui vivent des gestes d'autrui et, comme le caméléon, s'en colorent, aiment d'où viennent les présents, et goûtent les acclamations et se jugent dans le miroir des multitudes : car on ne les trouve point, ils ne sont point, comme une citadelle, fermés sur leurs trésors et, de génération en génération ils ne délèguent pas leur mot de passe, mais laissent croître leurs enfants sans les pétrir. Et ils poussent, comme des champignons, sur le monde.

XXXI

Je les ai vus, ceux qui ont souffert de la soif, la soif, la jalousie de l'eau, plus dure que la maladie, car le corps connaît son remède et l'exige comme il exigerait la femme, et voit en songe les autres boire. Car on voit la femme qui sourit aux autres. Rien n'a de sens si je n'y ai mêlé mon corps et mon esprit. Il n'est point d'aventure si je ne m'y engage. Mes astrologues, s'ils considèrent la Voie Lactée, à cause des nuits de leurs études, ils y découvrent le grand livre dont les pages craquent superbement quand on les tourne, et ils adorent Dieu d'avoir rempli le monde d'une moelle si poignante pour le cœur.

Je vous le dis : vous n'avez le droit d'éviter un effort qu'au nom d'un autre effort, car vous devez grandir.

XXXII

Cette année-là mourut celui qui régnait à l'est de mon empire. Celui-là que j'avais durement combattu, comprenant après tant de luttes que je m'appuyais sur lui comme contre un mur. Je me souviens encore de nos rencontres. On dressait une tente pourpre dans le désert, qui demeurait vide, et nous nous rendions l'un et l'autre sous cette tente, nos armées demeurant à l'écart, car il est mauvais que les hommes se mélangent. La foule ne vit que dans son ventre. Et toute dorure s'écaille. Ainsi nous regardaient-ils jalousement, appuyés sur la caution de leurs armes, et non point attendris d'un attendrissement facile. Car il avait raison, mon père qui disait : « Tu ne dois point rencontrer l'homme dans sa surface mais au septième étage de son âme et de son cœur et de son esprit. Sinon, à vous chercher dans vos mouvements les plus vulgaires, vous en venez à verser inutilement le sang. »

Ainsi l'avais-je compris et c'est dépouillé et muré dans un triple rempart de solitude que je l'atteignais. Face l'un à l'autre, nous nous asseyions sur le sable. Je ne sais qui, alors, de lui ou de moi, était le plus puissant. Mais dans cette solitude sacrée la puissance devenait mesure. Car nos gestes ébranlaient le monde, mais nous les mesurions. Nous discutions alors de pâturages. « J'ai vingt-cinq mille bêtes, disait-il, qui meurent. Il a plu chez toi. » Mais je ne pouvais tolérer qu'ils apportassent leurs coutumes étrangères et le doute qui fait pourrir. Comment recevoir dans mes terres ces bergers d'un autre univers ? Et je lui répondais : « J'ai vingt-cinq mille petits d'hommes qui doivent apprendre leurs prières et non celles des autres car autrement ils n'auront point de forme… » Et les armes décidaient entre nos peuples. Et nous étions semblables à deux marées qui vont et viennent. Et si aucun de nous n'avançait, bien que nous pesions de tout notre poids contre l'autre, c'est que nous étions à notre apogée, ayant durci notre ennemi de sa défaite. « Tu m'as vaincu, je suis donc devenu plus fort. »

Ce n'est point que je méprisais sa grandeur. Ni les jardins suspendus de sa capitale. Ni les parfums de ses marchands. Ni l'orfèvrerie délicate de ses ciseleurs. Ni ses grands barrages pour les eaux. L'homme inférieur invente le mépris, car sa vérité exclut les autres. Mais nous qui savions que les vérités coexistent, nous ne pensions point nous diminuer en reconnaissant celle de l'autre bien qu'elle fût notre erreur. Le pommier, que je sache, ne méprise point la vigne, ni le palmier le cèdre. Mais chacun se durcit au plus fort et ne mêle point ses racines. Et sauve sa forme et son essence car il est là un capital inestimable qu'il ne convient point d'abâtardir.

« L'échange véritable, me disait-il, c'est le coffret de parfum ou la graine ou ce présent de cèdre jaune qui remplit ta maison du parfum de la mienne. Ou encore mon cri de guerre quand il te vient de mes montagnes. Ou peut-être d'un ambassadeur, s'il a été longtemps élevé et formé et durci, et qu'à la fois il te refuse et t'accepte. Car il te refuse dans tes étages inférieurs. Mais il te retrouve là où l'homme s'estime au-dessus de sa haine. La seule estime qui vaille est l'estime d'un ennemi. Et l'estime des amis ne vaut que s'ils dominent leur reconnaissance et leurs remerciements et tous leurs mouvements vulgaires. Si tu meurs pour ton ami je t'interdis de t'attendrir… »

Ainsi mentirais-je si je disais que j'avais en lui un ami. Et cependant nous nous rencontrions avec une joie profonde mais c'est ici que les mots déraillent à cause de la vulgarité des hommes. La joie n'était point pour lui mais pour Dieu. Il était un chemin vers Dieu. Nos rencontres étaient clefs de voûte. Et nous n'avions rien à nous dire.

Me pardonne Dieu d'avoir pleuré quand il est mort.

Mais voici que je restais seul, responsable seul de tout mon passé et sans témoin qui m'eût vu vivre. Tous ces actes que j'avais dédaigné d'exposer à mon peuple mais que lui, mon voisin de l'Est, avait compris, tous ces soulèvements intérieurs dont je n'avais point fait un spectacle, mais qu'il avait devinés dans son silence. Toutes ces responsabilités qui m'avaient écrasé et que tous ignoraient car il était bon qu'ils crussent d'abord à mon arbitraire, mais que lui, mon voisin de l'Est, avait pesées, jamais compatissant, bien au-dessus, bien au-delà, estimant autrement que moi-même, voici qu'il s'était endormi dans la pourpre du sable, ayant ramené le sable sur lui comme un linceul digne de lui, voici qu'il s'était tu, voici qu'il avait commencé ce sourire mélancolique et plein de Dieu qui accepte d'avoir noué la gerbe, les yeux clos sur leurs provisions. Ah ! que d'égoïsme dans mon désarroi ! Moi si faible, accordant de l'importance à la trajectoire de ma destinée, quand elle n'en a point, mesurant l'empire à moi-même au lieu de me fondre dans l'empire, et découvrant que ma vie personnelle avait abouti à cette crête, comme un voyage.

Je connus dans ma vie, cette nuit-là, la ligne de partage des eaux, redescendant sur un versant après avoir lentement gravi l'autre, et ne reconnaissant plus personne, pour la première fois vieillard, et sans visages familiers, et indifférent à tous car je me devenais à moi-même indifférent, ayant laissé sur l'autre versant tous mes capitaines, toutes mes femmes, tous mes ennemis et peut-être mon seul ami — désormais solitaire dans un monde habité par des peuplades que je ne connaissais plus.

Mais c'est là que je sus me reprendre. « J'ai brisé, pensais-je, ma dernière écorce et peut-être vais-je devenir pur. Je n'étais point si grand, puisque je me considérais. Et cette épreuve m'a été envoyée car je mollissais. Car je me gonflais des bas mouvements de mon cœur. Mais je saurai le ranger dans sa majesté, mon ami mort, et je ne le pleurerai point. Simplement il aura été. Et le sable m'apparaîtra plus riche puisque souvent, au large de ce désert, je l'aurai vu sourire. Et le sourire pour moi de tous les hommes en sera augmenté de ce sourire particulier. Ce sourire particulier enrichira tous les sourires. Car je verrai dans l'homme l'ébauche que nul tailleur de pierre n'a su dégager de sa gangue, mais à travers cette gangue je connaîtrai mieux le visage de l'homme puisque j'en aurai considéré un, droit dans les yeux.

« Je redescends donc de ma montagne : n'ayez point peur, mon peuple, j'ai renoué le fil. Il était mauvais que j'eusse besoin d'un homme. La main qui m'a guéri et qui m'a recousu s'est effacée, non la couture. Je redescends de ma montagne et je croise des brebis et des agneaux. Je les caresse. Je suis seul au monde devant Dieu, mais, caressant ces agneaux qui ouvrent les sources du cœur, non tel agneau, mais à travers lui la faiblesse des hommes, je vous retrouve. »

Quant à l'autre je l'ai établi et jamais il n'a mieux régné. Je l'ai établi dans la mort. Et tous les ans on dresse une tente dans le désert cependant que mon peuple prie. Mes armées pèsent sur leurs armes, les fusils sont chargés, les cavaliers circulent pour la police du désert, et l'on tranche la tête de celui qui se hasarde dans la contrée. Et j'avance seul. Et je soulève la toile de la tente et j'entre et je m'assieds. Et le silence se fait sur terre.

XXXIII

Et maintenant que me tourmente cette douleur sourde dans mes reins que mes médecins ne savent point guérir, maintenant que je suis comme un arbre de la forêt sous la hache du bûcheron et que Dieu va m'abattre à mon tour comme une tour usée, maintenant que mes réveils ne sont plus réveils de vingt ans et détente des muscles et vol aérien de l'esprit, j'y ai trouvé ma consolation qui est de ne point souffrir de ces annonces qui se répandent par mon corps et de ne point être entamé par des souffrances qui sont mesquines et personnelles et enfermées en moi et auxquelles les historiens de l'empire n'accorderont pas trois lignes dans leurs chroniques, car peu importe que ma dent branle et qu'on l'arrache, et il serait bien misérable de ma part d'attendre la moindre pitié. La colère au contraire me monte si j'y songe. Car elles sont du vase, ces craquelures de l'écorce, non du contenu. Et l'on me raconte que mon voisin de l'Est, quand il fut frappé de paralysie et qu'un côté de lui se fit froid et mort et qu'il transportait avec lui ce frère siamois qui ne riait plus, il ne perdit rien de sa dignité, mais bien mieux, il réussit cet apprentissage. Et à ceux qui le félicitaient de sa force d'âme il répondait avec mépris que l'on se trompait sur sa personne et que, ce genre d'hommages, on voulût bien le conserver pour les boutiquiers de la ville. Car celui qui règne, s'il ne règne point d'abord sur son propre corps, n'est qu'usurpateur ridicule. Il n'est point pour moi de déchéance, mais sans doute joie merveilleuse, d'un peu mieux, aujourd'hui, m'affranchir !

Ah ! vieillesse de l'homme. Sans doute je ne reconnais rien sur l'autre versant de ma montagne. Le cœur plein de mon ami mort. Et, considérant les villages d'un œil d'abord séché par le deuil, attendant d'être, comme par une marée, repris par l'amour.

XXXIX

J'écrirai un hymne au silence. Toi, musicien des fruits. Toi, habitant des caves, des celliers et des granges. Toi, vase de miel de la diligence des abeilles. Toi, repas de la mer sur sa plénitude.

Toi, dans lequel, du haut des montagnes, j'enferme la ville. Ses charrois tus, ses cris et la sonorité de ses enclumes. Déjà toutes ces choses dans le vase du soir sont suspendues. Vigilance de Dieu sur notre fièvre, manteau de Dieu sur l'agitation des hommes.

Silence des femmes qui ne sont plus que chair où mûrit le fruit. Silence des femmes sous la réserve de leurs seins lourds. Silence des femmes qui est silence de toutes les vanités du jour et de la vie qui est gerbe de jours. Silence des femmes qui est sanctuaire et perpétuement. Silence où se joue vers demain la seule course qui aille quelque part. Elle entend l'enfant qui lui craque au ventre. Silence, dépositaire où j'ai tout enfermé de mon honneur et de mon sang.

Silence de l'homme qui s'accoude et qui réfléchit et reçoit désormais sans dépense et fabrique le suc des pensées. Silence qui lui permet de connaître et qui lui permet d'ignorer, car il est bon quelquefois qu'il ignore. Silence qui est refus des vers, des parasites, et des herbes contraires. Silence qui te protège dans le déroulement de tes pensées.

Silence des pensées elles-mêmes. Repos des abeilles car le miel est fait et ne doit plus être que trésor enfoui. Et qui mûrit. Silence des pensées qui préparent leurs ailes car il est mauvais que tu t'agites dans ton esprit ou dans ton cœur.

Silence du cœur. Silence des sens. Silence des mots intérieurs, car il est bon que tu retrouves Dieu qui est silence dans l'éternel. Tout ayant été dit, tout ayant été fait.

Silence de Dieu comme le sommeil du berger, car il n'est point de sommeil plus doux, malgré que semblent menacés les agneaux des brebis, quand il n'est plus ni berger ni troupeau, car qui saurait les distinguer l'un de l'autre sous les étoiles quand tout est sommeil, quand tout est sommeil de laine ?

Ah, Seigneur ! qu'un jour, engrangeant Votre création, vous ouvriez ce grand portail à la race bavarde des hommes et les rangiez dans l'étable éternelle, quand les temps seront révolus, et enleviez, comme on guérit des maladies, leur sens à nos questions.

Car il m'a été donné de comprendre que tout progrès de l'homme est de découvrir, l'une après l'autre, que ses questions n'ont point de sens, car j'ai consulté mes savants et ce n'est point qu'ils aient trouvé quelques réponses aux questions de l'année dernière, Seigneur ! mais qu'aujourd'hui les voilà qui sourient sur eux-mêmes, car la vérité leur est venue comme l'effacement d'une question.

Moi qui sais bien, Seigneur, que la sagesse ce n'est point réponse, mais guérison des vicissitudes du langage je le connais pour ceux-là mêmes qui s'aiment et s'assoient les jambes pendantes sur le mur bas devant la plantation d'orangers, épaule contre épaule, connaissant bien qu'ils n'ont point reçu de réponse aux questions qu'ils posaient hier. Mais je connais l'amour, et c'est que nulle question n'est plus posée.

Et une à une, de contradiction dominée en contradiction dominée, je m'achemine vers le silence des questions et ainsi la béatitude.

Ô bavards ! Elles ont tellement abîmé les hommes.

Insensé qui espère la réponse de Dieu. S'Il te reçoit, s'Il te guérit, c'est en effaçant tes questions, de Sa main, comme la fièvre. Cela est.

Engrangeant un jour Ta Création, Seigneur, ouvre-nous Ton vantail à deux portes et fais-nous pénétrer là ou il ne sera plus répondu car il n'y aura plus réponse, mais béatitude, qui est clef de voûte des questions et visage qui satisfait.

Et celui-là découvrira l'étendue d'eau douce, plus vaste que l'étendue des mers, et qu'il avait bien devinée à entendre le chant des fontaines, quand, les jambes pendantes, il s'asseyait contre elle qui cependant n'était que gazelle forcée à la course, et respirant un peu contre son cœur.

Silence, port du navire. Silence en Dieu, port de tous les navires.

XL

Dieu m'envoya celle qui mentait si joliment, avec cruauté chantante, simplement. Et je me penchai sur elle comme sur le vent frais de la mer.

« Pourquoi mens-tu ? » disais-je.

Elle pleurait alors, tellement enfouie dans ses larmes. Et je réfléchissais sur ses larmes :

« Elle pleure, me disais-je, de ne pas être crue quand elle ment. Car il n'est point pour moi comédie de la part des hommes. J'ignore le sens de la comédie. Certes, celle-là veut se faire passer pour une autre. Mais là n'est point le drame qui me tourmente. Il y a drame pour elle qui voudrait tant être cette autre. Et la vertu, je l'ai vue respectée bien plus souvent par celles qui la feignent que par celles-là qui l'exercent et sont vertueuses comme elles sont laides. Tellement désireuses, les autres, d'être vertueuses et d'être aimées, mais ne sachant point se dominer, ou plutôt dominées par les autres. Et toujours en révolte contre. Et mentant pour être belles. »

Les raisons qui jouent sur les mots ne sont jamais les raisons véritables. Et c'est pourquoi je ne leur reprocherai rien sinon de s'exprimer tout de travers. Et c'est pourquoi je me taisais devant ces mensonges, n'écoutant point le bruit des mots, dans le silence de mon amour, mais l'effort seul. Ce travail du renard pris au piège qui se débat contre le piège. Ou de l'oiseau qui s'ensanglante à sa volière. Et je me tournais vers Dieu pour Lui dire : « Pourquoi ne lui as-tu point appris à parler un langage communicable, car si je l'écoute, loin de l'aimer, je la ferai pendre. Et cependant il est du pathétique en elle et elle s'ensanglante les ailes dans la nuit de son cœur, et elle a peur de moi comme ces jeunes renards des sables auxquels je tendais des morceaux de viande et qui tremblaient, mordaient et m'arrachaient la viande pour l'emporter dans leur tanière. »

« Seigneur, me disait-elle, ils ne savent point que je suis pure. »

Certes je savais bien le remue-ménage qu'elle faisait dans ma maison. Et cependant je me sentais cloué au cœur par la cruauté de Dieu :

« Aidez-la à pleurer. Versez-lui des larmes. Qu'elle soit fatiguée d'elle-même contre mon épaule : il n'est point en elle de lassitude. »

Car on l'avait mal enseignée dans la perfection de son état et me venait le désir de la délivrer. Oui, Seigneur, j'ai manqué mon rôle... Car il n'est point de petite fille sans importance. Celle-là qui pleure, elle n'est point le monde mais signe du monde. Et l'angoisse lui vient de ne point devenir. Mais toute brûlée et dilapidée en fumée. Naufragée dans un fleuve en route et impossible à retenir. Moi je viens, et je suis votre terre et votre étable et votre signification. Je suis la grande convention du langage, et maison et cadre et armature.

« Écoutez-moi d'abord », lui dis-je.

Elle aussi est à recevoir. Et ainsi les enfants des hommes et ceux surtout qui ne savent point qu'ils peuvent savoir...

« Car je veux vous guider de la main vers vous-mêmes... Je suis la bonne saison des hommes. »

XLII

Je leur ai dit : « N'ayez point honte de vos haines. » Car ils en avaient condamné cent mille à mort. Et ceux-là erraient dans les prisons avec leur plaque sur la poitrine qui les distinguait d'avec les autres comme un bétail. Je suis venu, me suis emparé des prisons, et cette foule je l'ai fait comparaître. Et elle ne m'a point paru différente des autres. J'ai écouté, j'ai entendu et j'ai regardé. Je les ai vus se partager leur pain comme les autres, et se presser, comme les autres, autour des enfants malades. Et les bercer et les veiller. Et je les ai vus, comme les autres, souffrir de la misère d'être seuls quand ils étaient seuls. Et, comme les autres, pleurer quand celle-là entre les murs épais commençait d'éprouver envers un autre prisonnier cette pente du cœur.

Car je me souviens de ce que mes geôliers me racontèrent. Et je priai que l'on m'amenât celui qui s'était servi de son couteau la veille, tout sanglant de son crime. Et je l'interrogeai moi-même. Et je me penchai non sur lui, déjà pris par la mort, mais sur l'impénétrable de l'homme.

Car la vie prend où elle peut prendre. Au creux humide du rocher se forme la mousse. Condamnée d'avance, certes, par le premier vent sec du désert. Mais elle cache ses graines qui ne mourront point, et qui prétendrait inutile cette apparition de verdure ?

Donc j'appris de mon prisonnier que l'on s'était moqué de lui. Et il en avait souffert dans sa vanité et dans son orgueil. Sa vanité et son orgueil de condamné à mort...

Et je les ai vus dans le froid qui se pressaient les uns contre les autres. Et ils ressemblaient à toutes les brebis de la terre.

Et je fis comparaître les juges et je leur demandai :

« Pourquoi sont-ils coupés d'avec le peuple, pourquoi portent-ils sur la poitrine une plaque de condamnés à mort ?

— C'est justice », me répondirent-ils.

Et je songeai :

« Certes, c'est justice. Car la justice selon eux c'est de détruire l'insolite. Et l'existence des nègres leur est injustice. Et l'existence de princesses s'ils sont manœuvres. Et l'existence de peintres s'ils ne comprennent point la peinture. »

Et je leur répondis :

« Je désire qu'il soit juste de les délivrer. Travaillez à comprendre. Car autrement, s'ils forcent les prisons et règnent, il leur sera nécessaire à leur tour de vous enfermer et de vous détruire, et je ne crois point que l'empire y gagne. »

C'est alors que m'apparut dans son évidence la folie sanguinaire des idées, et j'adressai à Dieu cette prière :

« As-tu donc été fou de les faire croire en leur pauvre balbutiement ? Qui leur enseignera non un langage, mais comment se servir d'un langage ! Car de cette affreuse promiscuité des mots, dans un vent de paroles, ils ont tiré l'urgence des tortures. De mots maladroits, incohérents ou inefficaces, des engins de torture efficaces sont nés. »

Mais, dans le même temps, cela me paraissait naïf et plein du désir de naître.

XLIV

Me vint le soir que je redescendais de ma montagne sur le versant des générations nouvelles dont je ne connaissais plus un visage, las d'avance des paroles des hommes et ne trouvant plus dans le bruit de leur charroi ni de leurs enclumes le chant de leurs cœurs — et vidé d'eux comme si je ne connaissais plus leur langue, et indifférent à un avenir qui désormais ne me concernait plus — porté en terre, me semblait-il. Comme je désespérais de moi, muré derrière ce pesant rempart d'égoïsme (Seigneur, disais-je à Dieu, Tu t'es retiré de moi, c'est pourquoi j'abandonne les hommes) et je me demandais ce qui m'avait déçu dans leur comportement.

Non point sollicité de briguer d'eux quoi que ce soit. Pourquoi charger de troupeaux nouveaux mes palmeraies ? Pourquoi augmenter mon palais de tours nouvelles quand déjà je traînais ma robe de salle en salle comme un navire dans l'épaisseur des mers ? Pourquoi nourrir d'autres esclaves quand déjà, sept ou huit contre chaque porte, ils se tenaient comme les piliers de ma demeure et que je les croisais le long des corridors, effacés contre les murs par mon passage et le seul bruissement de ma robe ? Pourquoi capturer d'autres femmes quand déjà je les enfermais dans mon silence ayant appris à ne plus écouter afin d'entendre ? Car j'avais assisté à leur sommeil, une fois baissées les paupières et leurs yeux pris dans ce velours... Je les quittais alors plein du désir de monter sur la tour la plus haute trempée dans les étoiles et recevoir de Dieu le sens de leur sommeil, car alors dorment les criailleries, les pensées médiocres, les habiletés dégradantes, et les vanités qui leur rentrent au cœur avec le jour, quand il s'agit pour elles exclusivement de l'emporter sur leur compagne et de la détrôner dans mon cœur. (Mais si j'oubliais leurs paroles, il ne restait qu'un jeu d'oiseau et la douceur des larmes...)

XLV

Le soir que je redescendais de ma montagne sur le versant où je ne connaissais plus personne, comme un homme déjà porté en terre par des anges muets, il me vint la consolation de vieillir. Et d'être un arbre lourd de ses branches, tout durci déjà de cornes et de rides, et déjà comme embaumé par le temps dans le parchemin de mes doigts, et si difficile à blesser, comme déjà devenu moi-même. Et je me disais : « Celui-là qui est ainsi vieilli, comment le tyran le pourrait-il épouvanter par l'odeur des supplices, qui est odeur de lait aigre, et, changer en lui quoi que ce soit, puisque sa vie, il la tient toute derrière lui comme le manteau défait qui ne tient plus que par un cordon ? Ainsi suis-je déjà rangé dans la mémoire des hommes. Et nul reniement de ma part n'aurait plus de sens. »

Me vint aussi la consolation d'être délié de mes entraves, comme si toute cette chair racornie je l'avais échangée dans l'invisible ainsi que des ailes. Comme si je me promenais, enfin né de moi-même, en compagnie de cet archange que j'avais tellement cherché. Comme si, d'abandonner ma vieille enveloppe, je me découvrais extraordinairement jeune. Et cette jeunesse n'était point faite d'enthousiasme, ni de désir, mais d'une extraordinaire sérénité. Cette jeunesse était de celles qui abordent l'éternité, non de celles qui abordent à l'aube les tumultes de la vie. Elle était d'espace et de temps. Il me semblait devenir éternel d'avoir achevé de devenir.

J'étais aussi semblable à celui-là qui a ramassé sur son chemin une jeune fille poignardée. Il la porte dans ses bras noueux, toute défaite et abandonnée comme une charge de roses, doucement endormie par un éclair d'acier, et presque souriante d'appuyer son front blanc sur l'épaule ailée de la mort, mais qui la conduit vers la plaine où sont les seuls qui la guériront.

« Merveilleuse endormie que je remplirai de ma vie, car je ne m'intéresse plus ni aux vanités, ni aux colères, ni aux prétentions des hommes, ni aux biens qui me peuvent échoir, ni aux maux qui me peuvent frapper, mais à cela seul en quoi je m'échange, et voici que portant ma charge vers les guérisseurs de la plaine je deviendrai lumière des yeux, mèche de cheveux sur un front pur, et si, l'ayant guérie, je lui enseigne la prière, l'âme parfaite la fera tenir toute droite comme une tige de fleur bien soutenue par ses racines… »

Je ne suis point enfermé dans mon corps qui craque comme une vieille écorce. Au cours de ma lente descente sur le versant de ma montagne, il me semble traîner, comme un vaste manteau, toutes les pentes et toutes les plaines et, çà et là piquées, les lumières de mes demeures à la façon d'étoiles d'or. Je plie, lourd de mes dons, comme un arbre.

Mon peuple endormi : je vous bénis, dormez encore.

Que le soleil tarde de vous tirer hors de la nuit tendre ! Que ma cité ait le droit de reposer encore avant d'essayer dans le petit jour ses élytres pour le travail. Que ceux que le mal a frappés hier, et qui usent du sursis de Dieu, attendent encore avant de reprendre en charge le deuil ou la misère ou la condamnation ou la lèpre qui vient d'éclore. Qu'ils demeurent encore dans le sein de Dieu, tous pardonnés, tous accueillis.

C'est moi qui vous prendrai en charge.

Je vous veille, mon peuple : dormez encore.

XLVII

« N'avez-vous point honte, leur ai-je donc dit, de vos haines, de vos divisions, de vos colères ?

Ne tendez pas le poing à cause du sang versé hier, car si vous sortez renouvelés de l'aventure, comme l'enfant du sein déchiré ou l'animal ailé et embelli des déchirements de sa chrysalide, qu'allez-vous saisir à cause d'hier au nom de vérités qui se sont vidées de leur substance ? Car ceux qui en viennent aux mains et se déchirent, je les ai toujours comparés, instruit par l'expérience, à l'épreuve sanglante de l'amour. Et le fruit qui naîtra n'est ni de l'un ni de l'autre mais des deux. Et il domine ces deux-là. Et ils se réconcilieront en lui, jusqu'au jour où eux-mêmes, à la génération nouvelle, subiront l'épreuve sanglante de l'amour.

« Ils souffrent certes des horreurs de l'enfantement. Mais l'horreur passée, vient l'heure de la fête. Et l'on se retrouve dans le nouveau-né. Et voyez-vous, lorsque la nuit vous prend et vous endort, vous êtes tous semblables les uns aux autres. Et je l'ai dit de ceux-là mêmes dans les prisons qui portent leur collier de condamnés à mort : ils ne diffèrent point des autres. Il importe simplement qu'ils se retrouvent dans leur amour. Je pardonnerai à tous d'avoir tué car je refuse de distinguer selon les artifices de langage. Celui-ci a tué par amour des siens, car on ne joue sa vie que pour l'amour. Et l'autre aussi avait tué par amour des siens. Sachez le reconnaître et renoncez à dénommer erreur le contraire de vos vérités, et vérité le contraire de l'erreur. Car l'évidence qui saisit et vous contraint de gravir votre montagne, sachez qu'elle aussi a saisi l'autre qui gravit également sa montagne. Et qu'il est gouverné par la même évidence que celle qui vous a fait lever dans la nuit. Non la même peut-être, mais aussi forte.

« Mais vous ne savez voir de cet homme que ce qui nie l'homme que vous êtes. Et lui, de même, ne sait lire en vous que ce qui le nie. Et chacun sait bien qu'il est autre chose en soi-même que négation glaciale, ou haineuse, mais découverte d'un visage si évident, simple et pur, qu'il vous fait, pour lui accepter la mort. Ainsi vous haïssez-vous l'un et l'autre d'inventer un adversaire menteur et vide. Mais moi qui vous domine, je vous dis que vous aimez le même visage quoique mal reconnu et mal découvert.

« Lavez-vous donc de votre sang : on ne bâtit rien sur l'esclavage sinon les révoltes d'esclaves. On ne tire rien de la rigueur s'il n'est point de pentes vers la conversion. Si la foi offerte ne vaut rien, et s'il est pente vers la conversion, alors à quoi bon la rigueur ?

« Pourquoi, le jour venu, userez-vous donc de vos armes ? Que gagnerez-vous à ces égorgements où vous ignorez qui vous tuez ? Je méprise la foi rudimentaire qui ne concilie que les geôliers. »

Je te déconseille donc la polémique. Car elle ne mène à rien. Et ceux qui se trompent en refusant tes vérités au nom de leur propre évidence, dis-toi qu'ainsi, au nom de ta propre évidence, si tu polémiques contre eux, tu refuses leur vérité.

Accepte-les. Prends-les par la main et guide-les. Dis-leur : « Vous avez raison, gravissons cependant la montagne » et tu établis l'ordre dans le monde et ils respirent sur l'étendue qu'ils ont conquise.

Car il ne s'agit point de dire : « Cette ville est de trente mille habitants » à quoi l'autre te répondrait : « Elle n'est que de vingt-cinq mille », car en effet tous s'accordaient sur un nombre. Et il en est donc un qui se tromperait. Mais : « Cette ville est opération d'architecte et stable. Navire qui emporte les hommes. » Et l'autre : « Cette ville est cantique des hommes dans le même travail… »

Car il s'agit de dire : « Est fertile la liberté qui permet la naissance de l'homme et les contradictions nourrissantes. » Ou : « Pourrissante est la liberté mais fertile la contrainte qui est nécessité intérieure et principe du cèdre. » Et les voilà qui versent leur sang l'un contre l'autre. Ne le regrette point car voici douleur de l'accouchement et torsion contre soi-même et appel à

Dieu. Dis-leur donc à chacun : « Tu as raison. » Car ils ont raison. Mais mène-les plus haut sur leur montagne, car l'effort de gravir, qu'ils refuseraient par eux-mêmes tant il exige de la part des muscles et du cœur, voilà que leur souffrance les y oblige et leur en donne le courage. Car tu fuis en hauteur si les éperviers te menacent. Car tu cherches en hauteur le soleil si tu es arbre. Et tes ennemis collaborent avec toi car il n'est point d'ennemi dans le monde. L'ennemi te limite donc, te donne ta forme et te fonde. Et tu leur dis : « Liberté et contrainte sont deux aspects de la même nécessité qui est d'être celui-là et non un autre. » Libre d'être celui-là, non libre d'être un autre. Libre dans un langage. Mais non libre d'y mélanger un autre. Libre dans les règles de tel jeu de dés. Mais non libre de les pourrir en en rompant les règles par celles d'un autre jeu. Libre de bâtir mais non de piller et de détruire par leur usage mal dirigé la réserve même de tes biens, comme celui-là qui écrit mal et tire ses effets de ses licences, détruisant ainsi son propre pouvoir d'expression, car nul ne ressentira plus rien à le lire quand il aura détruit le sens du style chez les hommes. Ainsi de l'âne que je compare au roi et qui fait rire tant que le roi est respectable et respecté. Puis vient le jour où il s'identifie à l'âne. Et je ne prononce plus qu'une évidence.

Et tous le savent, car ceux qui réclament la

liberté réclament la morale intérieure afin que l'homme soit quand même gouverné. Et le gendarme, se disent-ils, est au-dedans. Et ceux qui réclament la contrainte t'affirment qu'elle est liberté de l'esprit, car tu es libre dans ta maison de traverser les antichambres, d'arpenter les salles, de l'une à l'autre, de pousser les portes, de monter ou de descendre les escaliers. Et ta liberté croît du nombre des murs et des entraves et des verrous. Et tu as d'autant plus d'actes possibles, qui se proposent à toi et entre lesquels tu peux choisir, que la dureté de tes pierres t'a imposé d'obligations. Et dans la salle commune où tu campes dans le désordre, il n'est plus pour toi liberté mais dissolution.

Et en fin de compte, tous rêvent d'une ville qui est la même. Mais l'un réclame pour l'homme, tel qu'il est, le droit d'agir. L'autre le droit de pétrir l'homme afin qu'il soit et puisse agir. Et tous célèbrent le même homme.

Mais tous deux se trompent aussi. Le premier le croit éternel et existant en soi. Sans connaître que vingt années d'enseignement, de contraintes et d'exercices ont fondé celui-ci en lui et non un autre. Et que tes facultés d'amour te viennent d'abord de l'exercice de la prière et non de ta liberté intérieure. Ainsi de l'instrument de musique si tu n'as point appris à en jouer, ou du poème si tu ne connais aucun langage. Et le second se trompe aussi, car il croit aux murs et non à l'homme. Ainsi au temple mais non à la prière. Car, des pierres du temple, c'est le silence qui les domine qui compte seul. Et ce silence dans l'âme des hommes. Et l'âme des hommes où tient ce silence. Voici le temple devant lequel je me prosterne. Mais l'autre fait son idole de la pierre et se prosterne devant la pierre en tant que pierre…

Il en est de même de l'empire. Et je n'ai point fait un dieu de l'empire afin qu'il asservît les hommes. Je ne sacrifie point les hommes à l'empire. Mais je fonde l'empire pour en remplir les hommes et les en animer, et l'homme compte plus pour moi que l'empire. C'est pour fonder les hommes que je les ai soumis à l'empire. Ce n'est point pour fonder l'empire que j'ai asservi les hommes. Mais abandonne donc ce langage qui ne mène à rien et distingue la cause de l'effet et le maître du serviteur. Car il n'est que relation et structure et dépendance interne. Moi qui règne, je suis plus soumis à mon peuple qu'aucun de mes sujets ne l'est à moi. Moi qui monte sur ma terrasse et reçois leurs plaintes nocturnes et leurs balbutiements et leurs cris de souffrance et le tumulte de leurs joies pour en faire un cantique à Dieu, je me conduis donc comme leur serviteur. C'est moi le messager qui les rassemble et les emporte. C'est moi l'esclave chargé de leur litière. C'est moi leur traducteur.

Ainsi, moi leur clef de voûte, je suis le nœud qui les rassemble et les noue en forme de temple. Et comment m'en voudraient-ils ? Des pierres s'estimeraient-elles lésées d'avoir à soutenir leur clef de voûte ?....

N'accepte point de discussions sur de tels objets car elles sont vaines.

XLIX

Seule compte la démarche. Car c'est elle qui dure et non le but qui n'est qu'illusion du voyageur quand il marche de crête en crête comme si le but atteint avait un sens. De même il n'est point de progrès sans acceptation de ce qui est. Et dont tu pars perpétuellement. Et je ne crois pas au repos. Car celui-là, si tel litige le déchire, il ne convient pas de sa part de chercher une paix précaire et de mauvaise qualité dans l'acceptation aveugle d'un des deux éléments du litige. Où vois-tu que le cèdre gagnerait à éviter le vent ? Le vent le déchire mais le fonde. Bien sage qui saurait départager le bien du mal. Tu cherches un sens à la vie quand le sens est d'abord de devenir soi-même, et non de gagner la paix misérable que verse l'oubli des litiges. Si quelque chose s'oppose à toi et te déchire, laisse croître, c'est que tu prends racine et que tu mues. Bienheureux ton déchirement qui te fait t'accoucher de toi-même : car aucune vérité ne se démontre et ne s'atteint dans l'évidence. Et celles que l'on te propose ne sont qu'arrangement commode et semblables aux drogues pour dormir.

Car je méprise ceux-là qui s'abrutissent d'eux-mêmes pour oublier ou qui, se simplifiant, étouffent, pour vivre en paix, une des aspirations de leur cœur. Car sache que toute contradiction sans solution, tout irréparable litige, t'oblige de grandir pour l'absorber. Et, dans les nœuds de tes racines, tu prends la terre sans visage et ses silex et son humus, et tu bâtis un cèdre à la gloire de Dieu. Seule a abouti à la gloire la colonne de temple qui est née à travers vingt générations de son usure contre les hommes. Et toi-même si tu veux grandir, use-toi contre tes litiges : ils conduisent d'abord vers Dieu. C'est la seule route qui soit au monde. Et de là vient que la souffrance te grandit, quand tu l'acceptes.

Et si tu me demandes : « Dois-je réveiller celui-là ou le laisser dormir afin qu'il soit heureux ? » je te répondrai que je ne connais rien du bonheur. Mais s'il est une aurore boréale, laisseras-tu dormir ton ami ? Nul ne doit dormir s'il peut la connaître. Et certes celui-là aime son sommeil et s'y roule : et cependant arrache-le à son bonheur et jette-le dehors afin qu'il devienne.

L

La femme te pille pour sa maison. Et certes souhaitable est l'amour qui fait l'arôme de la maison et chant du jet d'eau et musique des aiguières silencieuses et bénédiction des enfants quand ils viennent l'un après l'autre, les yeux pleins du silence du soir.

Mais ne cherche pas à départager et à préférer selon des formules, ni le rayonnement du guerrier dans le sable ni les bienfaits de son amour. Car le langage seul ici divise. N'est amour que celui du guerrier plein des étendues de son désert, et n'est offrande de la vie, dans l'embuscade autour des puits, que celle de l'amant qui sut aimer, car autrement la chair offerte n'est point sacrifice ni don de l'amour. Car si celui-là qui combat n'est point homme mais automate et machine à cogner, où est donc la grandeur du guerrier : je n'y vois plus qu'œuvre monstrueuse d'insecte. Et si celui-là qui caresse la femme n'est qu'humble bétail sur sa litière, où est donc la grandeur de l'amour ?

Moi je ne connais rien de grand que dans le guerrier qui dépose les armes et berce l'enfant, ou dans l'époux qui fait la guerre.

Il ne s'agit point d'un balancement de l'une à l'autre vérité, d'une chose valable un temps puis d'une autre. Mais de deux vérités qui n'ont de sens que jointes. C'est en tant que guerrier que tu fais l'amour et en tant qu'amant que tu fais la guerre.

Mais celle-là qui t'a gagné pour ses nuits, ayant connu la douceur de ta couche, elle s'adresse à toi, sa merveille, et te dit : « Mes baisers ne sont-ils pas doux ? Notre maison n'est-elle point fraîche ? Nos soirées ne sont-elles point heureuses ? » Et tu le lui accordes par ton sourire. « Alors, dit-elle, demeure auprès de moi pour m'épauler. Lorsque viendra le désir tu n'auras qu'à tendre les bras et je plierai vers toi sous ta simple pesée comme le jeune oranger lourd d'oranges. Car tu mènes au loin une vie avare et qui n'enseigne point de caresses. Et les mouvements de ton cœur, comme l'eau d'un puits ensablé, ne disposent point de prairie où devenir. »

Et en effet, tu as connu autour de tes nuits solitaires ces élans désespérés vers telle ou telle dont te remontait l'image, car toutes embellissent dans le silence.

Et tu crois que la solitude de la guerre t'a fait perdre l'occasion merveilleuse. Et cependant l'apprentissage de l'amour tu ne le fais que dans les vacances de l'amour. Et l'apprentissage du paysage bleu de tes montagnes tu ne le fais que parmi les rocs qui mènent à la crête, et l'apprentissage de Dieu, tu ne le fais que dans l'exercice de prières auxquelles il n'est point répondu. Car cela seul te comblera sans crainte d'usure, qui te sera accordé hors de l'écoulement des jours quand les temps pour toi seront révolus et quand il te sera permis d'être, ayant achevé de devenir.

Et, certes, tu peux t'y méprendre et plaindre celui-là qui jette son appel dans la nuit vaine, et croit que le temps coule inutile en lui dérobant ses trésors. Tu peux t'inquiéter de cette soif d'amour sans amour, ayant oublié que l'amour n'est par essence que soif d'amour, comme le savent les danseurs et les danseuses, qui font leur poème de l'approche alors qu'ils pourraient d'abord se joindre.

Et moi je te le dis, l'occasion manquée est celle-là qui compte. La tendresse à travers les murs de la prison voilà peut-être la grande tendresse. La prière est fertile autant que Dieu ne répond pas. Et ce sont les silex et les ronces qui nourrissent l'amour.

Ne confonds donc point la ferveur avec l'usage de provisions. La ferveur qui exige pour soi n'est point ferveur. La ferveur de l'arbre va dans les fruits qui ne lui rapportent rien en échange. Ainsi de moi, vis-à-vis de mon peuple. Car ma ferveur coule vers des vergers dont je n'ai rien à attendre.

Ainsi ne t'enferme point non plus dans la femme. Pour y chercher ce que tu y as déjà trouvé. Tu ne peux que la regagner de temps à autre, comme celui-là qui habite la montagne descend parfois jusqu'à la mer.

Je te parlerai donc de l'audience. Si tu ouvres ta porte au chemineau et qu'il s'asseoie, ne va point lui reprocher de ne pas être autre. Ne le juge point. Car ce dont il avait d'abord faim c'était d'être là quelque part, chez quelqu'un avec sa lourdeur, son bagage de souvenirs, sa respiration difficile et son bâton déposé dans un coin. C'était d'être là dans la chaleur et dans la paix de ton visage, juste avec tout son passé, qui n'est point en cause et toutes ses tares comme dévêtues. Sa béquille qu'il ne sent plus puisque tu ne lui demandes point de danser. Et alors il se rassure, et le lait que tu lui verses il le boit, et le pain que tu romps il le mange et le sourire que tu lui accordes est manteau tiède comme le soleil pour un aveugle.

Et où vois-tu qu'il soit bas, sous prétexte qu'il en est indigne, de lui sourire ?

Et où vois-tu que tu lui donnes quelque chose, si tu ne lui donnes pas l'essentiel qui est l'audience, celle-là même qui peut faire si nobles tes relations avec ton ennemi le plus mortel ? Quelle reconnaissance escomptes-tu tirer de lui par le fardeau de tes présents ? Il ne pourra que te haïr s'il s'en va de chez toi perdu de dettes.

LV

Ne confonds point l'amour avec le délire de la possession, lequel apporte les pires souffrances. Car au contraire de l'opinion commune, l'amour ne fait point souffrir. Mais l'instinct de propriété fait souffrir, qui est le contraire de l'amour. Car d'aimer Dieu je m'en vais à pied sur la route boitant durement pour le porter d'abord aux autres hommes. Et je ne réduis point mon Dieu en esclavage. Et je suis nourri de ce qu'il donne à d'autres. Et je sais reconnaître ainsi celui qui aime véritablement à ce qu'il ne peut être lésé. Et celui-là qui meurt pour l'empire, l'empire ne le peut point léser. On peut parler de l'ingratitude de tel ou tel, mais qui te parlerait de l'ingratitude de l'empire ? L'empire est bâti de tes dons et quelle arithmétique sordide introduis-tu si tu te préoccupes d'un hommage rendu par lui ? Celui qui a donné sa vie au temple et s'est échangé contre le temple, celui-là aimait véritablement, mais sous quelle forme se pourrait-il sentir lésé par le temple ? L'amour véritable commence là où tu n'attends plus rien en retour. Et si se montre tellement important, pour enseigner à l'homme l'amour des hommes, l'exercice de la prière, c'est d'abord parce qu'il n'y est point répondu.

L'amitié je la reconnais à ce qu'elle ne peut être déçue, et je reconnais l'amour véritable à ce qu'il ne peut être lésé.

M'aimer, d'abord, c'est collaborer avec moi.

Ainsi du temple où seul l'ami entre, mais innombrable.

LVIII

L'ami d'abord c'est celui qui ne juge point. Je te l'ai dit, c'est celui qui ouvre sa porte au chemineau, à sa béquille, à son bâton déposé dans un coin et ne lui demande point de danser pour juger sa danse. Et si le chemineau raconte le printemps sur la route du dehors, l'ami est celui qui reçoit en lui le printemps. Et s'il raconte l'horreur de la famine dans le village d'où il vient, souffre avec lui la famine. Car je te l'ai dit, l'ami dans l'homme c'est la part qui est pour toi et qui ouvre pour toi une porte qu'il n'ouvre peut-être jamais ailleurs. Et ton ami est vrai et tout ce qu'il dit est véritable, et il t'aime même s'il te hait dans l'autre maison. Et l'ami dans le temple, celui que, grâce à Dieu, je coudoie et rencontre, c'est celui qui tourne vers moi le même visage que le mien, éclairé par le même Dieu, car alors l'unité est faite, même si ailleurs il est boutiquier quand je suis capitaine, ou jardinier quand je suis marin sur la mer. Au-dessus de nos divisions je l'ai trouvé et suis son ami. Et je puis me taire auprès de lui, c'est-à-dire n'en rien craindre pour mes jardins intérieurs et mes montagnes et mes ravins et mes déserts, car il n'y promènera point ses chaussures. Toi, mon ami, ce que tu reçois de moi avec amour c'est comme l'ambassadeur de mon empire intérieur.

Et tu le traites bien et tu le fais s'asseoir et tu l'écoutes. Et nous voilà heureux. Mais où m'as-tu vu, quand je recevais des ambassadeurs, les tenir à l'écart ou les refuser parce qu'au fond de leur empire, à mille jours de marche du mien, on s'alimente de mets qui ne me plaisent point ou parce que leurs mœurs ne sont point miennes. L'amitié c'est d'abord la trêve et la grande circulation de l'esprit au-dessus des détails vulgaires. Et je ne sais rien reprocher à celui qui trône à ma table.

Car sache que l'hospitalité et la courtoisie et l'amitié sont rencontres de l'homme dans l'homme. Qu'irais-je faire dans le temple d'un dieu qui discuterait sur la taille ou l'embonpoint de ses fidèles, ou dans la maison d'un ami qui n'accepterait point mes béquilles et prétendrait me faire danser pour me juger.

Tu rencontreras bien assez de juges de par le monde. S'il s'agit de te pétrir autre et de te durcir, laisse ce travail à tes ennemis. Ils s'en chargeront bien, comme la tempête qui sculpte le cèdre. Ton ami est fait pour t'accueillir. Sache de Dieu, quand tu viens dans Son Temple, qu'il ne te juge plus, mais te reçoit.

LX

Me vinrent des réflexions sur la vanité. Car toujours elle m'apparut non comme un vice mais comme une maladie. Et celle-là que j'ai vue s'émouvoir de l'opinion de la foule, et se corrompre dans sa démarche et dans sa voix à cause qu'elle devenait spectacle, et tirait des satisfactions extraordinaires de paroles prononcées à son propos, celle-là dont la joue se chargeait de feu parce qu'on la regardait, j'y voyais autre chose que stupidité : mais maladie. Car comment tirer satisfaction d'autrui si ce n'est par amour et don à autrui ? Et cependant la satisfaction qu'elle tire de sa vanité lui apparaît plus chaleureuse que celle qu'elle tire des biens, puisqu'elle paierait pour ce plaisir au détriment de ses autres plaisirs.

Maigre joie et malheureuse, comme d'une tare. Comme de celui-là qui se gratte, si quelque chose le démange, et en éprouve du plaisir. La caresse au contraire est abri et demeure. Cet enfant, si je le caresse, c'est pour le protéger. Et il en reçoit le signe sur le velouté du visage.

Mais toi, vaniteuse, caricature !

Ceux-là, les vaniteux, je dis qu'ils ont cessé de vivre. Car qui s'échange contre plus grand que soi s'il exige d'abord de recevoir ? Celui-là ne croîtra plus, rabougri pour l'éternité.

Cependant ce guerrier courageux, si je le félicite, voilà qu'il s'émeut et qu'il tremble comme l'enfant de ma caresse. Et il n'y a point là vanité.

Qu'est-ce qui touche l'un et qu'est-ce qui touche l'autre ? Et en quoi diffèrent-ils ?

La vaniteuse, si elle s'endort...

Vous ne connaîtrez point le mouvement de la fleur qui se secoue dans le vent de toutes ses graines, lesquelles ne lui seront point rendues.

Vous ne connaîtrez point le mouvement de l'arbre qui livre ses fruits, lesquels ne lui seront point rendus.

Vous ne connaîtrez point la jubilation de l'homme qui livre son œuvre, laquelle ne lui sera point rendue.

Vous ne connaîtrez point la ferveur de la danseuse qui livre une danse, laquelle ne lui sera point rendue.

Et de même du guerrier qui livre sa vie. Et si je l'en félicite c'est qu'il a bâti sa passerelle. Je lui apprends qu'il s'est renoncé dans tous les hommes. Et le voilà content non de soi mais des hommes.

Mais le vaniteux, caricature. Et je ne demande point la modestie car j'aime l'orgueil qui est existence et permanence. Si tu es modeste tu cèdes au vent comme la girouette. Puisque l'autre a plus de poids que toi-même.

Je te demande de vivre non de ce que tu reçois mais de ce que tu donnes, car cela seul t'augmente. Et cela ne te commande point de mépriser ce que tu donnes. Tu dois former ton fruit. Et c'est l'orgueil qui préside à sa permanence. Sinon tu le changerais, au gré des vents, de couleur, de saveur et d'odeur !

Mais qu'est-ce qu'un fruit pour toi ? Ton fruit ne vaut que s'il ne peut t'être rendu.

LXIII

Me vint le grand exemple des courtisanes et de l'amour. Car si tu crois aux biens matériels pour eux-mêmes tu te trompes. Car de même qu'il n'est de paysage entrevu du haut des montagnes qu'autant que tu l'auras toi-même construit par l'effort de ton ascension, ainsi de l'amour. Car rien n'a de sens en soi, mais, de toute chose, le sens véritable est structure. Et ton visage de marbre n'est point somme d'un nez, d'une oreille, d'un menton et d'une autre oreille mais musculature qui les noue. Poing fermé qui retient quelque chose. Et l'image du poème ne réside ni dans l'étoile ni dans le chiffre sept ni dans la fontaine, mais dans le seul nœud que je compose en obligeant mes sept étoiles de se baigner dans la fontaine. Et certes il faut des objets reliés pour que la liaison se montre. Mais son pouvoir ne réside point dans les objets. Ce n'est ni dans le fil ni dans le support ni dans aucune de ses parties que réside le piège à renards, mais dans un assemblage qui est création, et le renard tu l'entends crier car il est pris. Ainsi moi le chanteur ou le sculpteur ou le danseur, je saurai te prendre à mes pièges.

Et ainsi de l'amour. Qu'as-tu à attendre de la courtisane ? Sinon repos de la chair après conquête des oasis. Car elle n'exige rien de toi et ne t'oblige point d'être. Et ta reconnaissance dans l'amour quand tu désires voler au secours de ta bien-aimée, c'est qu'ait été sollicité de toi l'archange qui y dormait.

Ce n'est point la facilité qui fait la différence, car celle-là que tu aimes, si elle t'aime, il te suffit d'ouvrir les bras pour l'y recevoir. La différence réside dans le don. Car il n'est point de don possible à la courtisane, puisque, ce que tu lui apportes, elle le considère d'avance comme tribut.

Et si l'on t'impose le tribut tu discuteras cette charge. Car c'est le sens ici de la danse qui est dansée. Et l'armée qui s'est distribuée le soir dans le quartier réservé de la ville, avec sa pauvre solde en poche, laquelle il faut faire durer, marchande et achète l'amour, comme une nourriture. Et de même que la nourriture la fait disponible pour une nouvelle marche dans le désert, l'amour acheté lui fait une chair calme, disponible pour la solitude. Mais ils sont tous changés en boutiquiers et n'en éprouvent point de ferveur.

Car pour donner à la courtisane il faudrait être plus riche qu'un roi, car ce que tu lui apportes elle s'en remercie elle-même d'abord et se flatte de sa réussite et s'honore soi-même d'être si habile et si belle qu'elle ait tiré de toi cette rançon. Et, dans ce puits sans fond, tu peux verser le chargement de mille caravanes d'or sans avoir commencé de donner. Car il faut quelqu'un pour recevoir.

C'est pourquoi mes guerriers, de la main au dos des oreilles, caressent le soir les renards des sables qu'ils ont capturés, et vaguement éprouvent l'amour, ayant l'illusion de donner au petit animal sauvage, et ivres de reconnaissance s'il vient à se blottir contre leur cœur.

Mais dans le quartier réservé cherche-moi donc une courtisane qui par besoin de toi se serre contre ton épaule ?....

Cependant il arrive que l'un de mes hommes, ni plus riche ni moins riche qu'un autre, considère son or comme ces graines que l'arbre désire jeter au vent, car il méprise les provisions, étant soldat.

Et celui-là se promène la nuit autour des bouges dans la splendeur de sa magnificence. Comme celui qui va semer l'orge marche à grands pas vers la terre écarlate qui est digne de recevoir.

Et mon soldat dilapide ses richesses, n'ayant point désir de se les garder, et il est seul à connaître l'amour. Et peut-être bien qu'il le réveille aussi en elles, car il est dansé ici une autre danse et dans cette danse-là elles reçoivent.

Je te le dis, la grande erreur est d'ignorer que recevoir est bien autre chose qu'accepter. Recevoir est d'abord un don, celui de soi-même. Avare non pas celui qui ne se ruine pas en présents, mais celui qui ne donne point la lumière de son propre visage en échange de ton offrande. Avare la terre qui ne s'embellit point quand tu y as jeté tes graines.

Courtisanes et guerriers ivres font quelquefois de la lumière.

LXIV

S'installèrent alors les pillards dans mon empire. Car personne n'y créait plus l'homme. Et le visage pathétique n'y était plus masque mais couvercle d'une boîte vide.

Car ils sont allés de destruction d'Être en destruction d'Être. Et je ne vois rien, désormais, chez eux qui mérite que l'on meure. Donc que l'on vive. Car ce pour quoi tu acceptes de mourir c'est cela seul dont tu peux vivre. Ils consommaient donc les vieilles constructions, se réjouissant du bruit de la chute des temples. Et cependant ces temples, s'ils s'effondraient, ne laissaient rien en échange. Ils détruisaient donc leur propre pouvoir d'expression. Et ils détruisaient l'homme.

Ou bien tel se trompait sur la joie. Car d'abord il avait dit : « Le village. » Et ses résistances et ses coutumes et ses rites obligatoires. Il en était né un village fervent. Après quoi il l'a confondu. Et il a voulu faire sa joie, non d'une structure devenue et lentement pétrie, mais de l'installation dans quelque chose qui fût provision, comme le poème. Et l'espoir est vain.

Et le village n'est point ce poème dans lequel tu te peux installer tout simplement dans la chaleur de la soupe du soir et la fraternité des hommes et la bonne odeur du bétail rentré, et te réjouissant du feu de joie sur la place à cause de la fête — car que nouerait la fête en toi si elle ne retentit point sur autre chose ? Si elle n'est point souvenir de libération après l'esclavage, amour après la haine, ou miracle dans le désespoir. Tu ne serais ni plus ni moins heureux que l'un de tes bœufs. Mais le village en toi s'est lentement construit et pour atteindre ce qu'il est, tu as lentement gravi une montagne. Car je t'ai façonné dans mes rites et mes coutumes, et par tes renoncements et tes devoirs et tes colères obligatoires et tes pardons, et tes traditions contre d'autres — et ce n'est point ce fantôme de village qui te fait ce soir chanter le cœur — il serait trop facile d'être homme — c'est une musique lentement apprise et contre quoi tu as lutté d'abord.

Mais toi, tu vas dans ce village et ces coutumes, et, de t'en réjouir tu les pilles, car elles ne sont point amusements et jeux, et si tu t'en amuses nul n'y croira plus. Et il n'en restera rien. Ni pour eux-mêmes ni pour toi...

LXV

« L'ordre, disait mon père, je le fonde. Mais non point selon la simplicité et l'économie. Car il ne s'agit point de gagner sur le temps. Que m'importe de connaître si les hommes deviendront plus gras en bâtissant des greniers au lieu de temples et des aqueducs au lieu d'instruments de musique, car méprisant toute humanité ladre et vaniteuse même si la voilà opulente, il m'importe de connaître de quel homme d'abord il s'agira. Et celui-là qui m'intéresse est celui-là qui aura baigné longtemps dans le temps perdu du temple, comme à contempler la Voie Lactée qui le fait vaste, et aura exercé son cœur à l'amour par l'exercice de la prière à laquelle il n'est point répondu (car la réponse payant la prière ferait l'homme plus ladre encore) et en qui aura souvent retenti le poème.

« Car le temps que j'économise sur la construction du temple, lequel est navire qui va quelque part, ou l'embellissement du poème qui fait retentir le cœur des hommes, il faudra bien que je l'emploie à ennoblir plutôt qu'engraisser l'espèce humaine. Et donc j'inventerai les poèmes et les temples.

« Ainsi sachant le temps perdu en funérailles, car des hommes creusent la terre pour y enfermer la dépouille du mort, lesquels eussent pu consommer ce temps à labourer et moissonner, j'interdirai cependant ces bûchers où l'on brûle les cadavres, car peu m'importe le temps gagné quand j'y perds d'abord l'amour des morts. Car je n'ai point trouvé de plus belle image pour le servir que la tombe où les proches vont cherchant à petits pas la pierre des leurs parmi les pierres, et le sachant rentré en terre comme une vendange, et redevenu pâte naturelle. Et sachant cependant qu'il reste de lui quelque chose, une relique dans son ossuaire, la forme d'une main qui a caressé, l'os du crâne, ce coffre aux trésors, vide sans doute mais qui fut rempli par tant de merveilles. Et j'ai ordonné que l'on bâtît, quand cela était possible, encore plus inutile et coûteuse, une maison pour chaque mort afin que l'on y puisse se réunir aux jours de fête et comprendre, non avec sa seule raison, mais dans tous les mouvements de l'âme et du corps, que morts et vivants se joignent l'un l'autre et ne font qu'un arbre qui grandit. Ayant coutume de voir le même poème, la même courbe de carène, la même colonne traverser les générations en s'embellissant et en s'épurant, car l'homme certes est périssable si nous le regardons de face, comme des myopes qui se tiennent trop près, mais non dans l'ombre qu'il projette, dans le reflet qu'il laisse de lui. Et si j'économise le temps perdu à ensevelir les cadavres et à leur bâtir une demeure, et que, ce temps perdu, je désire le faire servir à lier la chaîne des générations, pour qu'à travers elle la création monte droit vers le soleil comme un arbre, si je décrète cette ascension plus digne de l'homme que l'accroissement du tour de ventre, alors le temps gagne dont je dispose, je le ferai servir, ayant bien pesé son usage, à l'ensevelissement des morts.

« L'ordre que je fonde, disait mon père, c'est celui de la vie. Car je dis qu'un arbre est en ordre, malgré qu'il soit à la fois racines et tronc et branches et feuilles et fruits, et je dis qu'un homme est en ordre, malgré qu'il ait un esprit et un cœur, et ne soit point réduit à une fonction, comme le serait de labourer ou de perpétuer l'espèce, mais qu'il soit à la fois celui qui laboure et qui prie, qui aime et résiste à l'amour, et travaille et se repose, et écoute les chansons du soir.

« Mais tels ont reconnu que les empires glorieux étaient en ordre. Et la stupidité des logiciens, des historiens et des critiques leur a fait croire que l'ordre des empires était mère de leur gloire, quand je dis que leur ordre comme leur gloire était le fruit de leur seule ferveur. Pour créer l'ordre je crée un visage à aimer. Mais eux se proposent l'ordre comme une fin en soi, et un tel ordre, quand on dispute sur lui, et le perfectionne, devient d'abord économie et simplicité. Et l'on t'élude ce qui est difficile à énoncer, alors que rien de ce qui importe véritablement ne s'énonce et que je n'ai point connu encore un professeur qui sût me dire simplement pourquoi j'aimais le vent dans le désert sous les étoiles. Et l'on s'accorde sur l'usuel car est aisé le langage qui exprime l'usuel. Et l'on peut dire sans craindre un démenti qu'il vaut mieux trois sacs d'orge qu'un seul. Bien que je pense apporter plus aux hommes si, simplement, je les oblige, pour qu'ils aient bu de ce breuvage qui rend vaste, de marcher quelquefois la nuit sous les étoiles dans le désert.

« L'ordre est le signe de l'existence et non sa cause. De même que le plan du poème est signe qu'il est achevé et marque de sa perfection. Ce n'est point au nom d'un plan que tu travailles, mais tu travailles pour l'obtenir. Mais eux qui disent à leurs élèves : « Voyez cette grande œuvre et l'ordre qu'elle montre. Fabriquez-moi d'abord un ordre, ainsi votre œuvre sera grande », quand l'œuvre alors sera squelette sans vie et détritus de musée.

« Je fonde l'amour du domaine et voilà que tout s'ordonne et la hiérarchie des métayers, des bergers et des moissonneurs et le père à la tête. Comme s'ordonnent les pierres autour du temple quand tu leur imposes de servir à glorifier Dieu. Alors l'ordre naîtra de la passion des architectes.

« Ne trébuche donc point dans ton langage. Si tu imposes la vie tu fondes l'ordre et si tu imposes l'ordre tu imposes la mort. L'ordre pour l'ordre est caricature de la vie.

LXVI

Cependant il me vint le problème de la saveur des choses. Et ceux de ce campement-ci fabriquaient des poteries qui étaient belles. Et ceux de cet autre, qui étaient laides. Et je comprenais avec évidence qu'il n'était point de loi formulable pour embellir les poteries. Ni par dépense pour l'apprentissage, ni par concours et honneurs. Et même je remarquais que ceux-là qui travaillaient au nom d'une ambition autre que la qualité de l'objet, et même s'ils consacraient leurs nuits à leur travail, aboutissaient à des objets prétentieux et vulgaires et compliqués. Car en fait, leurs nuits de veille, il les accordaient à leur vénalité ou à leur luxure ou à leur vanité, c'est-à-dire à soi-même, et ils ne s'échangeaient plus en Dieu en s'échangeant contre un objet devenu source de sacrifice et image de Dieu, où les rides et les soupirs et les paupières alourdies et les mains tremblantes d'avoir tant pétri et les satisfactions du soir après le travail et l'usure de la ferveur vont se confondre. Car je ne connais qu'un acte fertile qui est la prière, mais je connais aussi que tout acte est prière s'il est don de soi pour devenir.

LXVIII

M'apparut éclatante cette autre vérité de l'homme, à savoir que ne signifie rien pour lui le bonheur — et que non plus ne signifie rien l'intérêt. Car le seul intérêt qui le meuve n'est que celui d'être permanent et de durer. Et pour le riche de s'enrichir et pour le marin de naviguer et pour le maraudeur de faire le guet sous les étoiles. Mais le bonheur je l'ai vu facilement dédaigné par tous quand il n'était qu'absence de souci et sécurité. Dans cette ville noirâtre, cet égout qui coulait vers la mer, il arriva que mon père s'émut du sort des prostituées. Elles pourrissaient comme une graisse blanchâtre et pourrissaient les voyageurs. Il expédia ses hommes d'armes se saisir de quelques-unes d'entre elles comme on capture des insectes pour en étudier les mœurs. Et la patrouille déambula entre les murs suintants de la cité pourrie. Parfois d'une échoppe sordide d'où coulait, comme une glu, un relent de cuisine rance, les hommes apercevaient, assise sur son tabouret sous la lampe qui la désignait, blafarde et triste elle-même comme une lanterne sous la pluie, son masque lourd de bœuf marqué d'un sourire comme d'une blessure, la fille qui attendait. Il était d'usage chez elle de chanter un chant monocorde pour retenir l'attention des passants à la façon des méduses molles qui disposent la glu de leur piège. Ainsi montaient le long de la ruelle ces litanies désespérées. Et quand l'homme se laissait prendre, la porte se fermait sur lui pour quelques instants et l'amour se consommait dans le délabrement le plus amer, la litanie un instant suspendue, remplacée par le souffle court du monstre blême et le silence dur du soldat qui achetait à ce fantôme le droit de ne plus songer à l'amour. Il venait faire éteindre des songes cruels, car il était peut-être d'une patrie de palmes et de filles souriantes. Et peu à peu, au cours des expéditions lointaines, les images de ses palmeraies avaient développé dans son cœur un branchage au poids intolérable. Le ruisseau s'était fait musique cruelle et les sourires des filles et leurs seins tièdes sous l'étoffe et les ombres de leurs corps devinés et la grâce qui nouait leurs gestes, tout s'était fait pour lui brûlure du cœur de plus en plus dévorante. C'est pourquoi il venait user sa maigre solde pour demander au quartier réservé de le vider d'un songe. Et quand la porte se rouvrait, il se retrouvait sur la terre, refermé en soi-même, dur et méprisant, ayant pour quelques heures décoloré son seul trésor dont il ne soutenait plus la lumière.

Donc revinrent les hommes d'armes avec leurs madrépores aveuglés par la lumière dure du poste de garde. Et mon père me les montra :

« Je vais t'enseigner, me dit-il, ce qui d'abord nous gouverne. »

Il les fit habiller d'étoffes neuves et installa chacune d'elles dans une maison fraîche ornée d'un jet d'eau et leur fit remettre comme ouvrage de fines dentelles à broder. Et il les fit payer de façon qu'elles gagnassent deux fois plus qu'elles n'avaient gagné. Puis il interdit qu'on les surveillât.

« Certes, ces moisissures tristes d'un marais, les voilà heureuses, me dit-il. Et propres et calmes et rassurées... »

Et cependant l'une après l'autre disparut et revint au cloaque.

« Car, me dit mon père, c'est leur misère qu'elles ont pleurée. Non par goût stupide de la misère contre le bonheur, mais parce que l'homme va d'abord vers sa propre densité. Et il se trouve que la maison dorée et la dentelle et les fruits frais sont récréation et jeu et loisir. Mais qu'elles n'en pouvaient faire leur existence, et qu'elles s'ennuyaient. Car long est l'apprentissage de la lumière, de la propreté et de la dentelle, s'il doit cesser d'être spectacle rafraîchissant pour se transformer en réseau de liens et en obligation et en exigence. Elles recevaient mais ne donnaient rien. Et voilà qu'elles ont regretté, non parce qu'amères, mais quoique amères, les heures lourdes de leurs attentes et le regard posé sur le carré noir de la porte où d'heure en heure s'encadre un cadeau de la nuit, têtu et plein de haine. Elles ont regretté le léger vertige qui les remplissait d'un poison vague, quand le soldat ayant poussé la porte les regardait, comme on regarde la bête marquée, fixant des yeux la gorge... Car il arrivait que l'un d'eux trouait l'une d'elles comme une outre d'un poignard qui fait le silence, afin de déterrer, sous quelques briques, ou quelques tuiles, les pièces d'argent de leur capital.

« Voici qu'elles regrettaient le bouge sordide où elles se retrouvaient entre elles, à l'heure où le quartier réservé se ferme enfin selon l'ordre des ordonnances et où, buvant leur thé ou calculant leur gain, elles s'injuriaient l'une l'autre et se faisaient prédire l'avenir dans le creux de leurs mains obscènes. Et peut-être leur prédisait-on cette même maison et ces fleurs grimpantes habitées alors par plus dignes qu'elles. Et le merveilleux d'une telle maison construite en rêve est qu'elle abrite, au lieu de soi, un soi-même transfiguré. Ainsi du voyage qui te doit changer. Mais si je t'enferme dans ce palais, c'est toi qui y traînes tes vieux désirs, tes vieilles rancœurs, tes vieux dégoûts, c'est toi qui y boites si tu boitais, car il n'est point pour te transfigurer de formule magique. Je ne puis que lentement, à force de contraintes et de souffrances, t'obliger de muer pour te faire devenir. Mais celle-là n'a point mué qui se réveille dans ce cadre simple et pur et qui y bâille et qui, n'étant plus menacée par les coups, rentre sans objet désormais la tête dans les épaules quand on frappe à la porte, et qui, si l'on frappe encore, espère également sans objet car il n'est plus de cadeaux de la nuit. N'étant plus lasses de leurs nuits fétides elles ne goûtent plus la délivrance du petit jour. Leur destinée peut être désormais souhaitable mais elles y ont perdu de posséder au gré de prédictions changeantes une destinée pour chaque soir, vivant ainsi dans l'avenir une vie plus merveilleuse qu'il n'y en eut jamais. Et voici qu'elles ne savent plus quoi faire de leurs brusques colères, fruits d'une vie sordide et malsaine, mais qui leur reviennent malgré elles, comme à ces animaux retirés des rivages ces contractions qui les ferment longtemps encore sur eux-mêmes à l'heure des marées. Quand ces colères leur viennent il n'est plus d'injustice contre quoi crier et les voilà tout à coup semblables à ces mères d'un enfant mort en qui remonte un lait qui ne servira point.

« Car l'homme, je te le dis, cherche sa propre densité et non pas son bonheur. »

LXIX

Me vint encore l'image du temps gagné, car je demande : « Au nom de quoi ? » Et voici que l'autre me répond : « Au nom de sa culture. » Comme si elle pouvait être exercice vide.

Fou celui-là qui prétend distinguer la culture d'avec le travail. Car l'homme d'abord se dégoûtera d'un travail qui sera part morte de sa vie, puis d'une culture qui ne sera plus que jeu sans caution, comme la niaiserie des dés que tu jettes, s'ils ne signifient plus ta fortune et ne roulent plus tes espérances. Car il n'est point de jeu de dés mais jeu de tes troupeaux, de tes pâturages, ou de ton or. Ainsi de l'enfant qui bâtit son pâté de sable. Il n'est point ici poignée de terre, mais citadelle, montagne ou navire.

Certes, j'ai vu l'homme prendre avec plaisir du délassement. J'ai vu le poète dormir sous les palmes. J'ai vu le guerrier boire son thé chez les courtisanes. J'ai vu le charpentier goûter sous son porche la tendresse du soir. Et certes, ils semblaient pleins de joie. Mais je te l'ai dit : précisément parce qu'ils étaient las des hommes. C'est un guerrier qui écoutait les chants et regardait les danses. Un poète qui rêvait sur l'herbe. Un charpentier qui respirait l'odeur du soir. C'est ailleurs qu'ils étaient devenus. La part importante de la vie de chacun d'entre eux restait bien la part de travail. Car ce qui est vrai de l'architecte, qui est un homme et qui s'exalte et prend sa pleine signification quand il gouverne l'ascension de son temple et non quand il se délasse à jouer aux dés, est vrai de tous. Le temps gagné sur le travail, s'il n'est point simple loisir, détente des muscles après l'effort ou sommeil de l'esprit après l'invention, n'est que temps mort. Et tu fais de la vie deux parts inacceptables : un travail qui n'est qu'une corvée à quoi l'on refuse le don de soi-même, un loisir qui n'est qu'une absence.

LXX

Certes d'abord elle était belle cette danseuse dont la police de mon empire s'était saisie. Belle et mystérieusement habitée. Il m'apparut qu'en la connaissant seraient connues des réserves de territoire, de calmes plaines, des nuits de montagne et des traversées de désert par plein vent.

« Elle existe », me disais-je. Mais je la savais de coutumes lointaines et travaillant ici pour une cause ennemie. Cependant, lorsque l'on tenta de forcer son silence, mes hommes n'arrachèrent qu'un sourire mélancolique à son impénétrable candeur.

Et moi j'honore d'abord ce qui dans l'homme résiste au feu.

Celle-là, quand je la menaçai, ébaucha devant moi une révérence légère :

« Je regrette, Seigneur... »

Je la considérai sans plus rien dire et elle prit peur. Blanche déjà, et, d'une révérence plus lente :

« Je regrette, Seigneur... »

Car elle pensait qu'il lui faudrait souffrir.

« Songe, lui dis-je, que je suis maître de ta vie.

— J'honore, Seigneur, votre pouvoir… »

Elle était grave de porter en elle un message secret et de risquer par fidélité d'en mourir.

Et voilà qu'elle devenait à mes yeux tabernacle d'un diamant. Mais je me devais à l'empire :

« Tes actes méritent la mort.

— Ah ! Seigneur… (elle était plus pâle que dans l'amour)… Sans doute sera-ce juste… »

Et je compris, sachant les hommes, le fond d'une pensée qu'elle n'eût su dire : « Il est juste, non peut-être que je meure, mais que soit sauvé, plutôt que moi, ce qu'en moi je porte… »

« Il est donc en toi, lui demandai-je, plus important que ta chair jeune et que tes yeux pleins de lumière ? Tu crois protéger en toi quelque chose et cependant il ne sera plus rien en toi lorsque tu seras morte… »

Elle se troubla en surface à cause de mots qui lui manquaient pour me répondre :

« Peut-être, Seigneur, avez-vous raison… »

Mais je sentais qu'elle me donnait raison dans le seul empire des paroles, ne sachant point s'y défendre.

« Donc, tu t'inclines.

— Excusez-moi, oui, je m'incline mais ne saurais parler, Seigneur… »

Je méprise quiconque est forcé par des arguments, car les mots te doivent exprimer et non conduire. Ils désignent sans rien contenir. Mais cette âme n'était point de celles qu'un vent de paroles déverrouille :

« Je ne saurais parler, Seigneur, mais je m'incline… »

Je respecte celui qui, à travers les mots et même s'ils se contredisent, demeure permanent comme l'étrave d'un navire, laquelle malgré la démence de la mer revient inexorable à son étoile. Car ainsi, je sais où l'on va. Mais ceux qui s'enferment dans leur logique suivent leurs propres mots, et tournent en rond comme des chenilles.

Je la fixai donc longuement :

« Qui t'a forgée ? D'où viens-tu ? » lui demandai-je.

Elle sourit sans répondre.

« Veux-tu danser ? »

Et elle dansa.

Or sa danse fut admirable, ce qui ne pouvait me surprendre puisqu'il était quelqu'un en elle.

As-tu considéré le fleuve observé du haut des montagnes ? Il a rencontré ici le roc et, ne l'ayant point entamé, en a épousé le contour. Il a viré plus loin pour user d'une pente favorable. Dans cette plaine il s'est ralenti en méandres à cause du repos de forces qui ne le tiraient plus vers la mer. Ailleurs, il s'est endormi dans un lac. Puis il a poussé cette branche en avant, rectiligne, pour la poser sur la plaine comme un glaive.

Ainsi me plaît que la danseuse rencontre des lignes de force. Que son geste ici se freine et là se délie. Que son sourire qui tout à l'heure était facile, maintenant peine pour durer comme une flamme par grand vent, que maintenant elle glisse avec facilité comme sur une invisible pente, mais que plus tard elle ralentisse, car les pas lui sont difficiles comme s'il s'agissait de gravir. Me plaît qu'elle bute contre quelque chose. Ou triomphe. Ou meure. Me plaît qu'elle soit d'un paysage qui a été bâti contre elle, et qu'il soit en elle des pensées permises et d'autres qui lui sont condamnées. Des regards possibles, d'autres impossibles. Des résistances, des adhésions et des refus. Je n'aime point qu'elle soit semblable dans toutes les directions comme une gelée. Mais structure dirigée comme l'arbre vivant, lequel n'est point libre de croître mais va se diversifiant selon le génie de sa graine.

Car la danse est une destinée et démarche à travers la vie. Mais je te désire fonder et animer vers quelque chose, pour m'émouvoir de ta démarche. Car si tu veux franchir le torrent et que le torrent s'oppose à ta marche, alors tu danses. Car si tu veux courir l'amour et que le rival s'oppose à ta marche, alors tu danses. Et il est danse des épées si tu veux faire mourir. Et il est danse du voilier sous sa cornette s'il lui faut user, pour gagner le port vers lequel il penche, et choisir dans le vent d'invisibles détours.

Il te faut l'ennemi pour danser, mais quel ennemi t'honorerait de la danse de son épée s'il n'est personne en toi ?

Cependant la danseuse s'étant pris le visage dans les mains se fit pathétique pour mon cœur. Et j'y vis un masque. Car il est des visages faussement tourmentés dans la parade des sédentaires, mais ce sont couvercles de boîtes vides. Car il n'est rien en toi si tu n'as rien reçu. Mais celle-là, je la reconnaissais comme dépositaire d'un héritage. Il était en elle ce noyau dur qui résiste au bourreau lui-même, car le poids d'une meule n'en ferait point sourdre l'huile du secret. Cette caution pour laquelle on meurt et qui fait que l'on sait danser. Car il n'est d'homme que celui-là que le cantique a embelli ou le poème ou la prière et qui est construit à l'intérieur. Son regard se pose sur toi avec clarté car il est d'un homme habité. Et si tu prends l'empreinte de son visage elle devient masque dur de l'empire d'un homme. Et tu connais de celui-là qu'il est gouverné et qu'il dansera contre l'ennemi. Mais que sauras-tu de la danseuse si elle n'est qu'une contrée vide ? Car il n'est point de danse du sédentaire. Mais là où la terre est avare, où la charrue accroche aux pierres, où l'été trop dur sèche les moissons, où l'homme résiste aux barbares, où le barbare écrase le faible, alors naît la danse à cause du sens de chacun des pas. Car la danse est lutte contre l'ange. La danse est guerre, séduction, assassinat et repentir. Et quelle danse tirerais-tu de ton bétail trop bien nourri ?

LXXIII

Me vint donc le goût de la mort :

« Donnez-moi la paix des étables, disais-je à Dieu, des choses rangées, des moissons faites. Laissez-moi être, ayant achevé de devenir. Je suis fatigué des deuils de mon cœur. Je suis trop vieux pour recommencer toutes mes branches. J'ai perdu, l'un après l'autre, mes amis et mes ennemis et s'est faite une lumière sur ma route de loisir triste. Je me suis éloigné, je suis revenu, j'ai regardé : j'ai retrouvé les hommes autour du veau d'or non intéressés mais stupides. Et les enfants qui naissent aujourd'hui me sont plus étrangers que de jeunes barbares sans religion. Je suis lourd de trésors inutiles comme d'une musique qui jamais plus ne sera comprise.

« J'ai commencé mon œuvre avec ma hache de bûcheron dans la forêt et j'étais ivre du cantique des arbres. Ainsi faut-il s'enfermer dans une tour pour être juste. Mais maintenant que de trop près j'ai vu les hommes, je suis las.

« Apparais-moi, Seigneur, car tout est dur lorsque l'on perd le goût de Dieu. »

Me vint un songe après le grand enthousiasme.

Car j'étais entré vainqueur dans la ville, et la foule se répandit dans une saison d'oriflammes, criant et chantant à mon passage. Et les fleurs nous faisaient un lit pour notre gloire. Mais Dieu ne m'envahit que d'un seul sentiment amer. J'étais le prisonnier, me semblait-il, d'un peuple débile.

Car cette foule qui fait ta gloire te laisse d'abord tellement seul ! Ce qui se donne à toi se sépare de toi car il n'est point de passerelle de toi en l'autre sinon par le chemin de Dieu. Et ceux-là seuls me sont compagnons véritables qui se prosternent avec moi dans la prière. Confondus dans la même mesure et grains du même épi en vue du pain. Mais ceux-là m'adoraient et faisaient en moi le désert, car je ne sais point respecter qui se trompe et je ne puis pas consentir à cette adoration de moi-même. Je n'en sais recevoir l'encens car je ne me jugerai point d'après les autres et je suis fatigué de moi qui suis lourd à porter et qui ai besoin, pour entrer en Dieu, de me dévêtir de moi-même. Alors ceux-là qui m'encensaient me faisaient triste et désert comme un puits vide quand le peuple a soif et se penche. N'ayant rien à donner qui valût la peine et, de ceux-là, puisqu'ils se prosternaient en moi, n'ayant plus rien à recevoir.

Car j'ai besoin de celui-là d'abord qui est fenêtre ouverte sur la mer et non miroir où je m'ennuie.

Et de cette foule-là, les morts seuls, qui ne s'agitaient plus pour des vanités, me paraissaient dignes.

Alors me vint ce songe, les acclamations m'ayant lassé comme un bruit vide qui ne pouvait plus m'instruire.

Un chemin escarpé et glissant surplombait la mer. L'orage avait crevé et la nuit coulait comme une outre pleine. Obstiné, je montais vers Dieu pour lui demander la raison des choses, et me faire expliquer où conduisait l'échange que l'on avait prétendu m'imposer.

Mais au sommet de la montagne je ne découvris qu'un bloc pesant de granit noir — lequel était Dieu.

« C'est bien Lui, me disais-je, immuable et incorruptible », car j'espérais encore ne point me renfoncer dans la solitude.

« Seigneur, Lui dis-je, instruisez-moi. Voici que mes amis, mes compagnons et mes sujets ne figurent plus pour moi que pantins sonores. Je les tiens dans la main et les meus à mon gré. Et ce n'est point qu'ils m'obéissent qui me tourmente, car il est bon que ma sagesse descende en eux. Mais qu'ils soient devenus ce reflet de miroir qui me fait plus seul qu'un lépreux. Si je ris, ils rient. Si je me tais, ils s'assombrissent. Et ma parole que je connais les emplit comme le vent les arbres. Et je suis seul à les emplir. Il n'est plus d'échange pour moi car dans cette audience démesurée je n'entends plus que ma propre voix qu'ils me renvoient comme les échos glacés d'un temple. Pourquoi l'amour m'épouvante-t-il et qu'ai-je à attendre de cet amour qui n'est que multiplication de moi-même ? »

Mais le bloc de granit ruisselant d'une pluie luisante me demeurait impénétrable.

« Seigneur, Lui dis-je, car il était sur une branche voisine un corbeau noir, je comprends bien qu'il soit de Ta majesté de Te taire. Cependant, j'ai besoin d'un signe. Quand je termine ma prière, Tu ordonnes à ce corbeau de s'envoler. Alors ce sera comme le clin d'œil d'un autre que moi et je ne serai plus seul au monde. Je serai noué à Toi par une confidence, même obscure. Je ne demande rien sinon qu'il me soit signifié qu'il est peut-être quelque chose à comprendre. »

Et j'observais le corbeau. Mais il se tint immobile. Alors je m'inclinai vers le mur.

« Seigneur, lui dis-je, Tu as certes raison. Il n'est point de Ta majesté de Te soumettre à mes consignes. Le corbeau s'étant envolé, je me fusse attristé plus fort. Car un seul signe je ne l'eusse reçu que d'un égal, donc encore de moi-même, reflet encore de mon désir. Et de nouveau je n'eusse rencontré que ma solitude. »

Donc, m'étant prosterné, je revins sur mes pas.

Mais il se trouva que mon désespoir faisait place à une sérénité inattendue et singulière. J'enfonçais dans la boue du chemin, je m'écorchais aux ronces, je luttais contre le fouet des rafales et cependant se faisait en moi une sorte de clarté égale. Car je ne savais rien mais il n'était rien que j'eusse pu connaître sans écœurement. Car je n'avais point touché Dieu, mais un dieu qui se laisse toucher n'est plus un dieu. Ni s'il obéit à la prière. Et pour la première fois, je devinais que la grandeur de la prière réside d'abord en ce qu'il n'y est point répondu et que n'entre point dans cet échange la laideur d'un commerce. Et que l'apprentissage de la prière est l'apprentissage du silence. Et que commence l'amour là seulement où il n'est plus de don à attendre. L'amour d'abord est exercice de la prière et la prière exercice du silence.

Et je revins parmi mon peuple, pour la première fois l'enfermant dans le silence de mon amour. Et provoquant ainsi ses dons jusqu'à la mort. Ivres qu'ils étaient de mes lèvres closes. J'étais berger, tabernacle de leur cantique et dépositaire de leurs destinées, maître de leurs biens et de leurs vies et cependant plus pauvre qu'eux et plus humble dans mon orgueil qui ne se laissait point fléchir. Sachant bien qu'il n'était rien là à recevoir. Simplement ils devenaient en moi et leur cantique se fondait dans mon silence. Et par moi, eux et moi, n'étions plus que prière qui se fondait dans le silence de Dieu.

LXXVIII

Me vinrent donc, pour me faire des observations, non les géomètres de mon empire qui se réduisaient d'ailleurs à un seul, et qui, de surcroît, était mort, mais une délégation des commentateurs des géomètres, lesquels commentateurs étaient dix mille.

Quand celui-là crée un navire il ne se préoccupe point des clous, des mâts ni des planches du pont, mais il enferme dans l'arsenal dix mille esclaves et quelques adjudants munis de fouets. Et s'épanouit la gloire du navire. Et je n'ai jamais vu un esclave qui se vantât d'avoir vaincu la mer.

Mais lorsque celui-là crée une géométrie,

lequel ne se préoccupe point de la déduire jusqu'au bout de conséquence en conséquence, car ce travail dépasse et son temps et ses forces, alors il suscite l'armée de dix mille commentateurs qui polissent les théorèmes, explorent les chemins fertiles et recueillent les fruits de l'arbre. Mais à cause qu'ils ne sont point esclaves et qu'il n'est point de fouet pour les accélérer, il n'en est pas un qui ne s'imagine s'égaler au seul géomètre véritable, puisque d'abord il le comprend, et puisque ensuite il enrichit son œuvre.

Mais moi, sachant combien est précieux leur travail — car il faut bien rentrer les moissons de l'esprit — mais sachant aussi qu'il est dérisoire de le confondre avec la création, laquelle est geste gratuit, libre et imprévisible de l'homme, je les fis tenir à bonne distance de peur qu'ils ne se gonflassent d'orgueil à m'aborder comme des égaux. Et je les entendais qui murmuraient entre eux pour s'en plaindre.

Puis ils parlèrent :

« Nous protestons, dirent-ils, au nom de la raison. Nous sommes les prêtres de la vérité. Tes lois sont lois d'un dieu moins sûr que n'est le nôtre. Tu as pour toi tes hommes d'armes, et ce poids de muscles nous peut écraser. Mais nous aurons raison contre toi, même dans les caves de tes geôles. »

Ils parlaient, devinant bien qu'ils ne risquaient point ma colère.

Et ils se regardèrent l'un l'autre, satisfaits de leur propre courage.

Moi je songeais. Le seul géomètre véritable, je l'avais chaque jour reçu à ma table. La nuit, parfois, dans l'insomnie, je m'étais rendu sous sa tente, m'étant pieusement déchaussé, et j'avais bu son thé et goûté le miel de sa sagesse.

« Toi, géomètre..., lui disais-je.

— Je ne suis point d'abord géomètre, je suis homme. Un homme qui rêve quelquefois de géométrie quand plus urgent ne le gouverne pas, tel que le sommeil, la faim ou l'amour. Mais aujourd'hui que j'ai vieilli, tu as sans doute raison : je ne suis plus guère que géomètre.

— Tu es celui à qui se montre la vérité...

— Je ne suis que celui qui tâtonne et cherche un langage comme l'enfant. La vérité ne m'est point apparue. Mais mon langage est simple aux hommes comme ta montagne et ils en font d'eux-mêmes leur vérité.

— Te voilà amer, géomètre.

— J'eusse aimé découvrir dans l'univers la trace d'un divin manteau et, touchant en dehors de moi une vérité, comme un dieu qui se fût longtemps caché aux hommes, j'eusse aimé l'accrocher par le pan de l'habit et lui arracher son voile du visage pour la montrer. Mais il ne m'a pas été donné de découvrir autre chose que moi-même... »

Ainsi parlait-il. Mais eux me brandissaient la foudre de leur idole au-dessus de la tête.

« Parlez plus bas, leur dis-je, si je comprends mal j'entends fort bien. »

Et, moins fort toutefois, ils murmurèrent.

Enfin l'un d'eux les exprima, qu'ils poussèrent doucement en avant car il leur venait le regret d'avoir montré tant de courage.

« Où vois-tu, me dit-il, qu'il est création arbitraire et acte de sculpteur et poésie dans le monument de vérités que nous te convions de reconnaître ? Nos propositions découlent l'une de l'autre, du point de vue de la stricte logique, et rien de l'homme n'a dirigé l'œuvre. »

Ainsi, d'une part, revendiquaient-ils la propriété d'une vérité absolue — comme ces peuplades qui se réclament d'une quelconque idole de bois peint, laquelle, disent-elles, lance la foudre — et ainsi, d'autre part, s'égalaient-ils au seul géomètre véritable puisque tous avec plus au moins de réussite avaient semblablement servi ou découvert, mais non créé.

« Nous allons établir devant toi les relations entre les lignes d'une figure. Or si nous pouvons transgresser tes lois, par contre il ne t'est point possible de t'affranchir des nôtres. Tu dois nous prendre pour ministres, nous qui savons. »

Je me taisais, réfléchissant sur la sottise. Ils se méprirent sur mon silence et hésitèrent :

« Car nous désirons d'abord te servir », dirent-ils.

Je répondis donc :

« Vous prétendez ne point créer et c'est heureux. Car qui est bigle crée des bigles. Les outres pleines d'air ne créent que du vent. Et si vous fondiez des royaumes, le respect d'une logique qui ne s'applique qu'à l'histoire déjà révolue, à la statue déjà fondée et à l'organe mort, les créerait soumis par avance au sabre barbare.

« On découvrit une fois les traces d'un homme qui, ayant à l'aube quitté sa tente en direction de la mer, marcha jusqu'à la falaise qui était verticale et se laissa choir. Il était là des logiciens qui se penchèrent sur les signes et connurent la vérité. Car aucun chaînon ne manquait à la chaîne des événements. Les pas se succédaient les uns aux autres, il n'en était aucun que le précédent n'autorisât En remontant les pas de conséquence à cause on ramenait le mort vers sa tente. En descendant les pas de cause à conséquence on le renforçait dans sa mort.

— Nous avons tout compris », s'écrièrent les logiciens qui, les uns les autres, se congratulèrent.

Et moi j'estimais que comprendre c'eût été connaître, comme il se trouvait que je connusse, un certain sourire plus fragile qu'une eau dormante puisqu'il eût suffi d'une simple pensée pour le ternir, et qui peut-être en cet instant n'existait point puisque d'un visage endormi, et

qui justement n'était point d'ici mais de la tente d'un étranger située à cent jours de marche.

Car la création est d'une autre essence que l'objet créé, s'évade des marques qu'elle laisse derrière elle, et ne se lit jamais dans aucun signe. Toujours ces marques, toujours ces traces et toujours ces signes tu les découvriras qui découlent les uns des autres. Car l'ombre de toute création sur le mur des réalités est logique pure. Mais cette découverte évidente n'empêchera point que tu sois stupide.

Comme ils n'étaient point convaincus je poursuivis dans ma bonté pour les instruire :

« Il était une fois un alchimiste qui étudiait les mystères de la vie. Il se fit que de ses cornues, de ses alambics, de ses drogues il retira un minuscule fragment de pâte vivante. Les logiciens donc accoururent. Ils recommencèrent l'expérience, mêlèrent les drogues, soufflèrent le feu sous les cornues et dégagèrent une autre cellule de chair. Et ils s'en furent en proclamant qu'il n'était plus de mystère de la vie. La vie n'était que conséquence naturelle de cause en effet et d'effet en cause, de l'action du feu sur les drogues et des drogues les unes sur les autres, lesquelles ne sont point d'abord vivantes. Les logiciens comme toujours avaient parfaitement compris. Car la création est d'une autre essence que l'objet créé qu'elle domine, ne laisse point de traces dans les signes. Et le créateur s'évade toujours de sa création. Et la trace qu'il laisse est logique pure. Et moi, plus humblement, je fus m'instruire auprès du géomètre mon ami : « Que vois-tu là, dit-il, de neuf sinon que la vie ensemence la vie ? » La vie ne fût point apparue sans la conscience de l'alchimiste, lequel, à ma connaissance, vivait. On l'oublie car, comme toujours, il s'est retiré de sa création. Ainsi toi-même quand tu as conduit l'autre sur le sommet de ta montagne d'où sont ordonnés les problèmes, cette montagne devient vérité en dehors de toi qui le laisses seul. Et nul ne se demande d'où vient que tu aies choisi cette montagne puisque simplement on s'y trouve et qu'il faut bien que l'on soit quelque part. »

Mais comme ils murmuraient, car les logiciens ne sont point logiques :

« Prétentieux que vous êtes, leur dis-je, qui suivez la danse des ombres sur les murs avec l'illusion de connaître, qui lisez pas à pas les propositions de géométrie sans concevoir qu'il fut quelqu'un qui marcha pour les établir, qui lisez les traces dans le sable sans découvrir qu'il fut quelqu'un ailleurs qui refusa d'aimer, qui lisez l'ascension de la vie à partir des matériaux sans connaître qu'il fut quelqu'un qui réfuta et qui choisit, ne venez pas auprès de moi, vous les esclaves, armés de votre marteau à clous, feindre d'avoir conçu et lancé le navire.

« Celui-là qui était seul de son espèce et qui

est mort, je l'eusse certes assis à mes côtés s'il l'eût souhaité afin qu'auprès de moi il gouvernât les hommes. Car celui-là venait de Dieu. Et son langage savait me découvrir cette bien-aimée lointaine qui, n'étant point de l'essence du sable, n'y était point d'emblée possible à lire.

« De mélanges possibles en nombre infini il savait élire celui-là que nulle réussite ne distinguait encore et qui cependant seul conduisait quelque part. Quand, faute de fil conducteur dans le labyrinthe des montagnes, nul ne peut progresser par déduction, car ton chemin tu connais qu'il échoue à l'instant seulement où se montre l'abîme, et qu'ainsi le versant opposé est encore ignoré des hommes, alors parfois se propose ce guide qui, comme s'il revenait de là-bas, te trace la route. Mais une fois parcourue, cette route demeure tracée et t'apparaît comme évidente. Et tu oublies le miracle d'une démarche qui fut semblable à un retour. »

LXXIX

Vint celui-là qui contredit mon père :
« Le bonheur des hommes... », disait-il.

Mon père lui coupa la parole :

« Ne prononce point ce mot chez moi. Je goûte les mots qui portent en eux leur poids d'entrailles, mais rejette les écorces vides.

— Cependant, lui dit l'autre, si toi, chef d'un empire, tu ne te préoccupes point le premier du bonheur des hommes…

— Je ne me préoccupe point, répondit mon père, de courir après le vent pour en faire des provisions, car, si je le tiens immobile, le vent n'est plus.

LXXX

Je me souvins de ce que mon père avait dit ailleurs : « Pour bâtir l'oranger je me sers d'engrais et de fumier et de coups de pioche dans la terre et je tranche aussi à travers les branches. Et ainsi monte un arbre qui est susceptible de porter des fleurs. Et moi, le jardinier, je retourne la terre sans me préoccuper des fleurs ni du bonheur, car pour que soit un arbre fleuri, il faut d'abord que soit un arbre et pour que soit un homme heureux, il faut d'abord que soit un homme. »

Mais l'autre l'interrogea encore :

« Si ce n'est point vers le bonheur que courent les hommes, vers quoi courent-ils ?

— Eh ! dit mon père, je te le montrerai plus tard.

« Mais je remarquerai d'abord qu'à constater que la joie souvent couronne l'effort et la victoire, tu en fais découler en logicien stupide que les hommes luttaient en vue du bonheur. À quoi je répondrai que la mort couronnant la vie, les hommes n'ont qu'un souhait qui est la mort. Et ainsi usons-nous de mots qui sont méduses sans vertèbres. Et moi je te dis qu'il est des hommes heureux et qui sacrifient leur bonheur pour partir en guerre.

— C'est qu'ils trouvent dans l'accomplissement de leur devoir une forme plus haute de bonheur...

— Je refuse de parler avec toi si tu ne remplis pas tes mots d'une signification qui saurait être ou confirmée ou démentie. Je ne saurais lutter contre cette gelée qui change de forme. Car si le bonheur est aussi bien surprise du premier amour que vomissement de la mort lorsqu'une balle au ventre te rend le puits inaccessible, comment veux-tu que je confronte tes affirmations avec la vie ? Tu n'as rien affirmé sinon que les hommes cherchent ce qu'ils cherchent et courent ce qu'ils courent. Tu ne risques point d'être contredit et je n'ai que faire de tes vérités invulnérables.

« Tu parles comme on jongle. Et si tu renonces à soutenir ta baliverne, si tu renonces à expliquer par le goût du bonheur le départ des hommes pour la guerre, et si tu tiens quand même à m'affirmer que le bonheur explique tout du comportement de l'homme, je t'entends d'avance me prétendre que les départs en guerre s'expliquent par des mouvements de folie. Mais là encore j'exige que tu te compromettes, en m'éclairant d'abord les mots dont tu uses. Car si tu nommes fou celui-là, par exemple, qui verse l'écume ou marche exclusivement sur la tête, ayant observé les soldats qui vont à la guerre sur leurs deux pieds, je ne saurai point me satisfaire.

« Mais il se trouve que tu n'as point de langage pour me dire ce vers quoi s'efforcent les hommes. Ni ce vers quoi je me dois de les conduire. Et tu uses de vases trop maigres, tels que la folie ou le bonheur, dans l'espoir vain d'y enfermer la vie. À la façon de cet enfant qui, usant d'une pelle et d'un seau au pied de l'Atlas, prétendait déplacer la montagne.

— Alors, instruis-moi », souhaita l'autre.

LXXXI

Si tu te détermines non pour un mouvement de ton esprit ou de ton cœur mais pour des motifs énonçables et entièrement contenus dans l'énoncé, alors je te renie.

C'est que tes mots ne sont point signe d'autre chose à la façon du nom de ton épouse qui signifie mais qui ne contient rien. Tu ne peux raisonner sur un nom car le poids est ailleurs. Et il ne te vient pas à l'esprit de me dire : « Son nom enseigne qu'elle est belle… »

Comment voudrais-tu donc qu'un raisonnement sur la vie pût se suffire à lui-même ? Et s'il est autre chose au-dessous comme caution il se pourrait qu'une telle caution se fût faite plus lourde sous un raisonnement moins brillant. Et peu m'importe de comparer entre eux le bonheur de formules. La vie, c'est ce qui est.

Si donc le langage par lequel tu me communiques tes raisons d'agir est autre chose que le poème qui doit me charrier de toi une note profonde, s'il ne couvre rien d'informulable mais dont tu prétendes me charger, alors je te refuse.

Si tu changes ton comportement non pour un visage apparu qui fonde ton nouvel amour mais pour un faible tremblement de l'air qui ne charrie que logique stérile et sans poids, alors je te refuse.

Car on ne meurt point pour le signe mais pour la caution du signe. Laquelle impose, si tu veux l'exprimer, ou commencer de l'exprimer, le poids des livres de toutes les bibliothèques de la terre. Car ce que j'ai saisi si simplement dans ma capture je ne puis point te l'énoncer. Car il faut bien que tu aies toi-même marché pour recevoir dans son plein sens la montagne de mon poème. Et de combien de mots, pendant combien d'années, ne faudrait-il pas que j'use si je désirais transporter la montagne en toi qui n'as jamais quitté la mer ?

Et la fontaine, si tu n'as jamais eu soif et n'as jamais l'une contre l'autre serré les mains, les offrant pour recevoir. Je puis bien chanter les fontaines : où est l'expérience que je mets en marche et les muscles que réveilleront tes souvenirs ?

Je sais bien qu'il ne s'agissait pas de te parler d'abord des fontaines. Mais de Dieu. Mais pour que mon langage morde et puisse me devenir et te devenir opération, il faut bien qu'il accroche en toi quelque chose. C'est pourquoi, si je désire t'enseigner Dieu, je t'enverrai d'abord gravir des montagnes afin que crête d'étoiles ait pour toi sa pleine tentation. Je t'enverrai mourir de soif dans les déserts afin que fontaines te puissent enchanter. Puis je t'enverrai six mois rompre des pierres afin que soleil de midi t'anéantisse. Après quoi je te dirai : « Celui-là qu'a vidé le soleil de midi, c'est dans le secret de la nuit venue qu'ayant gravi la crête d'étoiles, il s'abreuve au silence des divines fontaines. »

Et tu croiras en Dieu.

Et tu ne pourras me le nier puisque simplement il sera, comme est la mélancolie dans le visage si je l'ai sculptée.

Car il n'est point langage ou acte mais deux aspects du même Dieu. C'est pourquoi je dis prière le labeur, et labour, la méditation.

LXXXVII

Tu ne recevras point de signe car la marque de la divinité dont tu désires un signe c'est le silence même. Et les pierres ne savent rien du temple qu'elles composent et n'en peuvent rien savoir. Ni le morceau d'écorce, de l'arbre qu'il compose avec d'autres. Ni l'arbre lui-même, ou telle demeure, du domaine qu'ils composent avec d'autres. Ni toi de Dieu. Car il faudrait que le temple apparût à la pierre ou l'arbre à l'écorce, ce qui n'a point de sens car il n'est point pour la pierre de langage où le recevoir. Le langage est de l'échelle de l'arbre.

Ce fut ma découverte après ce voyage vers Dieu.

Toujours seul, enfermé en moi en face de moi. Et je n'ai point d'espoir de sortir par moi de ma solitude. La pierre n'a point d'espoir d'être autre chose que pierre. Mais, de collaborer, elle s'assemble et devient temple.

L'apparition de l'archange je n'ai plus l'espoir d'y prétendre car ou bien il est invisible ou bien il n'est pas. Et ceux qui espèrent un signe de Dieu c'est qu'ils en font un reflet de miroir et n'y découvriraient rien qu'eux-mêmes. Mais me vient, d'épouser mon peuple, la chaleur qui me transfigure. Et cela est marque de Dieu. Car une fois fait le silence, il est vrai pour toutes les pierres.

Donc moi-même, hors de toutes communautés, je ne suis rien qui compte et ne saurais me satisfaire.

Donc laissez-vous être grain de blé pour l'hiver dans la grange, et y dormir.

LXXXVIII

Ce refus d'être transcendés :

« Moi », disent-ils.

Et ils se frappent le ventre. Comme s'il était quelqu'un en eux, par eux. Ainsi des pierres du temple qui diraient : « Moi, moi, moi… »

De même ceux-là que je condamnais à extraire les diamants. La sueur, les ahans, l'abrutissement devenaient diamants et lumière. Et ils existaient par le diamant qui était leur signification. Mais vint le jour où ils se révoltèrent. « Moi, moi, moi ! » disaient-ils. Voici qu'ils refusaient de se soumettre au diamant. Ils ne voulaient plus devenir. Mais se sentir honorés pour eux-mêmes. Au lieu du diamant ils se proposaient eux-mêmes pour modèle. Ils étaient laids car ils sont beaux en le diamant. Car les pierres sont belles en le temple. Car l'arbre est beau en le domaine. Car le fleuve est beau en l'empire. Et l'on chante le fleuve : « Toi, le nourricier de nos troupeaux, toi le sang lent de nos plaines, toi le conducteur de nos navires… »

Mais ceux-là s'estimaient comme but et comme fin, et ne s'intéressant plus désormais qu'à ce qui les servait, non à plus haut qu'eux-mêmes qu'ils eussent servi.

Et c'est pourquoi ils massacrèrent les princes, écrasèrent en poudre les diamants pour les partager entre eux tous, enfouirent dans les cachots ceux qui, chercheurs de vérités, eussent pu un jour les dominer. « Il est temps, disaient-ils, que le temple serve les pierres. » Et tous ils s'en allaient enrichis, pensaient-ils, de leurs morceaux de temple, mais dépossédés de leur part divine et devenus simples gravats !

LXXXIX

Et cependant tu interroges :

« Où commence l'esclavage, où finit-il, où commence l'universel, où finit-il ? Et les droits de l'homme où commencent-ils ? Car je connais les droits du temple qui est sens des pierres et les droits de l'empire qui est sens des hommes et les droits du poème qui est sens des mots. Mais je ne reconnais point les droits des pierres contre le temple, ni les droits des mots contre le poème, ni les droits de l'homme contre l'empire. »

Il n'est point d'égoïsme vrai mais mutilation. Et celui-là qui s'en va tout seul disant : « Moi, moi, moi... », il est comme absent du royaume. Ainsi la pierre hors du temple ou le mot sec hors du poème ou tel fragment de chair qui ne fait point partie d'un corps.

« Mais, lui dit-on, je puis supprimer les empires et unir les hommes en un seul temple, et voilà qu'ils reçoivent leur sens d'un temple plus vaste...

— C'est que tu ne comprends rien, répondit mon père. Car ces pierres-là tu les vois d'abord qui composent un bras et y reçoivent leur sens. D'autres une gorge et d'autres une aile. Mais ensemble elles composent un ange de pierre. Et d'autres, ensemble, composent une ogive. Et d'autres ensemble une colonne. Et maintenant si tu prends ces anges de pierre, ces ogives et ces colonnes, tous ensemble composent un temple. Et maintenant si tu prends tous les temples, ils composent la ville sainte qui te gouverne dans ta marche dans le désert. Et prétends-tu qu'au lieu de soumettre les pierres au bras, à la gorge, et à l'aile d'une statue, puis à travers les statues au temple, puis à travers les temples à la ville sainte, il te soit plus profitable de soumettre d'emblée des pierres à cette ville sainte et en faisant un grand tas uniforme, comme si le rayonnement de la ville sainte, lequel est un, ne naissait point de cette diversité. Comme si le rayonnement de la colonne, lequel est un, ne naissait pas du chapiteau, du fût et du socle, lesquels sont divers. Car plus la vérité est haute, plus tu dois observer de haut pour la saisir. La vie est une, de même que la pente vers la mer, et cependant d'étage en étage se diversifie, déléguant son pouvoir d'Être en Être comme d'échelon en échelon. Car ce voilier est un, bien qu'assemblage divers. Car, de plus près, tu y découvres des voiles, des mâts, une proue, une coque, une étrave. De plus près encore, ayant chacun d'eux des cordes, des éclisses, des planches et des clous. Et chacun d'eux encore plus loin se décompose.

« Et mon empire n'a point de signification ni de vie véritable, ni les parades de soldats au garde-à-vous, comme de la ville simple si elle n'est que pierres bien alignées. Mais d'abord ton foyer. Puis les foyers une famille. Puis les familles une tribu. Puis les tribus une province. Puis les provinces mon empire. Et cet empire tu le vois fervent et animé de l'est à l'ouest et du nord au sud, ainsi qu'un voilier en mer qui se nourrit de vent et l'organise vers un but qui ne varie pas, bien que le vent varie et bien que le voilier soit assemblage.

« Et maintenant tu peux le continuer, ton travail d'élévation, et prendre les empires pour en faire un navire plus vaste qui absorbe en lui les navires et les emporte dans une direction qui sera une, nourrie de vents divers et qui varient, sans que varie le cap de l'étrave dans les étoiles. Unifier, c'est nouer mieux les diversités particulières, non les effacer pour un ordre vain. »

(Mais il n'est point d'étage en soi. Tu en as dénommé quelques-uns. Tu eusses pu en dénommer d'autres qui eussent emboîté les premiers. Pas sûr.)

XC

Et voici cependant qu'il te vient de t'inquiéter, car tu as vu le mauvais tyran écraser les hommes. Et l'usurier les tenir dans son esclavage. Et quelquefois le bâtisseur de temples ne point servir Dieu mais se servir soi et tirer pour soi la sueur des hommes. Et il ne t'est pas apparu que les hommes en fussent grandis.

C'est que mauvaise était la démarche. Car il ne s'agit point de faire l'ascension, et au hasard des pierres qui le composent, d'en tirer le bras. Au hasard des membres l'ange de pierre. Au hasard des anges ou des colonnes ou des ogives le temple. Car tu es libre ainsi de t'arrêter à l'étage que tu souhaites. Il n'est point meilleur de soumettre les hommes au temple qu'au simple bras de la statue. Car ni le tyran, ni l'usurier, ni le bras, ni le temple n'ont qualité pour absorber les hommes et les enrichir en retour de leur propre enrichissement.

Ce ne sont point les matériaux de la terre qui s'organisent par hasard et font leur ascension dans l'arbre. Pour créer l'arbre, tu as jeté d'abord la graine où il dormait. Il est venu d'en haut et non d'en bas.

Ta pyramide n'a point de sens si elle ne s'achève en Dieu. Car celui-là se répand sur les hommes après les avoir transfigurés. Tu peux te sacrifier au prince si lui-même en Dieu se prosterne. Car alors ton bien te revient ayant changé de goût et d'essence. Et l'usurier ne sera point, ni le bras seul, ni le temple seul, ni la statue. Car d'où viendrait ce bras s'il n'est pas né d'un corps ? Le corps n'est point assemblage de membres. Mais de même que le voilier n'est point, au hasard de leur assemblage, un effet d'éléments divers, mais au contraire découle par diversités et contradictions apparentes de la seule pente vers la mer, laquelle est une, de même que le corps se diversifie en membres mais n'est point une somme, car on ne va point des matériaux à l'ensemble, mais comme te le dira tout créateur et tout jardinier et tout poète, de l'ensemble aux matériaux. Et qu'il me suffit d'enflammer les hommes de l'amour des tours qui dominent les sables pour que les esclaves des esclaves de mes architectes inventent le charroi des pierres et bien d'autres choses.

XCV

Le diamant est fruit de la sueur d'un peuple mais un peuple ainsi ayant sué, un diamant est devenu qui n'est point consommable ni divisible, et ne sert point chacun des travailleurs. Dois-je renoncer à la capture du diamant qui est étoile réveillée de la terre ? Du quartier de mes ciseleurs si j'extirpe les ciseleurs qui cisèlent des aiguières en or, lesquelles ne sont point non plus divisibles puisque chacune coûte une vie et que tandis que celui-là la cisèle il faut bien que je le nourrisse d'un froment cultivé ailleurs — et que, si je l'envoie à son tour labourer la terre il ne sera plus d'aiguière d'or mais une charge plus lourde de froment à distribuer — vas-tu me prétendre qu'il soit de la noblesse de l'homme de ne pas extraire le diamant et de ne plus ciseler l'objet d'or ? Où vois-tu que l'homme en soit enrichi ? Que m'importe le destin du diamant ? J'accepterai à la rigueur, pour plaire à la jalousie de la multitude, de brûler une fois l'an tous ceux que j'aurai récoltés, car ainsi ils bénéficieront d'un jour de fête, ou encore d'inventer une reine que je chargerai de leur éclat et ainsi ils posséderont une reine endiamantée. Et ainsi l'éclat de la reine ou la chaleur de la fête, en retour se répandra sur eux. Mais où vois-tu qu'ils soient plus riches de les enfermer dans leur musée, ces diamants, qui là non plus ne serviront de rien dans l'instant à personne, sauf à quelques oisifs stupides, et n'ennobliront qu'un gardien grossier et lourd ?

Car il te faudra bien admettre que seul vaut ce qui a coûté du temps aux hommes, comme du temple. Et que la gloire de mon empire, dont chacun recevra sa part, ne découle que du diamant que je les contrains d'extraire et de la reine que j'en aurai ornée.

Car je ne connais qu'une liberté qui est exercice de l'âme. Et non l'autre qui n'est que risible, car te voilà contraint quand même de chercher la porte pour franchir les murs et tu n'es point libre d'être jeune ni d'user du soleil la nuit. Si je t'oblige de choisir cette porte plutôt que l'autre, tu te plaindras de ma brimade, quand tu n'as point vu, s'il n'est qu'une porte, que tu subissais la même contrainte. Et si je te refuse le droit d'épouser celle-là qui te semble belle, tu te plaindras de ma tyrannie, quand tu n'as point remarqué, faute d'en avoir connu une autre, que dans ton village toutes étaient bigles.

Mais celle-là que tu épouseras, comme je l'ai contrainte de devenir et qu'à toi aussi j'ai forgé une âme, vous userez tous deux de la seule liberté qui ait un sens et qui est exercice de l'esprit.

Car la licence t'efface et selon les paroles de mon père : « Ce n'est point être libre que de n'être pas. »

XCVI

Car je te parlerai un jour de la nécessité ou de l'absolu qui est nœud divin qui noue les choses.

Car impossible il est de jouer dans le pathétique au jeu de dés si les dés ne signifient rien. Et celui-là que j'envoie par ordre sur la mer, si elle se montre orageuse et qu'avant de s'y embarquer il en prend connaissance par un vaste regard, et que les nuages lourds il les pèse comme adversaires, et que cette houle il la mesure, et que ce fléchissement du vent il le respire, toutes ces choses pour lui retentiront les unes sur les autres et, de par la nécessité qui est mon ordre, à quoi il n'y a rien à répondre, il ne sera plus pour lui spectacle disparate de foire mais basilique construite et moi comme clef de voûte pour établir sa permanence. Ainsi celui-là sera-t-il magnifique quand il entrera, déléguant à son tour ses ordres dans le cérémonial du navire.

Mais tel autre, hors de moi, s'il prétend visiter la mer en promeneur et qu'il y peut errer comme il le souhaite et se résoudre selon sa propre pente au demi-tour, il n'a point accès à la basilique et ces nuages lourds ne lui sont point épreuve mais guère plus importants que d'une toile peinte, et ce vent qui fraîchit n'est point transformation du monde mais faible caresse sur la chair, et cette houle qui se creuse n'est que fatigue pour son ventre.

Et c'est pourquoi ce que j'appellerai devoir, qui est nœud divin qui noue les choses, ne te construira ton empire, ton temple, ou ton domaine que s'il se montre à toi comme absolue nécessité et non comme jeu dont les règles seraient changeantes.

« Tu reconnaîtras un devoir, disait mon père, à ce que d'abord il n'est point de toi de le choisir. »

C'est pourquoi se trompent ceux-là qui cherchent à plaire. Et pour plaire se font malléables et ductiles. Et répondent d'avance aux désirs. Et trahissent en toute chose afin d'être comme on les souhaite. Mais qu'ai-je affaire de ces méduses qui n'ont ni os ni forme ? Je les vomis et les rends à leurs nébuleuses : venez me voir quand vous serez bâtis.

Ainsi les femmes elles-mêmes se lassent-elles de qui les aime quand celui-là pour montrer son amour accepte de se faire écho et miroir, car nul n'a besoin de sa propre image. Mais j'ai besoin de toi qui es bâti en forteresse avec ton noyau que je rencontre. Assieds-toi car tu existes.

Celui-là qui est d'un empire, la femme l'épouse et se fait servante.

XCVII

Me vinrent donc ces remarques sur la liberté.

Quand mon père mort devint montagne et barra l'horizon des hommes, se réveillèrent les logiciens, les historiens et les critiques, tous enflés du vent de paroles qu'il leur avait fait ravaler, et ils découvrirent que l'homme était beau.

Il était beau puisque mon père l'avait fondé.

« Puisque l'homme est beau, s'écrièrent-ils, il convient de le délivrer. Et il s'épanouira en toute liberté, et toute action de lui sera merveille. Car on brime sa splendeur. »

Et moi qui vais le soir dans mes plantations d'orangers dont on redresse les troncs et taille les branches, je pourrais dire : « Mes orangers sont beaux et lourds d'oranges. Alors pourquoi trancher ces branches qui eussent aussi formé des fruits ? Il convient de délivrer l'arbre. Et il s'épanouira en toute liberté. Car il se trouve que l'on brime sa splendeur. »

Donc ils délivrèrent l'homme. Et l'homme se tint droit car il avait été taillé droit. Et quand se montrèrent les gendarmes qui s'efforçaient, non par respect de la matrice irremplaçable mais par besoin vulgaire de domination, de les faire rentrer dans leur contrainte, ces hommes brimés dans leur splendeur se révoltèrent. Et le goût de la liberté les embrasa d'un bout à l'autre du territoire comme un incendie. Il s'agissait pour eux de la liberté d'être beaux. Et quand ils mouraient pour la liberté, ils mouraient pour leur propre beauté et leur mort était belle.

Et le mot liberté sonnait plus pur que le clairon.

Mais je me souvenais des paroles de mon père :

« Leur liberté, c'est la liberté de n'être point. »

Car voici que, de conséquence en conséquence, ils devinrent cohue de place publique. Car si tu décides selon toi et si ton voisin décide, de même les actes dans leur somme se détruisent. Si chacun peint le même objet selon son goût, l'un badigeonne en rouge, l'autre en bleu, l'autre en ocre, et l'objet n'a plus de couleur. Si la procession s'organise et que chacun choisisse sa direction, la folie souffle cette poussière et il n'est plus de procession. Si ton pouvoir tu le divises et le distribues entre tous, tu n'en retires pas le renforcement mais la dissolution de ce pouvoir. Et si chacun choisit l'emplacement du temple et apporte sa pierre où il veut, alors tu trouves une plaine pierreuse au lieu d'un temple. Car la création est une et ton arbre n'est explosion que d'une seule graine. Et certes cet arbre est injuste car les autres graines ne germeront point.

Car le pouvoir, s'il est amour de la domination, je le juge ambition stupide. Mais s'il est acte de créateur et exercice de la création, s'il va contre la pente naturelle qui est que se mélangent les matériaux, que se fondent les glaciers en mare, que s'effritent les temples contre le temps, que se disperse en molle tiédeur la chaleur du soleil, que se brouillent quand l'usure les défait les pages du livre, que se confondent et s'abâtardissent les langages, que s'égalisent les puissances, que s'équilibrent les efforts et que toute construction née du nœud divin qui noue les choses se rompe en somme incohérente, alors ce pouvoir je le célèbre. Car il en est comme du cèdre qui aspire la rocaille du désert, plonge des racines dans un sol où les sucs n'ont point de saveur, capture dans ses branches un soleil qui s'irait mêler à la glace et pourrir avec elle et qui, dans le désert désormais immuable, où tout peu à peu s'est distribué, aplani et équilibré, commence de bâtir l'injustice de l'arbre qui transcende roc et rocaille, développe au soleil un temple, chante dans le vent comme une harpe et rétablit le mouvement dans l'immobile.

Car la vie est structure, lignes de force et injustice. Que fais-tu s'il est des enfants qui s'ennuient, sinon de leur imposer tes contraintes, lesquelles sont règles d'un jeu, après quoi tu les vois courir.

Donc vinrent les temps où la liberté, faute d'objets à délivrer, ne fut plus que partage de provisions dans une égalité haineuse.

Car dans ta liberté tu heurtes le voisin et il te heurte. Et l'état de repos que tu trouves c'est l'état de billes mêlées quand elles ont cessé de se mouvoir. La liberté ainsi mène à l'égalité et l'égalité mène à l'équilibre qui est la mort. N'est-il pas préférable que la vie te gouverne et que tu te heurtes comme à des obstacles aux lignes de force de l'arbre qui vient ? Car la seule contrainte qui te brime et qu'il importe que tu haïsses se montre dans la hargne de ton voisin, la jalousie de ton égal, l'égalité avec la brute. Elles t'engloutiront dans la tourbe morte, mais si stupide est le vent des paroles que vous parlez de tyrannie si vous êtes ascension d'un arbre.

Donc vinrent les temps où la liberté ne fut plus la liberté de la beauté de l'homme mais expression de la masse, l'homme nécessairement s'y étant fondu, laquelle masse n'est point libre car elle n'a point de direction mais pèse simplement et demeure assise. Ce qui n'empêchait pas que l'on dénommât liberté cette liberté de croupir et justice ce croupissement.

Vint le temps où le mot liberté, qui singeait encore l'appel d'un clairon, se vida de son pathétique, les hommes rêvant confusément d'un clairon neuf qui les eût réveillés et les eût contraints de bâtir.

Car seul est beau le chant du clairon qui t'arrache au sommeil.

Mais la contrainte valable est exclusivement celle qui te soumet au temple selon ta signification, car ne sont point libres les pierres où bon leur semble, ou alors il n'est rien à quoi elles donnent et dont elles reçoivent signification. Elle est de te soumettre au clairon quand il soulève et fait surgir de toi plus grand que toi. Et ceux-là qui mouraient pour la liberté quand elle était visage d'eux-mêmes plus grand qu'eux et démarche pour leur propre beauté, s'étant soumis à cette beauté, acceptaient des contraintes, et se levaient la nuit à l'appel du clairon, non libres de continuer de dormir ni de caresser leurs femmes, mais gouvernés, et peu m'importe de connaître, puisque te voilà obligé, si le gendarme est au-dedans ou au-dehors.

Et s'il est au-dedans je sais qu'il fut d'abord dehors, de même que ton sens de l'honneur vient de ce que la rigueur de ton père t'a fait pousser d'abord selon l'honneur.

Et si par contrainte j'entends le contraire de la licence, laquelle est de tricher, je ne souhaite point qu'elle soit l'effet de ma police, car j'ai observé, en me promenant, dans le silence de mon amour ces enfants dont je te parlais, soumis aux règles de leur jeu, et ne trichant point sans honte. Et c'est qu'ils connaissaient le visage du jeu. Et je dis visage ce qui naît d'un jeu. Leur ferveur, leur plaisir des problèmes dénoués, leur jeune audace, un ensemble dont le goût est de ce jeu-là et non d'un autre, un certain dieu qui les fait ainsi devenir, car nul jeu ne te pétrit de même, et tu changes de jeu pour te changer. Mais si te voilà qui t'observes grand et noble dans ce jeu-là, tu découvres, s'il t'arrive de tricher, que précisément tu détruis ce pour quoi tu jouais. Cette grandeur et cette noblesse. Et te voilà contraint par l'amour d'un visage.

Car le gendarme, ce qu'il fonde, c'est ta ressemblance avec l'autre. Comment verrait-il plus haut ? L'ordre pour lui c'est l'ordre du musée où l'on aligne. Mais je ne fonde pas l'unité de l'empire sur ce que tu ressembles à ton voisin. Mais sur ce que ton voisin et toi-même, comme la colonne et la statue dans le temple, se fondent dans l'empire, lequel seul est un.

Ma contrainte est cérémonial de l'amour.

C

Si donc tu emprisonnes selon une idée préconçue et s'il se trouve que tu en emprisonnes beaucoup (et peut-être les pourrais-tu emprisonner tous, car tous charrient une part de ce que tu condamnes, comme le serait d'emprisonner les désirs illégitimes, et des saints eux-mêmes iraient en prison), c'est que ton idée préconçue est mauvais point de vue pour juger des hommes, montagne interdite et sanglante qui départage mal et te force d'agir contre l'homme lui-même. Car celui-là que tu condamnes, sa belle part pourrait être grande. Or, il se trouve que tu l'écrases.

Et si tes gendarmes, lesquels nécessairement sont stupides, et agents aveugles de tes ordres et de par leur fonction à laquelle tu ne demandes point d'intuition mais bien au contraire refuses ce droit, car il s'agit pour eux, non de saisir et de juger mais de distinguer selon tes signes, si tes gendarmes reçoivent pour consigne de classer en noir et non en blanc — car il n'est pour eux que deux couleurs — celui-là par exemple qui fredonne quand il est seul ou doute quelquefois de Dieu ou bâille au travail de la terre ou en quelque sorte pense, agit, aime, hait, admire ou méprise quoi que ce soit, alors s'ouvre le siècle abominable où d'abord te voilà plongé dans un peuple de trahison dont tu ne sauras point trancher assez de têtes, et ta foule sera foule de suspects, et ton peuple d'espions, car tu as choisi un mode de partage qui passe non en dehors des hommes, ce qui te permettrait de ranger les uns à droite et les autres à gauche, opérant ainsi œuvre de clarté, mais à travers l'homme lui-même, le divisant d'avec lui-même, le faisant espion de soi-même, suspect de soi-même, traître de soi-même, car il est de chacun de douter de Dieu par les nuits chaudes. Car il est de chacun de fredonner dans la solitude ou de bâiller au travail de la terre, ou à certaines heures, de penser, agir, aimer, haïr, admirer ou mépriser quoi que ce soit au monde. Car l'homme vit. Et seul t'apparaîtrait comme saint, sauvé et souhaitable celui dont les idées seraient d'un ridicule bazar et non mouvements de son cœur.

Et comme tu demandes à tes gendarmes de dépister de l'homme ce qui est de l'homme lui-même et non de tel ou tel, ils y mettront leur zèle, le découvriront de chacun, puisqu'il s'y trouve, s'épouvanteront des progrès du mal, t'épouvanteront par leurs rapports, te feront partager leur foi en l'urgence de la répression et, quand ils t'auront converti, te feront bâtir des cachots pour y enfermer ton peuple entier. Jusqu'au jour où tu seras bien obligé, puisque eux aussi sont des hommes, de les y enfermer eux-mêmes.

Et si tu veux un jour que des paysans labourent tes terres dans la bonté de leur soleil, que des sculpteurs sculptent leurs pierres, que des géomètres fondent leurs figures, il te faudra bien changer de montagne. Et, selon la montagne choisie, tes bagnards deviendront tes saints, et tu élèveras des statues à celui-là que tu condamnais à casser des pierres.

CI

Me vint donc la notion de pillage à quoi j'avais toujours pensé mais sans que Dieu m'eût éclairé sur elle. Et certes je savais qu'est pillard celui-là qui brise le style en profondeur pour en tirer des effets qui le servent, effets louables en soi car il est du style de te les permettre, lequel est fondé pour que les hommes y puissent charrier leurs mouvements intérieurs. Mais il se trouve que tu brises ton véhicule sous prétexte de véhiculer, à la façon de celui-là qui tue son âne par des charges qu'il ne saurait supporter. Alors que par des charges bien mesurées tu l'exerces au travail et qu'il travaillera d'autant mieux qu'il travaille déjà. Donc celui qui écrit contre les règles je l'expulse. Qu'il se débrouille pour s'exprimer selon les règles car alors seulement il fonde les règles.

Or il se trouve que l'exercice de la liberté, quand elle est liberté de la beauté de l'homme, est pillage comme d'une réserve. Et certes ne sert de rien une réserve qui dort et une beauté due à la qualité de la matrice mais que tu ne sortiras jamais du moule pour l'exposer à la lumière. Il est beau de fonder des greniers où s'engrangent les graines. Ils n'ont de sens pourtant que si ces graines tu les y puises pour les disperser en hiver. Et le sens du grenier c'est le contraire du grenier qui est ce lieu-là où tu fais rentrer. Il devient le lieu dont tu fais sortir. Mais un langage maladroit est seul cause de la contradiction, car entrer ou sortir sont mots qui se tirent la langue quand il s'agissait simplement de dire non : « Ce grenier est lieu où je fais rentrer » à quoi cet autre logicien te répondra avec raison : « C'est le lieu dont je fais sortir », quand tu dominais leur vent de paroles, absorbais leurs contradictions et fondais la signification du grenier en le disant escale des graines.

Aussi ma liberté n'est que l'usage des fruits de ma contrainte, qui a seul pouvoir de fonder quelque chose qui mérite d'être délivré. Et celui-là que je vois libre dans les supplices puisqu'il refuse d'abjurer, et puisqu'il résiste en soi-même aux ordres du tyran et de ses bourreaux, celui-là, je le dis libre, et l'autre qui résiste aux passions vulgaires je le dis libre aussi, car je ne puis juger comme libre celui qui se fait l'esclave de toute sollicitation quand bien même ils appellent liberté, la liberté de se faire esclaves.

Car si je fonde l'homme, je délivre de lui des démarches d'homme, si je fonde le poète je délivre des poèmes, et si je fais de toi un archange je délivre des paroles ailées et des pas sûrs comme d'un danseur.

CIII

Mes gardes-chiourme en savent plus long sur les hommes que n'en savent mes géomètres. Fais-les agir et tu jugeras. Ainsi du gouvernement de mon empire. Je puis bien hésiter entre les généraux et les gardes-chiourme. Mais non entre ceux-là et les géomètres.

Car il ne s'agit point de connaître les mesures ni de confondre l'art des mesures avec la sagesse, « connaissance de la vérité », disent-ils. Oui. D'une vérité laquelle permet les mesures. Et certes tu peux maladroitement te servir de ce langage inefficace pour gouverner. Et tu prendras laborieusement des mesures abstraites et compliquées que tu eusses simplement pu prendre en sachant danser, ou surveiller les geôles. Car les prisonniers sont des enfants. Ainsi des hommes.

CIV

Ils assiégeaient mon père :

« Il est à nous de gouverner les hommes. Nous connaissons la vérité. »

Ainsi parlaient les commentateurs des géomètres de l'empire. Et mon père leur répondait :

« Vous connaissez la vérité des géomètres…

— Eh quoi ? n'est-ce pas la vérité ?

— Non », répondait mon père.

« Ils connaissent, me disait-il, la vérité de leurs triangles. D'autres connaissent la vérité du pain. Si tu le pétris mal il n'enfle pas. Si ton four est trop chaud il brûle. S'il est trop froid la pâte englue. Bien que de leurs mains sorte un pain craquant et qui te fait les dents joyeuses, les pétrisseurs de pain ne viennent cependant point solliciter de moi le gouvernement de l'empire.

— Peut-être dis-tu vrai des commentateurs des géomètres. Mais il est des historiens et des critiques. Ceux-là ont démontré les actes des hommes. Ils connaissent l'homme.

— Moi, dit mon père, je donne le gouvernement de l'empire à celui-là qui croit au diable. Car, depuis le temps qu'on le perfectionne, il débrouille assez bien l'obscur comportement des hommes. Mais certes le diable ne sert de rien pour expliquer des relations entre des lignes. C'est pourquoi je n'attends point des géomètres qu'ils me montrent le diable dans leurs triangles. Et rien de leurs triangles ne les peut aider à guider les hommes.

— Tu es obscur, lui dis-je, crois-tu donc au diable ?

— Non », dit mon père.

Mais il ajouta :

« Car que signifie croire ? Si je crois que l'été fait mûrir l'orge je ne dis rien qui soit fertile ni critiquable puisque j'ai d'abord dénommé été la saison où l'orge mûrit. Et ainsi des autres saisons. Mais si j'en tire des relations entre les saisons, comme de connaître que l'orge mûrit avant l'avoine, je croirai en ces relations puisqu'elles sont. Peu m'importent les objets reliés : je m en suis servi comme d'un filet pour saisir une proie. »

Et mon père ajoutait :

« Il en est ici comme de la statue. Imaginerais-

tu que pour le créateur il s'agisse de la description d'une bouche, d'un nez ou d'un menton ? Non, certes. Mais du seul retentissement de tels objets les uns sur les autres, lequel retentissement sera par exemple douleur humaine. Et lequel par ailleurs il est possible de te faire entendre car tu communiques non avec les objets mais avec les nœuds qui les nouent.

« Le sauvage croit seul, ajouta mon père, que le son est dans le tambour. Et il adore le tambour. Un autre croit que le son est dans les baguettes, et il adore les baguettes. Un dernier croit que le son est dans la puissance de son bras et tu le vois qui se pavane le bras en l'air. Tu reconnais, toi, qu'il n'est ni dans le tambour, ni dans les baguettes, ni dans les bras et tu dénommes vérité le tambourinage du tambourineur.

« Je refuse donc à la tête de mon empire les commentateurs des géomètres qui vénèrent comme idole ce qui a servi à bâtir et, de ce que les émeut un temple, adorent son pouvoir dans les pierres. Ceux-là me viendraient gouverner les hommes avec leurs vérités pour triangles.

Cependant je m'attristai :

« Il n'est donc point de vérité, dis-je à mon père.

— Si tu réussis à me formuler, m'expliqua-t-il en souriant, à quel souhait de la connaissance

une réponse est refusée, je pleurerai aussi sur l'infirmité qui nous entrave. Mais je ne conçois point l'objet que tu me prétendais saisir. Celui-là qui lit une lettre d'amour s'estime comblé quels que soient l'encre et le papier. Il ne cherchait l'amour ni dans le papier ni dans l'encre. »

CVIII

De ma visite à la sentinelle endormie.

Car il est bon que celle-là soit punie de mort. Puisque repose sur sa vigilance tant de sommeil au souffle lent, quand la vie t'alimente et se perpétue à travers toi, comme au creux d'une anse ignorée la palpitation des mers. Et les temples fermés, aux richesses sacerdotales lentement récoltées comme un miel, tant de sueur et de coups de ciseau et de coups de marteau et de pierres charriées, et d'yeux usés aux jeux d'aiguille dans les draps d'or, afin de les fleurir, et d'arrangements délicats sous l'invention de mains pieuses. Et les greniers aux provisions afin que l'hiver soit doux à subir. Et les livres sacrés dans les greniers de la sagesse où repose la caution de l'homme. Et les malades dont j'aide la mort en la faisant paisible dans la coutume parmi les leurs, et presque inaperçue de simplement déléguer plus loin l'héritage. Sentinelle, sentinelle, tu es sens des remparts lesquels sont gaine pour le corps fragile de la ville et l'empêchant de se répandre, car si quelque brèche les crève il n'est plus de sang pour le corps. Tu vas de long en large, d'abord ouvert à la rumeur d'un désert qui prépare ses armes et inlassablement te revient frapper comme la houle, et te pétrir et te durcir en même temps que te menacer. Car il n'est point à distinguer ce qui te ravage de ce qui te fonde, car c'est le même vent qui sculpte les dunes et les efface, le même flot qui sculpte la falaise et l'éboule, la même contrainte qui te sculpte l'âme ou l'abrutit, le même travail qui te fait vivre et t'en empêche, le même amour comblé qui te comble et te vide. Et ton ennemi c'est ta forme même car il t'oblige à te construire à l'intérieur de tes remparts, de même que l'on pourrait dire de la mer qu'elle est ennemie du navire, puisqu'elle est prête à l'absorber et puisque le navire est avant tout lutte contre elle, mais dont on peut dire aussi qu'elle est mur et limite et forme du même navire, puisque au cours des générations c'est la division des flots par l'étrave qui a peu à peu sculpté la carène, laquelle s'est faite plus harmonieuse pour s'y couler, et ainsi l'a fondée et l'a embellie. Puisqu'on peut dire que c'est le vent, lequel déchire les voiles, qui les a dessinées comme il dessina l'aile, et que sans ennemi tu

n'as ni forme ni mesure. Et que seraient les remparts s'il n'était point de sentinelle ?

C'est pourquoi donc celle-là qui dort fait que la ville est nue. Et c'est pourquoi l'on vient s'en saisir quand on la trouve, afin de la noyer dans son propre sommeil.

Or, voici qu'elle dormait la tête appuyée à la pierre plate et la bouche entrouverte. Et son visage était visage d'un enfant. Elle tenait encore son fusil pressé contre elle à la façon d'un jouet qu'on emporte dans le rêve. Et la considérant j'en eus pitié. Car j'ai pitié, par les nuits chaudes, de la défaillance des hommes.

Défaillance des sentinelles, c'est le barbare qui vous endort. Conquises par le désert et laissant les portes libres de tourner lentement sur leurs gonds d'huile dans le silence, pour que soit fécondée la ville quand elle est épuisée et qu'elle a besoin du barbare.

Sentinelle endormie. Avant-garde des ennemis. Déjà conquise, car ton sommeil est de ne plus être de la ville et bien nouée et permanente, mais d'attendre la mue, et de t'ouvrir à la semence.

Donc me vint l'image de la ville défaite à cause de ton simple sommeil car tout se noue en toi et s'y dénoue. Que tu es belle si tu veilles, oreille et regard de la ville… Et tellement noble de comprendre, dominant par ton simple amour l'intelligence des logiciens, car ils ne comprennent point la ville mais la divisent. Il est pour eux ici une prison, là un hôpital, là une maison de leurs amis et celle-là même ils la décomposent dans leur cœur, y voient cette chambre, puis une autre, puis l'autre. Et non point seulement les chambres mais de chacune cet objet-ci, cet objet-là, cet autre encore. Puis l'objet lui-même ils l'effacent. Et que feront-ils de ces matériaux dont ils ne veulent rien construire ?

Mais toi, sentinelle, si tu veilles, tu es en rapport avec la ville livrée aux étoiles. Ni cette maison, ni cette autre, ni cet hôpital, ni ce palais. Mais la ville. Ni cette plainte de mourant, ni ce cri de femme en gésine, ni ce gémissement d'amour, ni cet appel de nouveau-né, mais ce souffle divers d'un corps unique. Mais la ville. Ni cette veille de celui-là, ni ce sommeil de celui-ci, ni ce poème de cet autre, ni cette recherche de ce dernier, mais ce mélange de ferveur et de sommeil, ce feu sous les cendres de la Voie Lactée. Mais la ville. Sentinelle, sentinelle, l'oreille collée à la poitrine d'une bien-aimée, écoutant ce silence, ces repos et ces souffles divers qu'il importe de ne point diviser si l'on désire entendre, car c'est le battement d'un cœur. Lequel est battement du cœur. Et non rien d'autre.

Sentinelle, si tu veilles te voilà mon égale. Car la ville repose sur toi et sur la ville repose l'empire. Certes j'agrée que si je passe tu t'agenouilles, car ainsi vont les choses, et la sève de la racine vers le feuillage. Et il est bon que monte vers moi ton hommage car c'est circulation du sang dans l'empire, comme de l'amour du marié vers la mariée, comme du lait de la mère vers l'enfant, comme du respect de la jeunesse vers la vieillesse, mais où vas-tu me dire que quelqu'un reçoive quelque chose ? Car d'abord moi-même je te sers.

C'est pourquoi, de profil, quand tu t'appuies contre ton arme, ô mon égal en Dieu, car qui peut distinguer les pierres de la base et de la clef de voûte, et qui peut se montrer jaloux de l'une ou de l'autre ? C'est pourquoi j'ai le cœur qui me bat d'amour à te regarder sans que soit rien qui m'empêche de te faire saisir par mes hommes d'armes.

Car voilà que tu dors. Sentinelle endormie. Sentinelle morte. Et je te regarde avec épouvante car en toi dort et meurt l'empire. Je le vois malade à travers toi, car est mauvais ce signe, qu'il me délègue des sentinelles pour dormir…

« Certes, me dis-je, le bourreau fera son office et noiera celui-là dans son propre sommeil… » Mais me venait dans ma pitié un litige nouveau et inattendu. Car seuls les empires forts tranchent la tête des sentinelles endormies, mais ceux-là n'ont plus le droit de rien trancher qui ne délèguent plus que des sentinelles pour dormir. Car il importe de bien comprendre la rigueur. Ce n'est point en tranchant les têtes des sentinelles endormies que l'on réveille les empires, c'est quand les empires sont réveillés que sont tranchées les têtes des sentinelles endormies. Et ici encore tu confonds l'effet et la cause. Et de voir que les empires forts tranchent les têtes, tu veux créer ta force en les tranchant, et tu n'es qu'un bouffon sanguinaire.

Fonde l'amour et tu fondes la vigilance des sentinelles et la condamnation de celles-là qui dorment, car elles se sont d'elles-mêmes tranchées déjà d'avec l'empire.

Et tu n'as rien pour te dominer sinon la discipline qui te vient de ton caporal, lequel te surveille. Et les caporaux n'ont de discipline, s'ils doutent de soi, que celle qui leur vient de leurs sergents, lesquels les surveillent. Et les sergents des capitaines, lesquels les surveillent. Et ainsi jusqu'à moi, qui n'ai plus que Dieu pour me gouverner et qui demeure, si je doute, en porte à faux dans le désert.

Mais je veux te dire un secret et qui est celui de la permanence. Car si tu dors ta vie est suspendue. Mais elle est suspendue de même quand te viennent ces éclipses du cœur qui sont secret de ta faiblesse. Car autour de toi rien n'a changé et tout a changé en toi-même. Et te voici devant la ville, toi sentinelle, mais non plus appuyé contre la poitrine de ta bien-aimée à écouter les battements du cœur que tu ne distingues point d'avec son silence ou son haleine car tout n'est que signe de cette bien-aimée, laquelle est une, mais perdu parmi des objets en vrac que tu ne sais plus réunir en un, soumis aux airs nocturnes qui se contredisent les uns les autres, à ce chant de l'ivrogne qui nie la plainte du malade, à cette lamentation autour de quelque mort qui nie le cri du nouveau-né, à ce temple qui nie cette cohue de foire. Et tu te dis : « Qu'ai-je à faire de tout ce désordre et de ce spectacle incohérent ? », car si tu ne sais plus qu'il est ici un arbre, alors racines, tronc, branches et feuillage n'ont plus de commune mesure. Et comment serais-tu fidèle quand il n'est plus personne pour recevoir ? Je sais de toi que tu ne dormirais point si tu veillais quelque malade que tu aimerais. Mais s'est évanoui celui que tu eusses pu aimer et il s'est fait matériaux en vrac.

Car s'est défait le nœud divin qui noue les choses.

Mais je te désire fidèle à toi-même, sachant que tu vas revenir. Je ne te demande point de comprendre ni de ressentir dans chaque instant, sachant trop que l'amour même le plus ivre est fait de traversées de tant de déserts intérieurs. Et devant la bien-aimée elle-même tu te demandes : « Son front est un front. Comment puis-je l'aimer ? Sa voix est cette voix. Elle a dit ici cette sottise. Elle a fait ici ce faux pas... » Elle est somme qui se décompose et ne peut plus t'alimenter, et bientôt tu la crois haïr. Mais comment la haïrais-tu ? Tu n'es même pas capable d'aimer.

Mais tu te tais car tu sais bien obscurément qu'il ne s'agit là que d'un sommeil. Ce qui est, dans l'instant, vrai de la femme, est vrai du poème que tu lisais ou du domaine ou de l'empire. Te manque le pouvoir d'être allaité et de même de découvrir, qui est aussi amour et connaissance, les nœuds divins qui nouent les choses. Toi, ma sentinelle endormie, tes amours tu les retrouveras ensemble comme un tribut qui te reviendra, non l'un ou l'autre, mais tous, et il convient de respecter en toi, quand te vient l'ennui d'être infidèle, cette maison abandonnée.

Quand vont sur le chemin de ronde mes sentinelles, je ne prétends pas que toutes soient ferventes. Beaucoup s'ennuient et rêvent de la soupe, car si tous les dieux dorment en toi, te reste l'appel animal des satisfactions de ton ventre, et qui s'ennuie pense à manger. Je ne prétends point que leurs âmes à toutes soient éveillées. Car je dis âme ce qui de toi communique avec ces ensembles qui sont nœuds divins qui nouent les choses et se rit des murs. Mais simplement de temps à autre que l'une de leurs âmes brûle. Qu'il en soit une dont le cœur batte. Qu'il en soit une qui connaisse l'amour et tout à coup se sente remplie par le poids et les bruits de la ville. Une qui se sente vaste et respire les étoiles et contienne l'horizon comme ces conques que remplit le chant de la mer.

Il me suffit que tu aies connu la visite et cette plénitude d'être un homme, et que tu te tiennes bien préparé pour recevoir, car il en est comme du sommeil ou de la faim ou du désir qui te reviennent par intervalles, et ton doute n'est rien que de pur et je t'en voudrais consoler.

Te reviendra, si tu es sculpteur, le sens du visage. Te reviendra, si tu es prêtre, le sens de Dieu, te reviendra, si tu es amant, le sens de l'amour, te reviendra, si tu es sentinelle, le sens de l'empire, te reviendra, si tu es fidèle à toi-même et nettoies ta maison bien qu'elle semble abandonnée, ce qui peut seul t'alimenter le cœur. Car tu ne connais point l'heure de la visite, mais il importe que tu saches qu'elle est seule au monde à pouvoir combler.

C'est pourquoi je te construis tel par de mornes heures d'étude pour que le poème, par miracle, te puisse incendier, et par les rites et les coutumes de l'empire pour que cet empire te puisse prendre au cœur. Car il n'est point de don que tu n'aies préparé. Et la visite ne vient pas s'il n'est point de maison bâtie pour la recevoir.

Sentinelle, sentinelle, c'est en marchant le long des remparts dans l'ennui du doute qui vient des nuits chaudes, c'est en écoutant les bruits de la ville quand la ville ne te parle pas, c'est en surveillant les demeures des hommes quand elles sont morne assemblage, c'est en respirant le désert autour quand il n'est que vide, c'est en t'efforçant d'aimer sans aimer, de croire sans croire, et d'être fidèle quand il n'est plus à qui être fidèle, que tu prépares en toi l'illumination de la sentinelle, qui te viendra parfois comme récompense et don de l'amour.

Fidèle à toi-même n'est point difficile quand se montre à qui être fidèle, mais je veux que ton souvenir forme un appel de chaque instant et que tu dises : « Que ma maison soit visitée. Je l'ai construite et la tiens pure... » Et ma contrainte est pour t'aider. Et j'oblige mes prêtres au sacrifice même si les voilà, ces sacrifices, qui n'ont plus de sens. J'oblige mes sculpteurs à sculpter même si voilà qu'ils doutent d'eux-mêmes. J'oblige mes sentinelles à faire les cent pas sous peine de mort, sinon les voilà mortes d'elles-mêmes, tranchées déjà par elles-mêmes, d'avec l'empire.

Je les sauve par ma rigueur.

Ainsi de celui-là qui se prépare dans l'austérité du poste de garde. Car je l'envoie en éclaireur franchir les rangs de l'ennemi. Et il sait bien qu'il en mourra. Car ils sont en éveil. Et il redoute les supplices dont on l'écrasera pour faire sourdre, mêlés de cris, les secrets de la citadelle. Et certes il est des hommes noués par l'amour dans l'instant, et qui se harnachent chauds de joie car la seule joie est d'épouser et voilà qu'ils épousent. Car ne crois pas, quand tu te saisis de la bien-aimée au soir des noces qu'il soit d'abord pour toi simple conquête d'un corps, duquel tu eusses pu hériter dans le quartier réservé de la ville où sont des filles semblables d'apparence, mais changement du sens et de la couleur de toute chose. Et ton retour vers la maison le soir, et ton réveil devenu héritage rendu, et l'espérance des enfants et leur enseignement par toi de la prière. Et jusqu'à cette bouilloire qui devient du thé auprès d'elle avant l'amour. Car à peine a-t-elle franchi ta maison que tes tapis de haute laine deviennent prairie pour ses pas. Et de tout ce que tu reçois et qui est sens nouveau du monde, il est si peu de chose dont tu uses. Tu n'es comblé ni par l'objet donné ni par la caresse du corps, ni par l'usage de tel ou tel avantage mais par la seule qualité du nœud divin qui noue les choses.

Et celui-là qui se harnache pour mourir et dont il te semble qu'il ne reçoive rien dans l'instant puisque cette caresse même qui est si peu de chose ne lui est pas promise, mais bien au contraire la soif dans le soleil, le vent de sable qui crisse aux dents, puis les hommes autour de lui devenus pressoir de secrets, et celui qui se harnache pour la mort pour entrer vêtu dans la mort de son uniforme de mort et dont il te semble qu'il devrait crier son désespoir comme tel que j'ai condamné à la pendaison pour quelque crime, et qui lutte de sa chair contre d'implacables barreaux, mais celui-là qui se harnache pour la mort tu le découvres pacifique, te regardant d'un regard calme et répondant aux plaisanteries du corps de garde, lesquelles sont affection bourrue, et non par forfanterie ni pour montrer quelque courage, ou quelque dédain de la mort, ou quelque cynisme, ni quoi que ce soit de semblable, mais transparent comme une eau calme et n'ayant rien à te cacher — et s'il est triste un peu, disant sans gêne sa tristesse — rien à te cacher sinon son amour. Et je te dirai pourquoi plus tard.

Mais ce même qui ne tremble pas en bouclant ses courroies de cuir, je sais des armes contre lui qui prévalent sur la mort. Car il est vulnérable par tant de côtés. Ont barre sur lui toutes les divinités de son cœur. Et la simple jalousie si elle est menace d'un empire et d'un sens des choses et d'un goût du retour chez soi, comme elle ruinera bien cette belle image de calme, de sagesse et de renoncement ! Tu vas tout lui prendre puisqu'il va rendre à Dieu non seulement celle-là qu'il aimait mais sa maison et les vendanges de ses vignes et la moisson crissante de ses champs d'orge. Et non seulement les moissons, les vendanges et les vignes, mais son soleil. Et non seulement son soleil, mais celle-là qui est de chez lui. Et tu le vois qui abdique tant de trésors sans marquer de ruine. Alors qu'il suffirait pour le jeter hors de lui-même et pour le changer en dément de lui voler un sourire de la bien-aimée. Et n'as-tu pas touché ici à une grande énigme ? C'est que tu le tiens non par les objets possédés mais par le sens qu'il tire du nœud divin qui noue les choses. Et qu'il préfère sa propre destruction à la destruction de ce en quoi il s'échange et dont en retour il reçoit son allaitement. Il est circulation de l'un en l'autre. Et celui-là qui porte au cœur la vocation de la mer accepte de mourir d'un naufrage. Et s'il est vrai qu'à l'instant du naufrage il éprouvera peut-être le tumulte de l'animal quand le piège sur lui se referme, il demeure vrai que ne compte point cette explosion de panique, laquelle il prévoit, accepte et dédaigne, mais que bien au contraire lui plaît la certitude qu'il mourra un jour de la mer. Car si je les écoute se plaindre de cette mort aussi cruelle qui les attend, j'y entends autre chose que vantardise pour séduire les femmes, mais souhait secret de l'amour et pudeur pour le dire.

Car il n'est point ici, comme nulle part, de langage qui te permette de t'exprimer. S'il s'agit de la civilisation de l'amour tu peux dire « elle » et te traduire, croyant que c'est d'elle qu'il s'agit, alors qu'il s'agit du sens des choses, et qu'elle n'est là que pour te signifier le nœud divin qui les noue au Dieu qui est sens de ta vie, et mérite selon toi tes élans, alors qu'ils sont de communiquer de telle façon et non d'une autre avec le monde. Et d'être soudain tellement vaste que l'âme, telles les conques marines, te devient retentissante. Et peut-être peux-tu dire « l'empire » dans la certitude d'être compris et de prononcer un mot tout simple, si tous autour de toi l'entendent, selon ton instinct, mais non s'il peut être là quelqu'un qui n'y voit qu'une somme et rira de toi car il ne s'agit point du même empire. Et il te déplairait que l'on crût que tu offrais ta vie pour un magasin d'accessoires.

Car il en est ici comme d'une apparition qui s'ajoute aux choses et les domine et si elle échappe à ton intelligence apparaît pourtant comme évidente à ton esprit et à ton cœur. Et te gouverne mieux ou plus durement et plus sûrement que quoi que ce soit de saisissable (mais dont tu ne peux être certain que d'autres en même temps que toi l'observent) et te fait rester silencieux de peur d'être taxé de folie et de voir soumis à l'ironie qui n'est que du cancre ce visage qui t'est apparu. Car l'ironie le détruira en cherchant à montrer de quoi il est fait. Comment lui répondrais-tu qu'il est ici tout autre chose, puisque cette autre chose est pour ton esprit et non pour tes yeux ?

J'ai souvent réfléchi sur ces apparitions, lesquelles sont seules auxquelles tu puisses prétendre, mais plus belles que celles que tu as coutume, dans le désespoir des nuits chaudes, de solliciter. Mais alors que tu as coutume, quand tu doutes de Dieu, de souhaiter que Dieu se montre à la façon d'un promeneur qui te rendrait visite — et qui rencontrerais-tu alors sinon ton égal et semblable à toi ne te conduisant nulle part et t'enfermant ainsi dans sa solitude — alors que tu souhaites non l'expression de la majesté divine mais spectacle et fête foraine dont tu ne recevrais qu'un plaisir vulgaire de fête foraine et ta déception toute hérissée contre Dieu. (Et comment ferais-tu une preuve de tant de vulgarité ?) Alors que tu souhaites que quelque chose descende vers toi, te visite à ton étage tel que tu es, s'humiliant ainsi à toi et sans raison, et tu ne seras jamais exaucé, comme il en fut de mon enquête vers Dieu, s'ouvrent bien au contraire les empires spirituels et t'éblouissent les apparitions qui sont non pour les yeux ni pour l'intelligence mais pour le cœur et pour l'esprit, si tu fais effort d'ascension et accèdes à cet étage où ne sont plus les choses mais les nœuds divins qui les nouent.

Et voici que tu ne peux même plus mourir, car mourir c'est perdre. Et abandonner en arrière. Et il ne s'agit pas d'abandonner mais de te confondre en. Et toute ta vie est remboursée.

Et tu le sais bien, toi, d'un incendie où tu as mesuré la mort pour sauver des vies. Toi d'un naufrage.

Et tu les vois mourir acceptant leur mort, les yeux ouverts sur la connaissance véritable, ceux-là qui eussent rugi, volés, frustrés et bafoués pour un sourire tourné ailleurs.

Dis-leur qu'ils se trompent : ils vont rire.

Mais toi, sentinelle endormie, non parce que tu as abandonné la ville mais parce que la ville t'a abandonnée, il me vient, devant ton visage d'enfant pâle, l'inquiétude de l'empire s'il ne peut plus me réveiller mes sentinelles.

Mais certes je me trompe recevant dans sa plénitude le chant de la ville et découvrant noué ce qui pour toi se divisa. Et je sais bien qu'il te fallait attendre, droit comme le cierge, pour en être récompensé à ton heure par ta lumière et ivre tout à coup de tes pas de ronde comme d'une danse miraculeuse sous les étoiles dans l'importance du monde. Car il est là-bas dans l'épaisse nuit des navires qui déchargent leurs cargaisons de métaux précieux et d'ivoire, et il se trouve, sentinelle sur les remparts, que tu contribues à les protéger et à embellir d'or et d'argent l'empire que tu sers. Car il est quelque part des amants qui se taisent avant d'oser parler et ils se regardent et voudraient dire... car si l'un parle et si l'autre ferme les yeux c'est l'univers qui va changer. Et tu protèges ce silence. Car il est quelque part ce dernier souffle avant la mort. Et ils se penchent pour recueillir le mot du cœur et la bénédiction pour toujours que l'on enfermera en soi, l'ayant reçue, et tu sauves le mot d'un mort.

Sentinelle, sentinelle, je ne sais où s'arrête ton empire quand Dieu te fait la clarté d'âme des sentinelles, ce regard sur cette étendue à laquelle tu as droit. Et peu m'importe que tu sois en d'autres instants tel qui rêve de la soupe en grommelant dans sa corvée. Il est bon que tu dormes et il est bon que tu oublies. Mais il est mauvais qu'oubliant tu laisses crouler ta demeure.

Car la fidélité c'est d'être fidèle à soi-même.

Et moi je veux sauver non toi seul mais tes compagnons. Et obtenir de toi cette permanence intérieure qui est d'une âme bien bâtie. Car je ne détruis pas ma maison lorsque je m'en éloigne. Ni ne brûle mes roses si je cesse de les regarder. Elles demeurent disponibles pour un nouveau regard qui bientôt les fera fleurir.

J'enverrai donc mes hommes d'armes se saisir de toi. Tu seras condamné à cette mort qui est la mort des sentinelles endormies. Il te reste de te reprendre et d'espérer de t'échanger, par l'exemple de ton propre supplice, en vigilance des sentinelles.

CXII

Et la grande lutte contre les objets : l'heure est venue de te parler de ta grande erreur. Car j'ai jugé fervents et j'ai reconnu comme heureux, brassant et rebrassant la gangue dans le dénuement des terres craquantes, meurtris de soleil comme un fruit blet, écorchés aux pierres, taraudant dans la profondeur de l'argile pour remonter dormir nus sous la tente, ceux-là qui vivaient d'extraire une fois l'an un diamant pur. Et j'ai vu malheureux, aigres de cœur et divisés ceux qui, de recevoir dans leur luxe des diamants, ne disposaient cependant plus que de verroterie inutile. Car tu n'as pas besoin d'un objet mais d'un dieu.

Car la possession de l'objet certes est permanente, mais non point l'aliment que tu en reçois. Car l'objet n'a de sens que de t'augmenter, et tu t'augmentes de sa conquête mais non de sa possession. C'est pourquoi je vénère celui-là qui provoque, étant conquête difficile, cette ascension de montagne, cette éducation en vue d'un poème, cette séduction de l'âme inaccessible, et t'oblige ainsi de devenir. Mais je méprise tel autre qui est provision faite car tu n'as plus rien à en recevoir. Et, une fois dégagé le diamant, qu'en feras-tu ?

Car j'apporte le sens de la fête, lequel était oublié. La fête est couronnement des préparatifs de la fête, la fête est sommet de montagne après l'ascension, la fête est capture du diamant quand il t'est permis de le dégager de la terre, la fête est victoire couronnant la guerre, la fête est premier repas du malade dans le premier jour de sa guérison, la fête est promesse de l'amour quand elle baisse les yeux si tu lui parles…

Et c'est pourquoi j'inventai pour t'instruire cette image :

Si je le désirais je te pourrais créer une civilisation fervente, pleine de joie dans les équipes et de rires clairs des ouvriers qui reviennent de leur travail, et d'un goût puissant de la vie, et d'attente chaude des miracles du lendemain et du poème où l'on fera retentir sur toi les étoiles et où, cependant, tu ne ferais rien d'autre que de piocher le sol pour en extraire ces diamants qui deviendront enfin lumière après cette mue silencieuse dans les entrailles du globe. (Car venus du soleil, puis devenus fougères, puis nuit opaque, les voilà redevenus lumière.) Donc, t'ai-je dit, je t'assure une vie pathétique si je te condamne à cette extraction et te convie pour un jour de l'année à la fête capitale, laquelle consistera en offrande des diamants, qui devant le peuple en sueur seront brûlés et rendus en lumière. Car tes mouvements intérieurs ne sont point gouvernés par l'usage des objets conquis et ton âme s'alimente du sens des choses et non des choses.

Et certes, ce diamant, j'en pourrais tout aussi bien pour ton luxe fleurir une princesse plutôt que le brûler. Ou, l'enfermant dans un coffret au secret d'un temple, le faire rayonner plus fort non pour les yeux mais pour l'esprit (qui à travers les murs s'en alimente). Mais, certes, je n'en ferai rien d'essentiel pour toi si je te le donne.

Car il se trouve que j'ai compris le sens profond du sacrifice qui n'est point de t'amputer de rien mais de t'enrichir. Car tu te trompes de mamelle quand tu tends les bras vers l'objet alors que tu cherchais son sens. Car si je t'invente un empire où chaque soir on te distribue des diamants récoltés ailleurs, autant t'enrichir de cailloux, car tu n'y trouveras plus rien de ce que tu souhaitais d'obtenir. Plus riche celui-là qui peine l'année durant contre le roc et brûle une fois l'an le fruit de son travail pour en tirer l'éclat de lumière, que celui-là qui tous les jours reçoit, venus d'ailleurs, des fruits qui n'ont rien exigé de lui.

(Ainsi d'une quille : ta joie est de la renverser. Et c'est la fête. Mais tu n'as rien à attendre d'une quille tombée.)

C'est pourquoi sacrifices et fêtes se confondent. Car tu montres par là le sens de ton acte. Mais comment prétendrais-tu que la fête est autre chose qu'une fois ramassé le bois, le feu de joie quand tu le brûles, une fois gravie la montagne, tes muscles heureux dans l'étendue, une fois extrait le diamant, son apparition à la lumière, une fois mûres les vignes, la vendange ? Où vois-tu qu'il serait possible d'user d'une fête comme d'une provision ? Une fête c'est après la marche ton arrivée et couronnement ainsi de ta marche, mais tu n'as rien à espérer de ton changement en sédentaire. Et c'est pourquoi tu ne t'installes ni dans la musique, ni dans le poème, ni dans la femme conquise, ni dans le paysage entrevu du haut des montagnes. Et je te perds si je te distribue dans l'égalité de mes jours. Si je ne les ordonne selon un navire qui va quelque part. Car le poème lui-même est une fête à condition de le gravir. Car le temple est une fête de t'y délivrer des soucis médiocres. Tu as tous les jours souffert de la ville qui t'a brisé de son charroi. Tu as tous les jours subi cette fièvre née de l'urgence et du pain à gagner et des maladies à guérir et des problèmes à dénouer, te rendant ici, te rendant là, riant ici et pleurant là. Puis vient l'heure accordée au silence et à la béatitude. Et tu montes les marches et pousses la porte et il n'est plus rien pour toi que pleine mer et contemplation de la Voie Lactée et provision de silence et victoire contre l'usuel, et tu en avais besoin comme de nourriture car tu avais souffert des objets et des choses lesquels ne sont point pour toi. Et il te fallait ici devenir pour qu'un visage te naisse des choses et qu'une structure s'établisse qui leur donnât un sens à travers les spectacles disparates du jour. Mais que viendras-tu faire dans mon temple si tu n'as point vécu dans la ville, et lutté et gravi et souffert, si tu n'apportes point la provision de pierres qu'il s'agit en toi de bâtir. Je te l'ai dit de mes guerriers et de l'amour. Si tu n'es qu'amant il n'est personne qui aime et la femme bâille auprès de toi. Le guerrier seul peut faire l'amour. Si tu n'es que guerrier il n'est personne qui meure sinon insecte vêtu d'écailles de métal. L'homme seul et qui a aimé peut mourir en homme. Et il n'est point ici contradiction sinon dans le langage. Ainsi fruits et racines ont même commune mesure qui est l'arbre.

CXIII

Car nous ne nous entendons pas sur la réalité. Et moi je dénomme réalité non ce qui est mesurable dans une balance (de laquelle je me moque car je ne suis point une balance et peu m'importent les réalités pour balance), mais ce qui pèse sur moi. Et pèse sur moi ce visage triste ou cette cantate ou cette ferveur dans l'empire ou cette pitié pour les hommes ou cette qualité de la démarche ou ce goût de vivre ou cette injure ou ce regret ou cette séparation ou cette communion dans la vendange (bien plus que les grappes vendangées, car si même on les porte ailleurs pour les vendre, j'en ai déjà reçu l'essentiel. Ainsi de celui-là qui devait être décoré par le roi et qui participa à la fête, jouit de son rayonnement, reçut les félicitations de ses amis, et connut ainsi l'orgueil du triomphe — mais le roi mourut d'une chute de cheval avant d'avoir accroché contre sa poitrine l'objet de métal. Me diras-tu que l'homme n'a rien reçu ?).

La réalité pour ton chien c'est un os. La réalité pour ta balance c'est un poids de fonte. Mais la réalité pour toi est d'une autre nature.

Et c'est pourquoi je dis futiles les financiers et raisonnables les danseuses. Non que je méprise l'œuvre des premiers mais parce que je méprise leur morgue, leur assurance et leur satisfaction de soi car ils se croient le but et la fin et l'essence quand ils ne sont que des valets, et qu'ils servent d'abord les danseuses.

Car ne te trompe point sur le sens du travail. Il est des travaux qui sont urgents. Comme des cuisines de mon palais. Car s'il n'est point de nourriture il n'est point d'hommes. Et il convient que les hommes d'abord soient nourris, vêtus et abrités. Il convient qu'ils soient, tout simplement. Et de tels services sont d'abord urgents. Mais l'important ne se loge point ici : il se loge dans leur seule qualité. Et les danses et les poèmes et les ciseleurs des étages d'en haut, et le géomètre et l'observateur des étoiles, que permet d'abord le travail des cuisines, sont seuls qui honorent l'homme et qui lui donnent un sens.

Donc quand vient celui-là qui ne connaît que les cuisines, desquelles en effet sont charriés des réalités pour balances et des os pour chiens, je lui interdis de parler de l'homme car il négligera l'essentiel, à la façon de l'adjudant qui ne considère rien de l'homme que son aptitude au maniement d'armes.

Et pourquoi danserait-on dans ton palais alors que les danseuses expédiées aux cuisines t'enrichiraient d'un supplément de nourriture ? Et pourquoi y cisèlerait-on des aiguières d'or quand en expédiant les ciseleurs au chantier des aiguières d'étain on disposerait de plus d'aiguières ? Et pourquoi taillerait-on des diamants, et pourquoi écrirait-on des poèmes, et pourquoi observerait-on les étoiles, quand tu n'as qu'à les expédier ceux-là battre le blé pour disposer d'un supplément de pain ?

Mais comme dans ta cité il te manquera quelque chose qui est pour l'esprit et non pour les yeux et non pour les sens, tu seras bien contraint de leur inventer de fausses nourritures, lesquelles ne vaudront plus rien. Et tu leur chercheras des fabricants qui leur fabriqueront leurs poèmes, des automates qui leur fabriqueront des danses, des escamoteurs qui de verre taillé tireront pour eux des diamants. Et voici qu'ils auront l'illusion de vivre. Bien qu'il ne soit plus rien en eux que caricature de la vie. Puisque celui-là aura confondu le sens véritable de la danse, du diamant et du poème — lesquels ne t'alimentent de leur part invisible qu'à condition d'avoir été gravis — avec un fourrage pour râteliers. La danse est guerre, séduction, assassinat et repentir. Le poème est ascension de montagne. Le diamant est année de travail changée en étoile. Mais l'essentiel leur manquera.

Ainsi du jeu de quilles : puisque ta joie est de faire tomber les quilles ennemies, tu tirerais bien du plaisir en t'en alignant des centaines et en te bâtissant une machine à les faire tomber…

CXIV

Mais ne crois pas que je méprise en rien tes besoins. Ni même ne m'imagine qu'ils sont opposés à ta signification. Car je veux bien me traduire, pour te démontrer ma vérité, en mots qui se tirent la langue comme nécessaire et superflu, cause et effet, cuisine et salle de danse. Mais je ne crois point en ces divisions qui sont d'un langage malheureux et du choix d'une mauvaise montagne d'où lire les mouvements des hommes.

Car de même que le sens de la ville, ma sentinelle n'y accède que quand Dieu l'enrichit de la clarté d'œil et d'oreille des sentinelles et qu'alors le cri du nouveau-né ne s'oppose plus aux plaintes autour du mort, ni la foire au temple, ni le quartier réservé à la fidélité autre part dans l'amour, mais que de cette diversité naît la ville qui absorbe, épouse et unifie, de même que l'arbre surgit un des éléments divers de l'arbre, et de même que le temple domine de la qualité de son silence ce disparate de statues, de piliers, d'autels et de voûtes, de même je ne rencontre l'homme qu'à l'étage où il ne m'apparaît plus comme celui qui chante contre celui qui bat le blé, ou danse contre celui qui verse le grain dans les sillons, ou observe les étoiles contre celui qui forge les clous, car si je te divise, je ne t'ai point compris et je te perds.

C'est pourquoi m'enfermant dans le silence de mon amour je m'en fus observer les hommes dans ma ville. Ayant désir de la comprendre.

CXVII

En ce qui concerne donc mon voisin, j'ai observé qu'il n'était point fertile d'examiner de son empire les faits, les états de choses, les institutions, les objets, mais exclusivement les pentes. Car si tu examines mon empire tu t'en iras voir les forgerons et les trouveras forgeant des clous et se passionnant pour les clous et te chantant les cantiques de la clouterie. Puis tu t'en iras voir les bûcherons et tu les trouveras abattant des arbres et se passionnant pour l'abattage d'arbres, et se remplissant d'une intense jubilation à l'heure de la fête du bûcheron, qui est du premier craquement, lorsque la majesté de l'arbre commence de se prosterner. Et si tu vas voir les astronomes, tu les verras se passionnant pour les étoiles et n'écoutant plus que leur silence. Et en effet chacun s'imagine être tel. Maintenant si je te demande : « Que se passe-t-il dans mon empire, que naîtra-t-il demain chez moi ? » tu me diras : « On forgera des clous, on abattra des arbres, on observera les étoiles et il y aura donc des réserves de clous, des réserves de bois et des observations d'étoiles. » Car myope et le nez contre, tu n'as point reconnu la construction d'un navire.

Et certes nul d'entre eux n'aurait su te dire : « Demain nous serons embarqués sur la mer. » Chacun croyait servir son dieu et disposait d'un langage malhabile pour te chanter le dieu des dieux qui est navire. Car la fertilité du navire est qu'il devienne amour des clous pour le cloutier.

Et quant à la prévision de l'avenir tu en aurais su bien plus long si tu avais dominé cet assemblage disparate et pris conscience de ce dont j'ai augmenté l'âme de mon peuple et qui est pente vers la mer. Alors tu l'eusses vu, ce voilier, assemblage de clous, de planches, de troncs d'arbres et gouverné par les étoiles, se pétrir lentement dans le silence et s'assembler à la façon du cèdre qui draine les sucs et les sels de la rocaille pour les établir dans la lumière.

Et tu la reconnaîtras cette pente qui va vers demain à ses effets irrésistibles. Car là il n'est point à t'y tromper : partout où elle se peut montrer, elle se montre. Et je reconnais la pente vers la terre à ce que je ne puis lâcher, aussi court soit l'instant, la pierre que je tiens dans la main sans qu'aussitôt elle tombe.

Et si je vois un homme se promenant et qu'il

marche vers l'est je ne prévois point son avenir. Car il est possible qu'il fasse les cent pas et qu'à l'instant où je l'imagine bien établi dans son voyage il me désoriente par son demi-tour. Mais je prévois l'avenir de mon chien si chaque fois que je relâche sa corde aussi peu que ce soit c'est vers l'est qu'il me fait faire un pas et qu'il tire, car l'est alors est odeur de gibier et je sais bien où mon chien courra si je le délivre. Un pouce de corde m'en a plus appris que mille pas.

Ce prisonnier je l'observe qui est assis ou couché comme défait et dévêtu de tout désir. Mais il pèse vers la liberté. Et je reconnaîtrai sa pente à ce qu'il me suffira de lui montrer un trou dans le mur pour qu'il frémisse et redevienne musculature et attention. Et si la brèche donne sur la campagne, montre-moi celui-là qui a oublié de la voir !

Si tu raisonnes dans ton intelligence tu oublieras ce trou ou l'autre ou encore, le regardant, comme tu penses alors à autre chose, ne le verras point. Ou, le voyant, et enchaînant des syllogismes pour connaître s'il est habile d'en user, tu te décideras trop tard, car les maçons te l'auront effacé du mur. Mais montre-moi, de ce réservoir où l'eau pèse, quelle fissure elle peut oublier ?

C'est pourquoi je dis que la pente, même informulable faute de langage, est plus puissante que la raison et seule gouverne. Et c'est pourquoi je dis que la raison n'est que servante de l'esprit et d'abord transforme la pente et en fait des démonstrations et des maximes, ce qui te permet ensuite de croire que ton bazar d'idées t'a gouverné. Quand je dis que tu n'as été gouverné que par les dieux qui sont temple, domaine, empire, pente vers la mer ou besoin de la liberté.

Ainsi, de mon voisin qui règne de l'autre côté de la montagne, je n'observerai point les actes. Car je ne sais point reconnaître au vol du pigeon une fois qu'il vole s'il cingle vers un pigeonnier ou s'il s'huile les ailes de vent, car je ne sais point reconnaître au pas de l'homme vers sa maison s'il cède au désir de sa femme ou à l'ennui de son devoir, et si son pas construit le divorce ou l'amour. Mais celui-là que je tiens dans sa geôle, s'il ne manque point d'occasion et pose son pied sur la clef que j'oublie, tâte les barreaux pour connaître si l'un d'eux remue, et soupèse de l'œil ses geôliers, je le devine déjà déambulant dans la liberté des campagnes.

Je veux connaître ainsi de mon voisin non ce qu'il fait mais ce qu'il n'oublie jamais de faire. Car alors je connais quel dieu le domine même si lui-même l'ignore, et la direction de son avenir.

CXVIII

Je me souvins de ce prophète au regard dur et qui par surcroît était bigle. Il me vint voir et le courroux montait en lui. Un courroux sombre :

« Il convient, me dit-il, de les exterminer. »

Et je compris qu'il avait le goût de la perfection. Car seule est parfaite la mort.

« Ils pèchent », dit-il.

Je me taisais. Je voyais bien sous mes yeux cette âme taillée comme un glaive. Mais je songeais :

« Il existe contre le mal. Il n'existe que par le mal. Que serait-il donc sans le mal ? »

« Que souhaites-tu, lui demandai-je, pour être heureux ?

— Le triomphe du bien. »

Et je comprenais qu'il mentait. Car il me dénommait bonheur l'inemploi et la rouille de son glaive.

Et m'apparaissait peu à peu cette vérité pourtant éclatante que, qui aime le bien, est indulgent au mal. Que, qui aime la force, est indulgent à la faiblesse. Car si les mots se tirent la langue, le bien et le mal cependant se mêlent et les mauvais sculpteurs sont terreau pour les bons sculpteurs, et la tyrannie forge contre elle les âmes fières, et la famine provoque le partage du pain, lequel est plus doux que le pain. Et ceux-là qui ourdissaient des complots contre moi, traqués par mes gendarmes, privés de lumière dans leurs caves, familiers d'une mort prochaine, sacrifiés à d'autres qu'eux-mêmes, ayant accepté le risque, la misère et l'injustice par amour de la liberté et de la justice, m'ont toujours apparu d'une beauté rayonnante, laquelle brûlait comme un incendie aux lieux du supplice, ce pourquoi je ne les ai jamais frustrés de leur mort. Qu'est-ce qu'un diamant s'il n'est point de gangue dure à creuser, et qui le cache ? Qu'est-ce qu'une épée s'il n'est point d'ennemi ? Qu'est-ce qu'un retour s'il n'est point d'absence. Qu'est-ce que la fidélité s'il n'est point de tentation ? Le triomphe du bien c'est le triomphe du bétail sage sous sa mangeoire. Et je ne compte point sur les sédentaires ou les repus.

« Tu luttes contre le mal, lui dis-je, et toute lutte est une danse. Et tu tires ton plaisir du plaisir de la danse donc du mal. Je te préférerais dansant par amour.

« Car si je te fonde un empire où l'on s'exalte pour des poèmes, viendra l'heure des logiciens qui ratiocineront là-dessus et te découvriront les dangers qui menacent les poèmes dans le contraire du poème, comme s'il existait un contraire de quoi que ce soit dans le monde. Te naîtront alors les policiers qui, confondant amour du poème et haine du contraire du poème, s'occuperont non plus d'aimer mais de haïr. Comme si équivalait à l'amour du cèdre la destruction de l'olivier. Et ils t'enverront au cachot soit le musicien, soit le sculpteur, soit l'astronome, au hasard de raisonnements qui seront stupide vent de paroles et faible tremblement de l'air. Et mon empire désormais dépérira car vivifier le cèdre ce n'est point détruire l'olivier ni refuser l'odeur des roses. Plante au cœur d'un peuple l'amour du voilier et il te drainera toutes les ferveurs de ton territoire pour les changer en voiles. Mais tu veux, toi, présider aux naissances des voiles en pourchassant, et en dénonçant et en exterminant des hérétiques. Or il se trouve que tout ce qui n'est point voilier peut être dénommé contraire du voilier, car la logique mène où tu veux. Et d'épuration en épuration tu extermineras ton peuple car il se trouve que chacun aussi aime autre chose. Bien plus, tu extermineras le voilier lui-même car le cantique du voilier était devenu chez le cloutier cantique de la clouterie. Tu l'auras donc emprisonné. Et il ne sera point de clous pour le navire.

« Ainsi de celui-là qui croit favoriser les grands sculpteurs en exterminant les mauvais sculpteurs, lesquels, dans son stupide vent de paroles, il dénomme contraire des premiers. Et je dis, moi, que tu interdiras à ton fils de choisir un métier qui offre si peu de chances de vivre.

— Si je t'entends bien, se hérissa le prophète bigle, je devrais tolérer le vice !

— Non point. Tu n'as rien compris », lui dis-je.

CXIX

Car si je ne veux pas faire la guerre et que mon rhumatisme me tire la jambe, il deviendra peut-être pour moi objection à la guerre alors que si je penchais vers la guerre je penserais le guérir par l'action. Car c'est mon simple désir de paix qui s'est habillé en rhumatisme, comme en amour peut-être de la maison ou comme en respect de mon ennemi ou comme en quoi que ce soit au monde. Et si tu veux comprendre les hommes, commence d'abord par ne jamais les écouter. Car le cloutier te parle de ses clous. L'astronome de ses étoiles. Et tous oublient la mer.

CXXII

Quand les vérités sont évidentes et absolument contradictoires, tu ne peux rien, sinon changer ton langage.

La logique ne mord point pour t'aider à te faire passer d'un étage à l'autre. Tu ne prévois point le recueillement à partir des pierres. Et si tu parles du recueillement avec le langage des pierres, tu échoues. Il te faut inventer ce mot neuf pour rendre compte d'une certaine architecture de tes pierres. Car il est né un être neuf, non divisible, ni explicable, car expliquer c'est démonter. Et tu le baptises donc d'un nom.

Comment raisonnerais-tu sur le recueillement ? Comment raisonnerais-tu sur l'amour ? Comment raisonnerais-tu sur le domaine ? Ils sont non des objets mais des dieux.

Moi j'ai connu celui-là qui voulait mourir parce qu'il avait entendu chanter la légende d'un pays du Nord et, vaguement, connaissait que l'on y marche une certaine nuit de l'année dans la neige, laquelle est craquante, sous les étoiles vers des maisons de bois illuminées. Et si tu entres dans leur lumière après ta route et colles ton visage aux carreaux, tu découvres de cette clarté qu'elle te vient d'un arbre. Et l'on te dit que c'est une nuit qui a un goût de jouets de bois verni et une odeur de cire. Et l'on te dit des visages de cette nuit-là qu'ils sont extraordinaires. Car ils sont de l'attente d'un miracle. Et tu vois tous les vieux qui retiennent leur souffle et fixent les yeux des enfants, et se préparent à de grands battements de cœur. Car il va passer dans ces yeux d'enfants quelque chose d'insaisissable qui n'a point de prix. Car tu l'as bâti toute l'année par l'attente et par les récits et par les promesses et surtout par tes airs entendus et tes allusions secrètes et l'immensité de ton amour. Et maintenant tu vas détacher de l'arbre quelque humble objet de bois verni et le tendre à l'enfant selon la tradition de ton cérémonial. Et c'est l'instant. Et nul ne respire plus. Et l'enfant bat des paupières car on l'a fraîchement tiré du sommeil. Et il est là sur tes genoux avec cette odeur d'enfant frais que l'on a tiré du sommeil et qui te fait autour du cou quand il t'embrasse quelque chose qui est fontaine pour le cœur et dont tu as soif. (Et c'est le grand ennui des enfants que d'être pillés d'une source qui est en eux et qu'ils ne peuvent point connaître et à laquelle tous viennent boire, qui ont vieilli de cœur, pour rajeunir.) Mais les baisers sont ici suspendus. Et l'enfant regarde l'arbre, et tu regardes l'enfant. Car il s'agit de cueillir une surprise émerveillée comme une fleur rare qui naîtrait une fois l'an dans la neige.

Et te voilà comblé par une certaine couleur des yeux qui deviennent sombres. Car l'enfant s'enroule sur son trésor pour s'en éclairer à l'intérieur, d'un coup, dès que le cadeau l'a touché, comme le font les anémones de mer. Et il fuirait si tu le laissais fuir. Et il n'y a point d'espoir de l'atteindre. Ne lui parle pas, il n'entend plus.

Cette couleur à peine changée, plus légère que d'un nuage sur la prairie, ne va pas me dire qu'elle ne pèse point. Car si même elle se trouvait seule récompense de ton année et de la sueur de ton travail et de ta jambe perdue à la guerre, et de tes nuits de méditation et des affronts et des souffrances endurés, voici qu'elle te paierait quand même et t'émerveillerait. Car tu gagnes dans cet échange.

Car il n'est point de raisonnement pour raisonner sur l'amour du domaine, sur le silence du temple ni pour cette seconde incomparable.

Donc mon soldat voulait mourir — lui qui n'avait vécu que de soleil et que de sable, lui qui ne connaissait point d'arbre de lumière, lui qui savait à peine la direction du nord — parce qu'on lui avait dit qu'étaient menacées quelque part par quelque conquête une certaine odeur de cire et une certaine couleur des yeux et que les poèmes les lui avaient autrefois faiblement apportées comme le vent l'odeur des îles. Et je ne connais point de raison meilleure pour mourir.

Car il se trouve que t'alimente seul le nœud divin qui noue les choses. Lequel se rit des mers et des murs. Et te voilà comblé dans ton désert de ce qu'existe quelque part, dans une direction que tu ignores, chez des étrangers dont tu ne sais rien en un pays dont tu ne peux rien concevoir, une certaine attente d'une certaine image d'un pauvre objet de bois verni, laquelle s'enfonce dans les yeux d'un enfant comme une pierre dans les eaux dormantes.

Et il se trouve que l'aliment que tu en reçois te vaut la peine de mourir. Et que je lèverais des armées, si je le souhaitais, pour sauver quelque part dans le monde une odeur de cire.

Mais je ne lèverai point d'armée pour la défense des provisions. Car elles sont faites et tu n'as rien à en attendre, sinon de te changer en bétail morne.

C'est pourquoi si s'éteignent tes dieux tu n'accepteras plus de mourir. Mais tu ne vivras point non plus. Car n'existent point les contraires. Si la mort et la vie sont des mots qui se tirent la langue, reste cependant que tu ne peux vivre que de ce qui te peut faire mourir. Et qui refuse la mort, refuse la vie.

Car s'il n'est rien au-dessus de toi, tu n'as rien à recevoir. Sinon de toi-même. Mais que tires-tu d'un miroir vide ?

CXXIII

Je parlerai pour toi qui es seule. Car j'ai le désir de verser en toi cette lumière.

Ayant découvert que dans ton silence et dans ta solitude il était possible de t'alimenter. Car les dieux se rient des murs et des mers. Et tu es enrichie, toi aussi, de ce qu'il existe quelque part une odeur de cire. Même si tu n'espères point la goûter jamais

Mais la qualité de la nourriture que je t'apporte, je n'ai d'autre moyen d'en juger que de te juger toi-même. Que deviens-tu l'ayant reçue ? Je veux que tu joignes les mains dans le silence, les yeux devenus sombres, comme de l'enfant auquel j'ai remis le trésor qui commence de le dévorer. Car ce n'était point objet non plus mon cadeau à l'enfant. Celui qui sait, de trois cailloux, bâtir une flotte de guerre et la menacer d'une tempête, si je lui donne le soldat de bois, il en fait armée et capitaines et fidélité à l'empire et dureté de la discipline et mort par la soif dans le désert. Car il en est ainsi de l'instrument pour la musique, lequel est bien autre chose qu'instrument mais matière du piège pour tes captures. Lesquelles ne sont jamais de l'essence du piège. Et toi aussi je t'illuminerai afin que ta mansarde soit claire et habite ton cœur. Car n'est point la même la ville endormie que tu regardes de ta fenêtre si je t'ai parlé du feu sous la cendre. Et n'est point le même le chemin de ronde pour ma sentinelle s'il est promontoire de l'empire.

Quand tu te donnes, tu reçois plus que tu ne

donnes. Car tu n'étais rien et tu deviens. Et peu m'importe si les mots se tirent la langue.

Je parlerai pour toi qui es seule car j'ai le désir de t'habiter. Et peut-être t'est-il difficile à cause d'une épaule démise ou d'une infirmité de l'œil de recevoir l'époux de chair dans ta maison. Mais il est des présences plus fortes et j'ai observé que n'était plus le même le cancéreux sur son grabat un matin de victoire et que, malgré que l'épaisseur des murs empêche le bruit des clairons, sa chambre était comme pleine.

Et cependant qu'est-il passé du dehors au-dedans sinon le nœud des choses qui est victoire et se rit des murs et des mers ? Et pourquoi n'existerait-il point de divinité plus brûlante encore ? Laquelle te pétrira brûlante de cœur et fidèle et merveilleuse.

Car l'amour véritable ne se dépense point. Plus tu donnes, plus il te reste. Et si tu vas puiser à la fontaine véritable, plus tu puises plus elle est généreuse. Et l'odeur de cire est vraie pour tous. Et si l'autre la goûte aussi, elle sera plus riche pour toi-même.

Mais cet époux de chair de ta maison, il te pillera s'il sourit ailleurs, et te fera lasse d'aimer.

Et c'est pourquoi je te visiterai. Et je n'ai point besoin de me faire connaître de toi. Je suis nœud de l'empire et je t'ai inventé une prière. Et je suis clef de voûte d'un certain goût des choses. Et je te noue. Et c'en est fini de ta solitude.

Et comment donc ne me suivrais-tu pas ? Je ne suis plus autre chose que toi-même. Ainsi de la musique qui construit en toi une certaine structure, laquelle te brûle. Et la musique n'est ni vraie ni fausse. C'est toi qui viens de devenir.

Je ne veux point de toi que tu sois déserte dans ta perfection. Déserte et amère. Je te réveillerai à la ferveur, laquelle donne et ne pille jamais car la ferveur ne revendique ni la propriété ni la présence.

Mais le poème est beau pour des raisons qui ne sont point de la logique puisque d'un autre étage. Et d'autant plus pathétique qu'il t'établit mieux dans l'étendue. Car il est un son à tirer de toi et que tu peux rendre mais non toujours de la même qualité. Il est de mauvaise musique qui t'ouvre des chemins médiocres dans le cœur. Et le dieu est faible qui t'apparaît.

Mais il est des visites qui te laissent endormie d'avoir tant aimé.

Et c'est pourquoi, pour toi qui es seule, j'ai inventé cette prière.

CXXIV

Prière de la solitude.

« Ayez pitié de moi, Seigneur, car me pèse ma solitude. Il n'est rien que j'attende. Me voici dans cette chambre où rien ne me parle. Et cependant ce ne sont point des présences que je sollicite, me découvrant plus perdue encore si je m'enfonce dans la foule. Mais telle autre qui me ressemble, seule aussi dans une chambre semblable, voici cependant qu'elle se trouve comblée si ceux de sa tendresse vaquent ailleurs dans la maison. Elle ne les entend ni ne les voit. Elle n'en reçoit rien dans l'instant. Mais il lui suffit pour être heureuse de connaître que sa maison est habitée.

« Seigneur, je ne réclame rien non plus qui soit à voir ou à entendre. Vos miracles ne sont point pour les sens. Mais il vous suffit pour me guérir de m'éclairer l'esprit sur ma demeure.

« Le voyageur dans son désert, s'il est, Seigneur, d'une maison habitée, malgré qu'il la sache aux confins du monde, il s'en réjouit. Nulle distance ne l'empêche d'en être nourri, et s'il meurt il meurt dans l'amour… Je ne demande donc même pas, Seigneur, que ma demeure me soit prochaine.

« Le promeneur qui dans la foule a été frappé par un visage, le voilà qui se transfigure, même si le visage n'est point pour lui. Ainsi de ce soldat amoureux de la reine. Il devient soldat d'une reine. Je ne demande donc même pas, Seigneur, que cette demeure me soit promise.

« Au large des mers il est des destinées brûlantes vouées à une île qui n'existe pas. Ils chantent, ceux du navire, le cantique de l'île et s'en trouvent heureux. Ce n'est point l'île qui les comble mais le cantique. Je ne demande donc même pas, Seigneur, que cette demeure soit quelque part…

« La solitude, Seigneur, n'est fruit que de l'esprit s'il est infirme. Il n'habite qu'une patrie, laquelle est sens des choses. Ainsi le temple quand il est sens des pierres. Il n'a d'ailes que pour cet espace. Il ne se réjouit point des objets mais du seul visage qu'on lit au travers et qui les noue. Faites simplement que j'apprenne à lire.

« Alors, Seigneur, c'en sera fini de ma solitude. »

CXXV

Car exactement comme la cathédrale est un certain arrangement de pierres toutes semblables mais distribuées selon des lignes de force dont la structure parle à l'esprit, exactement de même qu'il est un cérémonial de mes pierres. Et la cathédrale est plus ou moins belle.

Exactement comme la liturgie de mon année est un certain arrangement de jours d'abord tous semblables mais distribués selon des lignes de force dont la structure parle à l'esprit (et maintenant il est des jours où tu dois jeûner, d'autres où vous êtes conviés à vous réjouir, d'autres où tu ne dois pas travailler, et ce sont mes lignes de force que tu rencontres), exactement de même qu'il est un cérémonial de mes jours. Et l'année est plus ou moins vivante.

Exactement de même qu'il est un cérémonial des traits du visage. Et le visage est plus ou moins beau. Et un cérémonial de mon armée car ce geste-ci t'y est possible mais non cet autre qui te fait rencontrer mes lignes de force. Et tu es soldat d'une armée. Et l'armée est plus ou moins forte.

Et un cérémonial de mon village, car voici le jour de fête, ou la cloche des morts, ou l'heure des vendanges, ou le mur à bâtir ensemble, ou la communauté dans la famine et le partage de l'eau dans la sécheresse, et cette outre pleine n'est point pour toi seul. Et te voilà d'une patrie. Et la patrie est plus ou moins chaude.

Et je ne connais rien au monde qui ne soit d'abord cérémonial. Car tu n'as rien à attendre d'une cathédrale sans architecture, d'une année sans fêtes, d'un visage sans proportions, d'une armée sans règlements, ni d'une patrie sans coutumes. Tu ne saurais quoi faire de tes matériaux en vrac.

Pourquoi me dirais-tu de ces objets en vrac qu'ils sont réalité, et du cérémonial qu'il est illusion ? Puisque l'objet lui-même est cérémonial de ses parties. Pourquoi l'armée selon toi serait-elle moins réelle qu'une pierre ? Mais j'ai dénommé pierre un certain cérémonial de la poussière dont elle est composée. Et année le cérémonial des jours. Pourquoi l'année serait-elle moins vraie que la pierre ?

Ceux-là n'ont découvert que les individus. Et certes, il est bon que les individus prospèrent et se nourrissent et s'habillent et ne souffrent point exagérément. Mais ils meurent dans l'essentiel et ne sont plus que pierres en vrac si tu ne fondes pas dans ton empire un cérémonial des hommes.

Car autrement l'homme n'est plus rien. Et tu ne pleureras pas plus ton frère, s'il meurt, que le chien quand l'autre de la même portée se noie. Mais tu ne tireras point de joie non plus du retour de ton frère. Car le retour du frère doit être d'un temple qui s'embellit, et la mort du frère un éboulement dans le temple.

Et chez les réfugiés berbères je n'ai point observé que l'on pleurât les morts.

Comment saurai-je te démontrer ce que je cherche ? Il ne s'agit plus d'un objet qui parle aux sens mais à l'esprit. Ne me demande point de justifier le cérémonial que j'impose. La logique est de l'étage des objets et non de celui du nœud qui les noue. Ici je n'ai plus de langage.

Tu les as vues, les chenilles sans yeux s'acheminer vers la lumière ou faire l'ascension de l'arbre. Et toi qui les observes en homme, tu te formules ce vers quoi elles tendent. Tu conclus : « Lumière » ou « Sommet ». Mais elles l'ignorent. Ainsi si tu reçois quelque chose de ma cathédrale, de mon année, de mon visage, de ma patrie, voilà ta vérité et peu m'importe ton vent de paroles qui n'est bon que pour les objets. Tu es chenille. Tu ne conçois point ce que tu cherches.

Si donc de ma cathédrale, de mon année, de mon empire tu sors embelli, sanctifié ou nourri de quelque invisible nourriture, je me dirai :

« Voici une belle cathédrale pour hommes. Une belle année. Un bel empire. » Même si je ne sais point d'où considérer pour savoir la cause.

J'ai simplement, comme la chenille, trouvé quelque chose qui est pour moi. Ainsi d'un aveugle en hiver qui cherche le feu avec ses paumes. Et il le trouve. Et il pose son bâton et s'assied auprès, les jambes en croix. Bien qu'il ne sache rien du feu, à la façon dont tu sais quelque chose, toi qui vois. Il a trouvé la vérité de son corps, car tu l'observeras qui ne changera plus de place.

Et si tu reproches à ma vérité de n'être point une vérité, je te raconterai la mort du seul géomètre véritable, mon ami, qui, comme il s'apprêtait de mourir, me pria de l'assister.

CXXVI

Je m'en vins donc à lui de mes pas lents car je l'aimais.

« Géomètre, mon ami, je prierai Dieu pour toi. »

Mais il était las, ayant souffert.

« Ne t'inquiète point pour mon corps. J'ai la jambe morte et le bras mort et me voici comme un vieil arbre. Laisse faire le bûcheron...

— Tu ne regrettes rien, géomètre ?

— Que regretterais-je ? J'ai le souvenir d'un bras valide et d'une jambe valide. Mais toute la vie est naissance. Et l'on s'adopte tel que l'on est. As-tu jamais regretté ta première enfance, tes quinze ans ou ton âge mûr ? Ces regrets-là sont regrets de mauvais poète. Il n'est point là regret, mais douceur de la mélancolie, laquelle n'est point souffrance, mais parfum dans le vase d'une liqueur évaporée. Certes ton œil, le jour où tu le perds, tu te lamentes car toute mue est douloureuse. Mais il n'est point de pathétique à se promener dans la vie avec un seul œil. Et j'ai vu rire les aveugles.

— On peut se souvenir de son bonheur...

— Et où vois-tu qu'il y ait là souffrance ? Certes, j'ai vu celui-là souffrir du départ de celle qu'il aimait et qui était pour lui sens des jours, des heures et des choses. Car croulait son temple. Mais je n'ai point vu souffrir cet autre qui ayant connu l'exaltation de l'amour, puis ayant cessé d'aimer, a perdu le foyer de ses joies. Et il en est de même de celui qui était ému par le poème puis que le poème ennuie. Où vois-tu qu'il souffre ? C'est l'esprit qui dort et l'homme n'est plus. Car l'ennui n'est point le regret. Le regret de l'amour c'est toujours l'amour... et s'il n'est plus d'amour il n'est point de regret de l'amour. Tu ne rencontres plus que cet ennui qui est de l'étage des choses car elles n'ont rien à te donner. Les matériaux de ma vie ou bien ils s'effondrent dans l'instant que leur clef de voûte s'en va et c'est la souffrance de la mue et comment la connaîtrais-je ? Puisque c'est maintenant seulement que m'apparaît la clef de voûte véritable et la véritable signification et qu'ils n'ont jamais eu plus de sens qu'ils n'en ont. Et comment connaîtrais-je l'ennui puisqu'il est basilique construite et achevée et enfin éclairée pour mes yeux ?

— Géomètre, que me dis-tu là ! La mère peut se lamenter sur le souvenir de l'enfant mort.

— Certes dans l'instant où il s'en va. Car les choses perdent leur sens. Le lait monte à la mère et il n'est plus d'enfant. Te pèse la confidence qui est destinée à la bien-aimée et il n'est plus de bien-aimée. Et si te voilà d'un domaine vendu et dispersé que feras-tu de l'amour du domaine ? C'est l'heure de la mue laquelle est toujours douloureuse. Mais tu te trompes, car les mots embrouillent les hommes. Vient l'heure où les choses anciennes reçoivent leur sens et qui était de te faire devenir. Vient l'heure où tu te sens enrichi d'avoir autrefois aimé. Et c'est la mélancolie laquelle est douce. Vient l'heure où la mère ayant vieilli est de visage plus émouvant et de cœur mieux éclairé, bien qu'elle n'ose avouer, tant elle a peur aussi des mots, que lui est doux le souvenir de l'enfant mort. As-tu jamais entendu une mère te dire qu'elle eût préféré ne point le connaître, ne point l'allaiter, ne point le chérir ? »

Le géomètre s'étant tu longtemps me dit encore :

« Ainsi ma vie bien rangée en arrière me devient aujourd'hui déjà souvenir…

— Ah ! géomètre mon ami, dis-moi la vérité qui te fait cette âme sereine…

— Connaître une vérité, peut-être n'est-ce que la voir en silence. Connaître la vérité, c'est peut-être avoir droit enfin au silence éternel. J'ai coutume de dire que l'arbre est vrai, lequel est une certaine relation entre ses parties. Puis la forêt laquelle est une certaine relation entre les arbres. Puis le domaine lequel est une certaine relation entre les arbres et les plaines et autres matériaux du domaine. Puis de l'empire lequel est une certaine relation entre les domaines et les villes et autres matériaux des empires. Puis de Dieu lequel est une relation parfaite entre les empires et quoi que ce soit dans le monde. Dieu est aussi vrai que l'arbre, bien que plus difficile à lire. Et je n'ai plus de questions à poser. »

Il réfléchit :

« Je ne connais point d'autre vérité. Je ne connais que des structures qui plus ou moins me sont commodes pour dire le monde. Mais… »

Il se tut longtemps cette fois et je n'osai point l'interrompre :

« Cependant il m'est apparu quelquefois qu'elles ressemblaient à quelque chose....

— Que veux-tu dire ?

— Si je cherche j'ai trouvé car l'esprit ne désire que ce qu'il possède. Trouver c'est voir. Et comment chercherais-je ce qui pour moi n'a point de sens encore ? Je te l'ai dit, le regret de l'amour c'est l'amour. Et nul ne souffre du désir de ce qui n'est pas conçu. Et cependant j'ai eu comme le regret de choses qui n'avaient point encore de sens. Sinon pourquoi aurais-je marché dans la direction de vérités que je ne pouvais concevoir ? J'ai choisi vers des puits ignorés des chemins rectilignes qui furent semblables à des retours. J'ai eu l'instinct de mes structures comme des chenilles aveugles de leur soleil.

« Et toi quand tu bâtis un temple et qu'il est beau, à qui ressemble-t-il ?

« Et quand tu légifères sur le cérémonial des hommes et qu'il exalte les hommes comme le feu réchauffe ton aveugle, à quoi ressemble-t-il ? Car les exemples ne sont pas tous beaux et il est des cérémonials qui n'exaltent pas.

« Mais les chenilles ne connaissent point leur soleil, les aveugles ne connaissent point leur feu et tu ne connais point le visage auquel tu le fais ressembler quand tu bâtis un temple qui est pathétique au cœur des hommes.

« Il était pour moi un visage qui m'éclairait d'un côté et non de l'autre puisqu'il me faisait tourner vers lui. Mais je ne le connais point encore… »

C'est alors qu'à mon géomètre Dieu se montra.

CXXVIII

Tu me demandes : « Pourquoi ce peuple accepte-t-il d'être réduit en esclavage et ne poursuit-il pas sa lutte jusqu'au dernier ? »

Mais il convient de distinguer le sacrifice par amour, lequel est noble, du suicide par désespoir, lequel est bas ou vulgaire. Pour le sacrifice il faut un dieu comme le domaine ou la communauté ou le temple, lequel reçoit la part que tu délègues et en laquelle tu t'échanges.

Quelques-uns peuvent accepter de mourir pour tous, même si la mort est inutile. Et elle ne l'est jamais. Car les autres en sont embellis et vont l'œil plus clair et l'esprit plus vaste.

Quel père ne s'arrachera pas à l'étreinte de tes bras pour plonger dans le gouffre où se noie son fils ? Tu ne pourras pas le retenir. Mais vas-tu souhaiter qu'ils plongent ensemble ? Qui s'enrichira de leurs vies ?

L'honneur est rayonnement non du suicide mais du sacrifice.

CXXIX

Si tu juges mon œuvre, je souhaite que tu m'en parles sans m'interposer dans ton jugement. Car si je sculpte un visage, je m'échange en lui et je le sers. Et ce n'est point lui qui me sert. Et en effet j'accepte jusqu'au risque de mort pour achever ma création.

Donc ne ménage point tes critiques par crainte de me blesser dans ma vanité car il n'est point en moi de vanité. La vanité n'a point de sens pour moi puisqu'il s'agit non de moi mais de ce visage.

Mais s'il se trouve que ce visage t'a changé, ayant transporté en toi quelque chose, ne ménage point non plus tes témoignages par crainte d'offenser ma modestie. Car il n'est point en moi de modestie. Il s'agissait d'un tir dont le sens nous domine mais auquel il est bon que nous collaborions. Moi comme flèche, toi comme cible.

CXXXIII

« J'ai écrit mon poème. Il me reste à le corriger. »

Mon père s'irrita :

« Tu écris ton poème après quoi tu le corrigeras ! Qu'est-ce qu'écrire sinon corriger ! Qu'est-ce que sculpter sinon corriger ! As-tu vu pétrir la glaise ? De correction en correction sort le visage, et le premier coup de pouce déjà était correction au bloc de glaise. Quand je fonde ma ville je corrige le sable. Puis corrige ma ville. Et de correction en correction, je marche vers Dieu. »

CXXXIV

Car certes, tu t'exprimes par des relations. Et tu fais retentir les cloches les unes sur les autres. Et n'ont point d'importance les objets que tu fais retentir. Ce sont matériaux du piège pour des captures, lesquelles ne sont jamais de l'essence du piège. Et je t'ai dit qu'il fallait des objets reliés.

Mais dans la danse ou la musique il est un déroulement dans le temps qui ne me permet pas de me tromper sur ton message. Tu allonges ici, ralentis là, montes là et descends ici. Et fais maintenant écho à toi-même.

Mais là où tu me présentes tout en son ensemble il me faut un code. Car s'il n'est ni nez, ni bouche, ni oreille, ni menton, comment saurai-je ce que tu allonges ou raccourcis, épaissis ou allèges, redresses ou dévies, creuses ou bombes ? Comment connaîtrai-je tes mouvements et distinguerai-je tes répétitions et tes échos ? Et comment lirai-je ton message ? Mais le visage sera mon code car j'en connais un qui est parfait et qui est banal.

Et certes tu ne m'exprimeras rien si tu me fournis le visage parfaitement banal, sinon le simple don du code, l'objet de référence et le modèle d'académie. J'en ai besoin non pour m'émouvoir mais pour lire ce que tu charries dans ma direction. Et si tu me livres le modèle lui-même, certes tu ne charrieras rien. Aussi j'accepte bien que tu t'éloignes du modèle et déformes et emmêles, mais tant que je conserve la clef. Et je ne te reprocherai rien s'il te plaît de me placer l'œil sur le front.

Bien que je te jugerai alors malhabile, comme celui-là qui pour faire entendre sa musique ferait beaucoup de bruit ou qui rendrait trop ostensible dans son poème une image afin qu'elle se vît

Car je dis qu'il est digne d'enlever les échafaudages quand tu as achevé ton temple. Je n'ai pas besoin de lire tes moyens. Et ton œuvre est parfaite si je ne les y découvre plus.

Car précisément ce n'est pas le nez qui m'intéresse et il ne faut pas trop me le montrer en me le plaçant sur le front, ni le mot, et il ne faut pas me le choisir trop vigoureux sinon il mange l'image. Ni même l'image sinon elle mange le style.

Ce que je sollicite de toi est d'une autre essence que le piège. Ainsi de ton silence dans la cathédrale de pierre. Or il se trouve que c'est toi, lequel me prétendais mépriser la matière et chercher l'essence, et qui t'es appuyé sur cette belle ambition pour me fournir tes indéchiffrables messages, qui me construis un piège énorme aux couleurs voyantes, lequel m'écrase, et me dissimule la souris mort-née que tu as prise.

Car tant que je te reconnais ou pittoresque ou brillant ou paradoxal c'est que je n'ai rien reçu de toi, car simplement tu te montres comme dans une foire. Mais tu t'es trompé dans l'objet de la création. Car ce n'est point de te montrer toi-même mais de me faire devenir. Or si tu agites devant moi ton épouvantail à moineaux, je m'en irai me poser ailleurs.

Mais celui-là qui m'a conduit là où il voulait, puis s'est retiré, il me fait croire que je découvre le monde et, comme il le désirait, devenir.

Mais ne crois point non plus que cette discrétion consiste à me polir une sphère où ondulent vaguement un nez, une bouche et un menton comme d'une cire oubliée au feu, car si tu méprises si fort les moyens dont tu uses, commence par me supprimer ce marbre lui-même ou cette argile ou ce bronze, lesquels sont plus matériels encore qu'une simple forme de lèvre.

La discrétion consiste à ne pas insister sur ce que tu veux me faire voir. Or je remarquerai du premier coup, car je vois de nombreux visages le long de la journée, que tu me veux effacer le nez et je n'appellerai point non plus discrétion de me loger ton marbre dans une chambre obscure.

Le visage véritablement invisible et dont je ne recevrai plus rien, c'est le visage banal.

Mais vous êtes devenus des brutes et il vous faut crier pour vous faire entendre.

Certes, tu me peux dessiner un tapis bariolé, mais il n'a que deux dimensions et, s'il parle à mes sens, il ne parle ni à mon esprit ni à mon cœur.

CXXXVI

Si tu me veux parler d'un soleil menacé de mort, dis-moi : « soleil d'octobre ». Car celui-là faiblit déjà et te charrie cette vieillesse. Mais soleil de novembre ou décembre appelle l'attention sur la mort et je te vois qui me fais signe. Et tu ne m'intéresses pas. Car ce qu'alors je recevrai de toi ce n'est point le goût de la mort, mais le goût de la désignation de la mort. Et ce n'était point l'objet poursuivi.

Si le mot lève la tête au milieu de ta phrase, coupe-lui la tête. Car il ne s'agit point de me montrer un mot. Ta phrase est un piège pour une capture. Et je ne veux point voir le piège.

Car tu te trompes sur l'objet du charroi quand tu crois qu'il est énonçable. Sinon tu me dirais : « mélancolie », et je deviendrais mélancolique, ce qui est vraiment par trop facile. Et certes joue en toi un faible mimétisme qui te fait ressembler à ce que je dis. Si je dis : « colère des flots », tu es vaguement bousculé. Et si je dis : « le guerrier menacé de mort », tu es vaguement inquiet pour mon guerrier. Par habitude. Et l'opération est de surface. La seule qui vaille est de te conduire là d'où tu vois le monde comme je l'ai voulu.

Car je ne connais point de poème ni d'image dans le poème qui soit autre chose qu'une action sur toi. Il s'agit non de t'expliquer ceci ou cela, ni même de te le suggérer comme le croient de plus subtils, — car il ne s'agit point de ceci ou de cela — mais de te faire devenir tel ou tel. Mais de même que dans la sculpture j'ai besoin d'un nez, d'une bouche, d'un menton pour les faire retentir l'un sur l'autre et te prendre dans mon réseau, j'userai de ceci ou de cela que je suggérerai ou énoncerai, pour te faire autre devenir.

Car si j'use du clair de lune ne t'en va pas t'imaginer qu'il s'agit de toi dans le clair de lune. Il s'agit de toi tout aussi bien dans le soleil, ou dans la maison ou dans l'amour. Il s'agissait de toi tout court. Mais j'ai choisi le clair de lune parce qu'il me fallait bien un signe pour me faire entendre. Je ne pouvais les prendre tous. Et il se trouve ce miracle que mon action ira se diversifiant à la façon de l'arbre qui était simple à l'origine puisque graine, laquelle graine n'était point un arbre en miniature, mais qui développa des branches et des racines quand il s'est étalé dans le temps. Il en est pareillement de l'homme. Si je lui ajoute quelque chose de simple et qu'une seule phrase peut-être charriera, mon pouvoir ira se diversifiant et je modifierai cet homme dans son essence et il changera de comportement dans le clair de lune, dans la maison ou dans l'amour.

C'est pourquoi je dis d'une image, si elle est

image véritable, qu'elle est une civilisation où je t'enferme. Et tu ne sais point me circonscrire ce qu'elle régit.

Mais faible peut-être pour toi ce réseau de lignes de force. Et son effet meurt au bas de la page. Il est ainsi des graines dont le pouvoir s'éteint presque aussitôt, et des êtres qui manquent d'élan. Mais il reste que tu eusses pu les développer pour construire un monde.

Ainsi si je dis : « soldat d'une reine », certes il ne s'agit ni de l'armée ni du pouvoir mais de l'amour. Et d'un certain amour, lequel n'espère rien pour soi mais se donne à plus grand que soi. Et lequel ennoblit et augmente. Car ce soldat est plus fort qu'un autre. Et si tu observes ce soldat, tu le verras se respecter à cause de la reine. Et tu sais bien aussi qu'il ne trahira pas, car il est protégé par l'amour, résidant de cœur en la reine. Et tu le vois qui revient au village tout fier de soi et cependant pudique et rougissant quand on l'interroge sur la reine. Et tu sais comment il quitte sa femme s'il est appelé pour la guerre et que ses sentiments ne sont point ceux du soldat du roi, lequel est ivre de colère contre l'ennemi et s'en va lui planter son roi dans le ventre. Mais l'autre va les convertir et, par l'effet du même combat en apparence, les ranger aussi dans l'amour. Ou encore…

Mais si je parle plus loin j'épuise l'image car elle est d'un faible pouvoir. Et je ne saurais te dire aisément, quand l'un ou l'autre mange son pain, ce qui distingue le soldat de la reine du soldat du roi. Car l'image ici n'est qu'une faible lampe qui, bien que comme toute lampe elle rayonne sur tout l'univers, n'illumine que peu de chose pour tes yeux.

Mais toute évidence forte est une graine dont tu pourrais tirer le monde.

Et c'est pourquoi j'ai dit qu'une fois semée la graine, point n'était besoin d'en tirer toi-même tes commentaires, de bâtir toi-même ton dogme et d'inventer toi-même tes moyens d'action. La graine prendra sur le terreau des hommes, et naîtront par milliers tes serviteurs.

Ainsi si tu as su charrier dans l'homme qu'il est le soldat d'une reine, naîtra en conséquence ta civilisation. Après quoi tu pourras oublier la reine.

CXXXVII

N'oublie pas que ta phrase est un acte. Il ne s'agit point d'argumenter si tu désires me faire agir. Crois-tu que je m'en vais me déterminer pour des arguments ? J'en trouverais de meilleurs contre toi.

Où as-tu vu la femme délaissée te reconquérir par un procès où elle prouve qu'elle a raison ?

Le procès irrite. Elle ne saura même pas te reprendre en se montrant telle que tu l'aimais car celle-là tu ne l'aimes plus. Et je l'ai bien vu de cette malheureuse qui, d'avoir été épousée après cette chanson triste, recommença la veille du divorce cette même chanson. Mais cette chanson triste le faisait furieux.

Peut-être le reprendrait-elle en le réveillant tel qu'il était, lui, quand il l'aimait. Mais il y faut un génie créateur car il s'agit de charger l'homme de quelque chose, de même que je le charge d'une pente vers la mer qui le fera bâtisseur de navires. Alors certes l'arbre croîtra qui ira se diversifiant. Et de nouveau il réclamera la chanson triste.

Pour fonder l'amour vers moi, je fais naître quelqu'un en toi qui est pour moi. Je ne te dirai point ma souffrance, car elle te fera dégoûté de moi. Je ne te ferai point de reproches : ils t'irriteraient justement. Je ne te dirai pas les raisons que tu as de m'aimer, car tu n'en as point. La raison d'aimer c'est l'amour. Je ne me montrerai pas non plus tel que tu me souhaitais. Car celui-là tu ne le souhaites plus. Sinon tu m'aimerais encore. Mais je t'élèverai pour moi. Et si je suis fort je te montrerai un paysage qui te fera mon ami devenir.

Celle-là que j'avais oubliée me fut comme une flèche au cœur en me disant : « Entendez-vous votre cloche perdue ? »

Car en fin de compte qu'ai-je à te dire ? Je suis souvent allé m'asseoir sur la montagne. Et j'ai considéré la ville. Ou bien, me promenant dans le silence de mon amour, j'ai écouté parler les hommes. Et certes j'ai entendu des paroles auxquelles succédaient des actes comme du père qui dit à son fils : « Va me remplir cette urne à la fontaine » ou du caporal qui dit au soldat : « À minuit tu prendras la garde... » Mais il m'est toujours apparu que ces paroles ne présentaient point de mystère, et que le voyageur ignorant du langage, les constatant ainsi liées à l'usuel, n'y eût rien trouvé de plus étonnant que dans les démarches de la fourmilière dont aucune ne paraît obscure. Et moi, observant les charrois, les constructions, les soins aux malades, les industries et les commerces de ma ville, je n'y voyais rien qui ne fût d'un animal un peu plus audacieux et inventif et compréhensif que les autres, mais il m'apparaissait avec une évidence égale qu'en les considérant dans leurs fonctions usuelles je n'avais pas encore observé l'homme.

Car là où il m'apparaissait et me demeurait inexplicable par les règles de la fourmilière, là où il m'échappait si j'ignorais le sens des mots, c'était quand, sur la place du marché, assis en cercle, ils écoutaient un diseur de légendes, lequel avait en son pouvoir, s'il eût eu du génie, de se lever leur ayant parlé et, suivi d'eux, d'incendier la ville.

J'ai vu certes ces foules paisibles soulevées par la voix d'un prophète et s'en allant fondre à sa suite dans la fournaise du combat. Fallait que fût irrésistible ce que charriait le vent des paroles pour que, la foule l'ayant reçu, elle démentît le comportement de la fourmilière et se changeât en incendie, s'offrant d'elle-même à la mort.

Car ceux-là qui rentraient chez eux étaient changés. Et me semblait que point n'était besoin pour croire aux opérations magiques de les chercher dans les balivernes des mages, puisque étaient pour mes oreilles des assemblages de mots miraculeux et susceptibles de m'arracher à ma maison, à mon travail, à mes coutumes et de me faire souhaiter la mort.

C'est pourquoi j'écoutais chaque fois avec attention, distinguant le discours efficace de celui qui ne créait rien, afin d'apprendre à reconnaître l'objet du charroi. Car l'énoncé certes n'importe pas. Sinon chacun serait un grand poète. Et chacun serait meneur d'hommes, disant : « Suivez-moi pour l'assaut et l'odeur de la poudre brûlée... » Mais si tu t'y essaies tu les vois rire. Ainsi de ceux qui prêchent le bien.

Mais d'avoir écouté quelques-uns réussir et changer les hommes, et d'avoir prié Dieu afin qu'il m'éclairât, il m'a été donné d'apprendre à reconnaître dans le vent des paroles le charroi rare des semences.

CXXXIX

Car revint me voir ce prophète aux yeux durs qui nuit et jour couvait une fureur sacrée et qui par surcroît était bigle :

« Il convient, me dit-il, de les contraindre au sacrifice.

— Certes, lui répondis-je, car il est bon qu'une partie de leurs richesses soit prélevée sur leurs provisions, les appauvrissant faiblement, mais les enrichissant du sens qu'elles prendront alors. Car elles ne valent rien pour eux si elles n'ont pris place dans un visage. »

Mais il n'écoutait point, tout occupé par sa fureur.

« Il est bon, disait-il, qu'ils s'enfoncent dans la pénitence...

— Certes, lui répondis-je, car à manquer de nourriture, les jours de jeûne, ils connaîtront la joie d'y revenir, ou encore se feront solidaires de ceux qui jeûnent par force, ou s'uniront à Dieu en cultivant leur volonté, ou simplement se sauveront de devenir trop gras.

La fureur alors l'emporta :

« Il est bon d'abord qu'ils soient châtiés. »

Et je compris qu'il ne tolérait l'homme qu'enchaîné sur un grabat, privé de pain et de lumière au fond d'une geôle.

« Car il convient, dit-il, d'en extirper le mal.

— Tu risques de tout extirper, lui répondis-je. N'est-il pas préférable plutôt qu'extirper le mal d'augmenter le bien ? Et d'inventer les fêtes qui ennoblissent l'homme ? Et de le vêtir de vêtements qui le fassent moins sale ? Et de mieux nourrir ses enfants afin qu'ils puissent s'embellir de l'enseignement de la prière sans s'absorber dans la souffrance de leurs ventres ?

« Car il ne s'agit point de limites apportées aux biens dus à l'homme mais du sauvetage des champs de force qui gouvernent seuls sa qualité et des visages qui parlent seuls à son esprit et à son cœur.

« Ceux-là qui me peuvent bâtir des barques, je les ferai naviguer sur leurs barques et pêcher le poisson. Mais ceux-là qui me peuvent lancer des navires je leur ferai lancer des navires et conquérir le monde.

— Tu souhaites donc de les pourrir par les richesses !

— Rien de ce qui est provision faite ne m'intéresse et tu n'as rien compris », lui dis-je.

CXLI

Je dirai donc de l'homme : « L'homme étant celui qui ne vaut que dans un champ de forces, l'homme étant celui qui ne communique qu'à travers les dieux qu'il se conçoit et qui gouvernent lui et les autres, l'homme étant celui qui ne trouve de joie qu'à s'échanger par sa création, l'homme étant celui qui ne meurt heureux que s'il se délègue, l'homme étant celui qu'épuisent les provisions, et pour qui est pathétique tout ensemble montré, l'homme étant celui qui cherche à connaître et s'enivre s'il trouve, l'homme étant aussi celui qui… »

Il me convient de le formuler de telle façon que ne soient point soumises et détraquées ses aspirations essentielles. Car s'il est de ruiner l'esprit de création pour fonder l'ordre, cet ordre ne me concerne point. S'il est d'effacer le champ de forces pour accroître le tour de ventre, ce tour de ventre ne me concerne point. De même que s'il est de le faire pourrir par le désordre pour le grandir dans mon esprit de création, cette sorte d'esprit qui se ruine soi-même ne me concerne point. Et de même que s'il est de le faire périr pour exalter ce champ de forces, car il est alors un champ de forces mais il n'est plus d'homme et ce champ de forces ne me concerne point.

Donc moi le capitaine qui veille sur la ville, j'ai ce soir à parler sur l'homme, et de la pente que je créerai naîtra la qualité du voyage.

CXLII

Sachant d'abord et avant tout que je n'atteindrai point ainsi une vérité absolue et démontrable et susceptible de convaincre mes adversaires, mais une image contenant un homme en puissance et favorisant ce qui de l'homme me paraît noble, en soumettant à ce principe tous les autres.

Or il est bien évident que ne m'intéresse point de soumettre, en faisant de l'homme celui qui consomme et produit, la qualité de ses amours, la valeur de ses connaissances, la chaleur de ses joies, à l'accroissement de son tour de ventre bien que je prétende lui fournir le plus possible sans qu'il y ait là contradiction ni subterfuge, de même que ceux qui s'occupent de son tour de ventre prétendent ne point en mépriser l'esprit.

Car mon image, si elle est forte, se développera comme une graine et, en conséquence, elle est capitale à choisir. Et où as-tu connu pente vers la mer qui ne se transformât point en navire ?

De même que les connaissances ne me paraissent point devoir l'emporter, car il est autre chose d'instruire et d'élever, et je n'ai point constaté que, sur la somme des idées, reposât la qualité d'homme, mais sur la qualité de l'instrument qui permet de les acquérir.

Car tes matériaux seront toujours les mêmes et aucun n'est à négliger, et des mêmes matériaux tu peux tirer tous les visages.

Quant à ceux qui reprocheront au visage choisi d'être gratuit et de soumettre les hommes à l'arbitraire, comme de les convier de mourir pour la conquête de quelque oasis inutile sous prétexte que la conquête leur est belle, je répondrai qu'est hors d'atteinte toute justification, car mon visage peut coexister à tous les autres tout aussi vrais, et nous combattons en fin de compte pour des dieux, lesquels sont choix d'une structure à travers les mêmes objets.

Et seule nous départagerait la révélation et apparition d'archanges. Laquelle est de mauvais guignol, car si Dieu me ressemble pour se montrer à moi il n'est point Dieu, et s'il est Dieu mon esprit le peut lire mais non mes sens. Et s'il est de mon esprit de le lire, je ne le reconnaîtrai que par son retentissement sur moi, comme il en est de la beauté du temple. Et c'est à la façon de l'aveugle qui se guide vers le feu avec ses paumes, lequel feu ne lui est point connaissable par autre chose que son propre contentement, que je le chercherai et le trouverai. (Si je dis que Dieu m'ayant sorti de lui, sa gravitation m'y ramène.) Et si tu vois prospérer le cèdre c'est qu'il trempe dans le soleil bien que le soleil n'ait point de signification pour le cèdre.

Car selon la parole du seul géomètre véritable, mon ami, il me semble que nos structures ressemblent à quelque chose puisqu'il n'est point de démarche explicable qui conduise vers ces puits ignorés. Et si je nomme dieu ce soleil inconnu qui gouverne la gravitation de mes démarches, je veux lire sa vérité à l'efficacité du langage.

Moi qui domine la ville, je suis ce soir comme le capitaine d'un navire en mer. Car tu crois que l'intérêt, le bonheur et la raison gouvernent les hommes. Mais je t'ai refusé ton intérêt et ta raison et ton bonheur car il m'a paru que simplement tu dénommais intérêt ou bonheur ce vers quoi les hommes tendaient, et je n'ai que faire des méduses qui changent de forme, quant à la raison qui va où l'on veut, elle m'a paru trace sur le sable de quelque chose qui est au-dessus d'elle.

Car ce n'est jamais la raison qui a guidé le seul géomètre véritable, mon ami. La raison écrit les commentaires, déduit les lois, rédige les ordonnances et tire l'arbre de sa graine, de conséquence en conséquence, jusqu'au jour où l'arbre étant mort, la raison n'est plus efficace et il te faut une autre graine.

Mais moi qui domine la ville et suis comme le capitaine d'un navire en mer, je sais que l'esprit seul gouverne les hommes et qu'il les gouverne absolument. Car si l'homme a entrevu une structure, écrit le poème, et charrié la graine dans le cœur des hommes, alors se soumettent comme des serviteurs, intérêt, bonheur ou raison qui seront expressions dans le cœur ou ombre sur le mur des réalités, du changement en arbre de ta graine.

Et contre l'esprit il n'est point en ton pouvoir de te défendre. Car si je t'installe sur telle montagne et non telle autre, comment vas-tu nier que les villes et les fleuves font tel arrangement et non un autre puisque simplement cela est ?

C'est pourquoi je te ferai devenir. Et c'est pourquoi me voici responsable — bien que dorme ma ville et qu'à lire les actes des hommes tu n'y retrouveras que recherche de l'intérêt, du bonheur ou démarche de la raison — de sa direction véritable sous les étoiles.

CXLIV

Cependant ce soir-là je m'en fus visiter mes prisons. Et j'y découvris que nécessairement le gendarme n'avait distingué pour les choisir et les jeter dans les cachots que ceux qui se montraient permanents, ne composaient point, n'abjuraient pas l'évidence de leur vérité.

Et ceux-là qui demeuraient libres étaient ceux-là mêmes qui abjuraient et qui trichaient. Car souviens-toi de ma parole : Quelle que soit la civilisation du gendarme et quelle que soit la tienne, seul tient devant le gendarme, s'il détient pouvoir de juger, celui qui est bas. Car toute vérité quelle qu'elle soit, si elle est vérité d'homme et non de logicien stupide, est vice et erreur pour le gendarme. Car celui-là te veut d'un seul livre, d'un seul homme, d'une seule formule. Car il est du gendarme de bâtir le navire en s'efforçant de supprimer la mer.

CXLV

Car je suis fatigué des mots qui se tirent la langue et il ne me paraît point absurde de chercher dans la qualité de mes contraintes la qualité de ma liberté.

Comme dans la qualité du courage de l'homme en guerre, la qualité de son amour.

Comme dans la qualité de ses privations, la qualité de son luxe.

Comme dans la qualité de son acceptation de la mort, la qualité de ses joies dans la vie.

Comme dans la qualité de sa hiérarchie, la qualité de son égalité que je dirai alliance.

Comme dans la qualité de son refus des biens, la qualité de son usage des mêmes biens.

Comme dans la qualité de sa soumission totale à l'empire, la qualité de sa dignité individuelle.

Car dis-moi, si tu le prétends favoriser, ce qu'est un homme seul ? Je l'ai bien vu de mes lépreux.

Et dis-moi, si tu la prétends favoriser, ce qu'est une communauté opulente et libre ? Je l'ai bien vu de mes Berbères.

CXLVI

Car à ceux-là qui ne comprenaient pas mes contraintes je répondis :

« Vous êtes semblables à l'enfant qui, de n'avoir connu au monde qu'une forme de jarre, la considère comme absolue et ne comprend point plus tard, s'il change de demeure, pourquoi l'on a déformé et dévié la jarre essentielle de sa maison. Et ainsi quand tu vois forger dans l'empire voisin un homme autre que toi, et éprouvant et pensant et aimant et plaignant et haïssant différemment, tu te demandes pourquoi ceux-là déforment l'homme. D'où ta faiblesse, car tu ne sauveras point l'architecture de ton temple si tu ignores qu'elle est d'un dessin fragile et victoire de l'homme sur la nature. Et qu'il est quelque part des maîtres couples, des piliers, des cintres et des contreforts pour la soutenir.

« Et tu ne conçois point la menace qui pèse sur toi car tu ne vois dans l'œuvre de l'autre que l'effet d'un égarement passager et tu ne comprends pas que menace, pour l'éternité, de s'engloutir un homme qui jamais plus ne renaîtra.

« Et tu te croyais libre et t'indignais quand je te parlais de mes contraintes. Lesquelles en effet n'étaient point d'un gendarme visible mais plus impérieuses de ne se point remarquer comme de la porte à travers ton mur, laquelle ne te semble point, bien qu'il te faille faire un détour pour sortir, une insulte à ta liberté.

« Mais si tu veux voir apparaître le champ de forces qui te fonde et te fait ainsi te mouvoir et éprouvant et pensant et aimant et plaignant et haïssant de cette façon-ci et non d'une autre, considère son corset chez ton voisin, là où il commence d'agir, car alors il te deviendra sensible.

« Sinon toujours tu le méconnaîtras. Car la

pierre qui tombe ne subit pas la force qui la tire vers le bas. Une pierre ne pèse qu'immobile.

« C'est lorsque tu résistes que tu connais ce qui te meut. Et pour la feuille livrée au vent il n'est plus de vent, de même que pour la pierre délivrée il n'est plus de pesanteur.

« Et c'est pourquoi tu ne vois point la contrainte formidable qui pèse sur toi et ne se montrerait, tel le mur, que s'il te pouvait venir à l'idée d'incendier par exemple la ville.

« De même que ne t'apparaît point la contrainte plus simple de ton langage.

« Tout code est contrainte, mais invisible. »

CXLVII

J'étudiai donc les livres des princes, les ordonnances édictées aux empires, les rites des religions diverses, les cérémonials des funérailles, des mariages et des naissances, ceux de mon peuple et ceux des autres peuples, ceux du présent et ceux du passé, cherchant à lire des rapports simples entre les hommes dans la qualité de leur âme et les lois qui furent édictées pour les fonder, régir et perpétuer, et je ne sus point les découvrir.

Et, cependant, quand j'avais affaire à ceux-là qui me venaient de l'empire voisin où règne tel cérémonial des sacrifices, je le découvrais avec son bouquet, son arôme et sa façon à lui d'aimer ou de haïr, car il n'est ni amours ni haines qui se ressemblent. Et j'avais le droit de m'interroger sur cette genèse et de me dire : « Comment se fait-il que tel rite qui me semble sans rapport ni efficacité ni action, car il traite d'un domaine étranger à l'amour, fonde cet amour-ci et non un autre ? Où donc se loge le lien entre l'acte, et les murailles qui gouvernent l'acte, et telle qualité du sourire qui est de celui-là et non du voisin ? »

Je ne poursuivais point une démarche vaine puisque j'ai bien connu, tout au long de ma vie, que les hommes les uns des autres différaient, bien que les différences te soient invisibles d'abord et non exprimables en conservant, puisque tu te sers d'un interprète et qu'il a pour mission de te traduire les mots de l'autre, c'est-à-dire de chercher pour toi dans ton langage ce qui ressemblera le mieux à ce qui fut émis dans un autre langage. Et ainsi amour, justice ou jalousie se trouvant être traduits pour toi par jalousie, justice et amour, tu t'extasieras sur vos ressemblances, bien que le contenu des mots ne soit point le même. Et si tu poursuis l'analyse du mot, de traduction en traduction, tu ne chercheras et ne trouveras que les ressemblances, et te fuira comme toujours dans l'analyse ce que tu prétendais saisir.

Car si tu désires comprendre les hommes il ne faut point les écouter parler.

Et cependant sont absolues les différences. Car ni l'amour, ni la justice, ni la jalousie, ni la mort, ni le cantique, ni l'échange avec les enfants, ni l'échange avec le prince, ni l'échange avec la bien-aimée, ni l'échange dans la création, ni le visage du bonheur, ni la forme de l'intérêt ne se ressemblent de l'un à l'autre, et j'ai connu ceux-là qui s'estimaient comblés et, serrant les lèvres ou plissant les yeux, faisaient les modestes s'il leur poussait des ongles assez longs, et d'autres qui te jouaient le même jeu, s'ils te montraient des cals dans leurs paumes. Et j'ai connu ceux-là qui se jugeaient selon leur poids d'or dans leurs caves, ce qui te semble avarice sordide, tant que tu n'as point découvert des autres qu'ils éprouvent les mêmes sentiments d'orgueil et se jugent avec une complaisance satisfaite s'ils ont roulé des pierres inutiles sur la montagne.

Mais il m'est apparu avec évidence que je me trompais dans ma tentative car il n'est point de déduction pour passer d'un étage à l'autre et ma démarche était aussi absurde que celle du bavard qui, d'admirer avec toi la statue, te prétend expliquer par la ligne du nez ou la dimension de l'oreille, l'objet de ce charroi qui par exemple était mélancolie d'un soir de fête, et ne réside ici que comme capture, laquelle n'est jamais de l'essence des matériaux.

Il m'est également apparu que mon erreur résidait en ce que je cherchais à expliquer l'arbre par les sucs minéraux, le silence par les pierres, la mélancolie par les lignes et la qualité d'âme par le cérémonial, renversant ainsi l'ordre naturel de la création, alors qu'il m'eût fallu chercher à éclairer l'ascension des minéraux par la genèse de l'arbre, l'ordonnance des pierres par le goût du silence, la structure des lignes par le règne sur elles de la mélancolie, et le cérémonial par la qualité d'âme qui est une et ne saurait se définir avec des mots, puisque précisément pour la saisir, la régir et la perpétuer tu en es venu à m'offrir ce piège, lequel est tel cérémonial et non un autre.

Et certes j'ai chassé le jaguar dans ma jeunesse. Et j'ai usé de fosses à jaguar, meublées d'un agneau, hérissées de pieux et couvertes d'herbe. Et quand à l'aube je m'en venais les visiter j'y trouvais le corps du jaguar. Et si tu connais les mœurs du jaguar tu inventeras la fosse à jaguar avec ses pieux, son agneau et son herbe. Mais si je te prie d'étudier la fosse à jaguar, et que tu ne saches rien du jaguar, tu ne sauras point me l'inventer.

C'est pourquoi je t'ai dit du géomètre véritable mon ami, qu'il est celui-là qui sent le jaguar et invente la fosse. Malgré qu'il ne l'ait jamais vu. Et les commentateurs du géomètre ont bien compris, puisque le jaguar a été montré, ayant été pris, mais eux te considèrent le monde avec ces pieux, ces agneaux, ces herbes et autres éléments de sa construction, et ils espèrent par leur logique en dégager des vérités. Mais elles ne leur viennent point. Et ils demeurent stériles jusqu'au jour où se présente celui-là qui sent le jaguar sans l'avoir pu connaître encore, et de le sentir le capture, et te le montre, ayant ainsi mystérieusement emprunté, afin de te conduire à lui, un chemin qui fut semblable à un retour.

Et mon père fut géomètre qui fonda son cérémonial pour capturer l'homme. Et ceux qui ailleurs comme autrefois fondèrent d'autres cérémonials et capturèrent d'autres hommes. Mais sont venus les temps de la stupidité des logiciens, des historiens et des critiques. Et ils te regardent ton cérémonial, et n'en déduisent point l'image de l'homme, puisqu'il n'en peut être déduit, et au nom du vent de paroles qu'ils nomment raison, ils te dispersent au gré des libertés les éléments du piège, te ruinent ton cérémonial, et te laissent fuir la capture.

CXLVIII

Mais j'ai su découvrir les digues qui me fondaient un homme, au hasard de mes promenades dans une campagne étrangère. J'avais emprunté au pas lent de mon cheval un chemin qui liait un village à l'autre. Il eût pu franchir droit la plaine, mais il épousa les contours d'un champ et je perdis quelques instants à ce détour et pesait contre moi ce grand carré d'avoine, car mon instinct livré à lui-même m'eût mené droit, mais le poids d'un champ me faisait fléchir. Et m'usait dans ma vie l'existence d'un carré d'avoine, car des minutes lui furent consacrées, qui m'eussent servi pour autre chose. Et me colonisait ce champ car je consentais au détour, et alors que j'eusse pu jeter mon cheval dans les avoines, je le respectai comme un temple. Puis ma route me conduisit le long d'un domaine clos de murs. Et elle respecta le domaine et s'infléchit en courbe lente à cause de saillies et de retraits du mur de pierre. Et je voyais, derrière le mur, des arbres plus serrés que ceux des oasis de chez nous et quelque étang d'eau douce qui miroitait derrière les branches. Et je n'entendais que le silence. Puis je passai le long d'un portail sous le feuillage. Et ma route ici se divisait, dont une branche servait ce domaine. Et peu à peu au cours du lent pèlerinage, tandis que mon cheval boitait dans les ornières, ou tirait les rênes pour brouter l'herbe rase le long des murs, me vint le sentiment que mon chemin dans ses inflexions subtiles et ses respects et ses loisirs, et son temps perdu comme par l'effet de quelque rite ou d'une antichambre de roi, dessinait le visage d'un prince, et que tous ceux qui l'empruntaient, secoués par leurs carrioles ou balancés par leurs ânes lents, étaient, sans le savoir, exercés à l'amour.

CXLIX

Mon père disait :

« Ils se croient enrichis d'augmenter leur vocabulaire. Et certes je puis bien user d'un mot de plus et qui signifierait pour moi "soleil d'octobre" par opposition à un autre soleil. Mais je ne vois point ce que j'y gagne. Je découvre au contraire que j'y perds l'expression de cette dépendance qui me relie octobre et les fruits d'octobre et sa fraîcheur à ce soleil qui n'en vient plus si bien à bout, car il s'y est déjà usé. Rares sont les mots qui me font gagner quelque chose en exprimant d'emblée un système de dépendances dont je me servirai ailleurs, comme " jalousie". Car jalousie me permettra d'identifier, sans avoir à te dévider tout le système de dépendances, ceci qu'à cela je comparerai. Ainsi je te dirai : "La soif est jalousie de l'eau." Car ceux que j'en ai vus mourir, s'ils m'ont paru suppliciés ce ne fut point par une maladie, non plus abominable en soi-même que la peste, laquelle t'abrutit et tire de toi de modestes gémissements. Mais l'eau te fait hurler car tu la désires. Et tu vois en songe les autres qui boivent. Et tu te trouves exactement trahi par l'eau qui coule ailleurs. Ainsi de cette femme qui sourit à ton ennemi. Et ta souffrance n'est point de maladie mais de religion, d'amour, et d'images, lesquelles sont sur toi autrement efficaces. Car tu vis selon un empire qui n'est point des choses mais du sens des choses.

« Mais "soleil d'octobre" me sera d'un faible secours parce que trop particulier.

« Par contre je t'augmenterai si je t'exerce à des démarches qui te permettent, en usant de mots qui sont les mêmes, de construire des pièges différents, et bons pour toutes les captures. Ainsi des nœuds d'une corde, si tu peux en tirer ceux qui seront bons pour les renards ou pour soutenir tes voiles en mer et prendre le vent. Mais le jeu de mes incidentes et les inflexions de mes verbes, et le souffle de mes périodes et l'action sur les compléments, et les échos et les retours, toute cette danse que tu danseras et qui, une fois dansée, aura charrié en l'autre ce que tu prétendais transmettre, ou saisi dans ton livre ce que tu prétendais saisir.

« Prendre conscience, disait ailleurs mon père, c'est d'abord acquérir un style.

« Prendre conscience, affirmait-il encore, ce n'est point recevoir le bazar d'idées qui ira dormir. Peu m'importent tes connaissances car elles ne te servent de rien sinon comme objets et comme moyens dans ton métier qui est de me construire un pont, ou de m'extraire l'or, ou de me renseigner si j'en ai besoin sur la distance des capitales. Mais ce formulaire n'est point l'homme. Prendre conscience, ce n'est point non plus augmenter ton vocabulaire. Car son accroissement n'a d'autre objet que de te permettre d'aller plus loin en me comparant maintenant tes jalousies, mais c'est la qualité de ton style qui garantira seule la qualité de tes démarches. Sinon je n'ai que faire de ces résumés de ta pensée. Je préfère entendre “soleil d'octobre” qui m'est plus sensible que ton mot nouveau, et me parle aux yeux et au cœur. Tes pierres sont des pierres, puis assemblées, des colonnes, puis une fois assemblées les colonnes, des cathédrales. Mais je ne t'ai offert ces ensembles de plus en plus vastes qu'à cause du génie de mon architecte, lequel les préférait pour les opérations de plus en plus vastes de son style, c'est-à-dire de l'expansion de ses lignes de force dans les pierres. Et dans la phrase aussi tu me fais une opération. Et c'est elle d'abord qui compte.

« Prends-moi ce sauvage, disait mon père. Tu peux lui augmenter son vocabulaire et il se changera en intarissable bavard. Tu peux lui emplir le cerveau de la totalité de tes connaissances, et ce bavard se fera clinquant et prétentieux. Et tu ne pourras plus l'arrêter. Et il s'enivrera de verbiage creux. Et toi, aveugle, tu te diras : "Comment se peut-il faire que ma culture loin de l'élever ait abâtardi ce sauvage et en ait tiré non le sage que j'en espérais, mais un détritus dont je n'ai que faire ? Combien maintenant je reconnais qu'il était grand et noble et pur dans l'ignorance !"

« Car il n'était qu'un cadeau à lui faire, et que de plus en plus tu oublies et négliges. Et c'était l'usage d'un style. Car au lieu de jouer avec les objets de ses connaissances comme avec des ballons de couleur, de s'amuser du son qu'ils rendent, et de s'enivrer de sa jonglerie, le voilà tout à coup qui, usant peut-être de moins d'objets, va s'orienter vers ces démarches de l'esprit qui sont ascension de l'homme. Et voici qu'il te deviendra réservé et silencieux comme l'enfant qui ayant de toi reçu un jouet en a d'abord tiré du bruit. Mais voici que tu lui enseignes qu'il en peut tirer des assemblages. Tu le vois alors se faire pensif et se taire. S'enfermer dans son coin de chambre, plisser le front, et commencer de naître à l'état d'homme.

« Enseigne donc d'abord à ta brute la grammaire et l'usage des verbes. Et des compléments. Apprends-lui à agir avant de lui confier sur quoi agir. Et ceux-là qui font trop de bruit, remuent, comme tu dis, trop d'idées, et te fatiguent, tu les observeras qui découvriront le silence.

« Lequel est seul signe de la qualité. »

CL

Ainsi la vérité quand elle se fait à mon usage.

Et tu t'étonnes. Mais tu ne t'étonnes point, que je sache, quand l'eau que tu bois, le pain que tu manges, se font lumière des yeux, ni quand le soleil se fait branchage, et fruit et graines. Et certes tu ne retrouveras rien dans le fruit qui ressemble au soleil ou simplement rien du cèdre qui ressemble à la semence de cèdre.

Car né de lui ne signifie point qu'il lui ressemble.

Ou plutôt je dis « ressemblance » quelque chose qui n'est ni pour tes yeux ni pour ton intelligence, mais pour ton seul esprit. Et c'est ce que je signifie lorsque j'exprime que la création ressemble à Dieu, le fruit au soleil, le poème à l'objet du poème et l'homme que j'ai tiré de toi au cérémonial de l'empire.

Et ceci est très important car faute de reconnaître par les yeux une filiation qui n'a de sens que pour l'esprit, tu refuses les conditions de ta grandeur. Tu es semblable à l'arbre qui, de ne point retrouver les signes du soleil dans le fruit, refuserait le soleil. Ou plutôt comme le professeur qui, de ne point retrouver dans l'œuvre le mouvement informulable dont elle est issue, l'étudie, découvre son plan, dégage s'il en peut trouver des lois internes, et te fabrique ensuite une œuvre qui les applique, et te fait fuir pour ne la point entendre.

C'est ici que la bergère ou le menuisier ou le mendiant a plus de génie que tous les logiciens, historiens et critiques de mon empire. Car il leur déplaît que leur chemin creux perde ses contours. Pourquoi ? leur demandes-tu. Parce qu'ils l'aiment. Et cet amour est la voie mystérieuse par où ils en sont allaités. Il faut bien, puisqu'ils l'aiment, qu'ils en reçoivent quelque chose. Peu importe si tu le sais formuler. Il n'est que des logiciens, des historiens et des critiques de n'accepter du monde que ce dont ils savent faire des phrases. Car je pense, moi, que toi, petit d'homme, tu commences seulement d'apprendre un langage et tâtonnes et t'y exerces et ne saisis encore qu'une mince pellicule du monde. Car il est lourd à transporter.

Mais ceux-là ne savent croire qu'en le maigre contenu de leur petit bazar d'idées.

Si tu refuses mon temple, mon cérémonial et mon humble chemin de campagne à cause que tu ne sais m'énoncer l'objet ni le sens du charroi, je t'enfoncerai le nez dans ta propre crasse. Car là où il n'est point de mots dont tu me puisses étonner par leur bruit, ou d'images proposées que tu me puisses agiter comme des preuves palpables, tu acceptes pourtant de recevoir une visite dont tu ne sais dire le nom. As-tu jamais écouté la musique ? Pourquoi l'écoutes-tu ?

Tu acceptes communément comme belle la cérémonie du coucher du soleil sur la mer. Veux-tu me dire pourquoi ?

Et moi je dis que si tu as chevauché ton âne le long du chemin de campagne dont je t'ai parlé, te voilà changé. Et peu m'importe que tu ne saches encore me dire pourquoi.

Et c'est pourquoi tous les rites, tous les sacrifices, tous les cérémonials, tous les chemins ne sont pas également bons. Il en est de mauvais comme de musiques vulgaires. Mais je ne sais les départager par la raison. Je n'en veux qu'un signe qui est toi

Si je veux juger le chemin, le cérémonial ou le poème, je regarde l'homme qui en vient. Ou bien j'écoute battre son cœur.

CLVI

Il s'éleva un vent de sable qui charria vers nous des débris d'oasis lointaine, et le campement fut comblé d'oiseaux. Il en était sous chaque tente qui partagèrent notre vie, non farouches et cherchant aisément notre épaule, cependant, faute de nourriture, ils périssaient chaque jour par milliers, bientôt secs et craquants comme une écorce de bois mort. Comme ils empestaient l'air je les fis récolter. On en emplit de grandes corbeilles. Et l'on versa cette poussière à la mer.

Quand nous connûmes pour la première fois la soif, nous assistâmes, à l'heure des chaleurs du soleil, à l'édification d'un mirage. La ville géométrique se reflétait, pure de lignes, dans les eaux calmes. Un homme devint fou, poussa un cri, et, dans la direction de la ville, se prit à courir. Comme le cri du canard sauvage qui émigre retentit dans tous les canards, je compris que le cri de l'homme avait ébranlé les autres hommes. Ils étaient prêts, à la suite de l'inspiré, de basculer vers ce mirage et le néant. Une carabine bien ajustée le culbuta. Et il ne fut plus qu'un cadavre, lequel enfin nous rassura.

L'un de mes soldats pleurait.

« Qu'as-tu ? » lui dis-je.

Je croyais qu'il pleurait le mort.

Mais il avait découvert à ses pieds une de mes écorces craquantes et il pleurait un ciel déshabillé de ses oiseaux.

« Lorsque le ciel perd son duvet, me dit-il, il y a menace pour la chair de l'homme. »

Nous remontâmes l'ouvrier des entrailles du puits, il s'évanouit, mais il nous avait pu signifier que le puits était sec. Car il est des marées souterraines d'eau douce. Et l'eau, quelques années durant, va penchant vers les puits du Nord. Lesquels redeviennent sources de sang. Mais ce puits nous tenait comme un clou dans une aile.

Tous songeaient aux grandes corbeilles pleines d'écorce de bois mort.

Nous ralliâmes cependant le puits d'El Bahr le lendemain soir.

Je convoquai les guides, la nuit venue :

« Vous nous avez trompés sur l'état des puits. El Bahr est vide. Que ferai-je de vous ? »

Luisaient d'admirables étoiles au fond d'une

nuit amère à la fois et splendide. Nous disposions de diamants pour notre nourriture.

« Que ferai-je de vous ? » disais-je aux guides.

Mais vaine est la justice des hommes. N'étions-nous pas tous changés en ronces ?

Le soleil émergea, découpé par la brume de sable en forme de triangle. Ce fut comme un poinçon pour notre chair. Des hommes churent, frappés au crâne. Des fous se déclarèrent en grand nombre. Mais il n'était plus de mirages qui les sollicitassent de leurs cités limpides. Il n'était plus ni mirage ni horizon pur, ni lignes stables. Le sable nous enveloppait d'une lumière tumultueuse de four à briques.

Comme je levais la tête j'aperçus à travers les volutes le tison pâle qui entretenait l'incendie. « Le fer de Dieu, songeais-je, qui nous marque comme des bêtes. »

« Qu'as-tu ? dis-je à un homme qui titubait.

— Je suis aveugle. »

Je fis éventrer deux chameaux sur trois et nous bûmes l'eau des viscères. Les survivants nous les chargeâmes de la totalité des outres vides et, gouvernant cette caravane, j'expédiai des hommes vers le puits d'El Ksour que l'on disait douteux.

« Si El Ksour est tari, leur dis-je, vous mourrez là-bas aussi bien qu'ici. »

Mais ils revinrent après deux journées sans événements qui me coûtèrent le tiers de mes hommes.

« Le puits d'El Ksour, témoignèrent-ils, est une fenêtre sur la vie. »

Nous bûmes et ralliâmes El Ksour pour boire encore et refaire les provisions d'eau.

Le vent de sable s'apaisa et nous parvînmes à El Ksour dans la nuit. Il était là, autour du puits, quelques épineux. Mais au lieu de squelettes sans feuilles nous aperçûmes d'abord des sphères d'encre emmanchées sur des bâtons maigres. Nous ne comprîmes point d'abord la vision, mais quand nous fûmes à proximité de ces arbres ils firent, l'un après l'autre, comme explosion avec un grand bruit de colère. La migration de corbeaux qui les avaient choisis comme perchoirs les ayant dépouillés d'un seul coup, comme une chair qui eût éclaté autour de l'os. Leur vol était si dense que malgré l'éclatante pleine lune il nous tenait dans l'ombre. Car les corbeaux, loin de s'éloigner, agitèrent longtemps sur nos fronts leur tourbillon de cendre noire.

Nous en tuâmes trois mille car nous manquions de nourriture.

Ce fut une fête extraordinaire. Les hommes bâtirent des fours de sable qu'ils emplirent de bouse sèche, laquelle brillait clair comme du foin. Et la graisse des corbeaux parfuma l'air. L'équipe de garde autour du puits manœuvrait sans repos une corde de cent vingt mètres qui accouchait la terre de toutes nos vies. Une autre équipe distribuait l'eau à travers le camp comme elle l'eût fait pour des orangers dans la sécheresse.

J'allais ainsi, de mes pas lents, regardant revivre les hommes. Puis je m'éloignai d'eux, et, une fois rentré dans ma solitude, j'adressai à Dieu cette prière :

« J'ai vu, Seigneur, au cours d'une même journée, la chair de mon armée s'assécher puis revivre. Elle était déjà semblable à une écorce de bois mort, or la voici dispose et efficace. Nos muscles rafraîchis nous porteront où nous voudrons. Et cependant il s'en est fallu d'une heure de soleil et nous étions effacés de la terre, nous et la trace de nos pas.

« J'ai entendu rire et chanter. L'armée que j'emporte avec moi est cargaison de souvenirs. Elle est clef d'existences lointaines. Reposent sur elle des espérances, des souffrances, des désespoirs et des joies. Elle n'est point autonome mais mille fois liée. Et cependant il s'en est fallu d'une heure de soleil et nous étions effacés de la terre, nous et la trace de nos pas.

« Je les mène vers l'oasis à conquérir. Ils seront semence pour la terre barbare. Ils apporteront nos coutumes à des peuples qui les ignorent. Ces hommes qui mangent et boivent et ne vivent ce soir que d'une vie élémentaire, à peine se seront-ils montrés dans les plaines fertiles, que tout y changera non seulement des coutumes et du langage, mais de l'architecture des remparts et du style des temples. Ils sont lourds d'un pouvoir qui agira le long des siècles. Et cependant il s'en est fallu d'une heure de soleil et nous étions effacés de la terre, nous et la trace de nos pas.

« Ils ne le savent point. Ils avaient soif, ils sont satisfaits pour leur ventre. Cependant l'eau du puits d'El Ksour sauve des poèmes et des villes et de grands jardins suspendus — car il était de ma décision d'en faire bâtir. L'eau du puits d'El Ksour change le monde. Et cependant une heure de soleil l'eût pu tarir et nous eût effacés de la terre, nous et la trace de nos pas.

« Ceux qui en revinrent les premiers nous dirent : "Le puits d'El Ksour est une fenêtre sur la vie." Tes anges étaient prêts de te récolter mon armée dans leurs grandes corbeilles et de te la verser dans ton éternité comme une écorce de bois mort. Nous les avons fuis par ce trou d'aiguille. Je ne sais plus m'y reconnaître. Désormais si je considère un simple champ d'orge sous le soleil, en équilibre entre la boue et la lumière et capable de nourrir un homme, j'y verrai véhicule ou passage secret, quoique ignorant ce dont il est le charroi ou le chemin. J'ai vu sortir des villes, des temples, des remparts et de grands jardins suspendus du puits d'El Ksour.

« Mes hommes boivent et songent à leur ventre. Il n'est rien en eux que plaisir du ventre. Ils sont massés autour du trou d'aiguille. Et il n'est rien au fond du trou d'aiguille que clapotis d'une eau noire quand un récipient la tourmente. Mais d'être versée sur la graine sèche et qui ne connaît rien de soi sinon son plaisir de l'eau, elle réveille un pouvoir ignoré qui est de villes, de temples, de remparts et de grands jardins suspendus.

« Je ne sais plus m'y reconnaître si Tu n'es clef de voûte et commune mesure et signification des uns et des autres. Le champ d'orge et le puits d'El Ksour et mon armée, je n'y découvre que matériaux en vrac, s'il n'est point Ta présence au travers qui me permette d'y déchiffrer quelque ville crénelée qui se bâtit sous les étoiles. »

CLVII

Nous fûmes bientôt en vue de la ville. Mais nous n'en découvrîmes rien, sinon des remparts rouges d'une hauteur inusitée et qui tournaient vers le désert une sorte d'envers dédaigneux, dépouillés qu'ils étaient d'ornements, de saillies, de créneaux, et conçus de toute évidence pour n'être point observés du dehors.

Quand tu regardes une ville elle te regarde. Elle dresse contre toi ses tours. Elle t'observe de derrière ses créneaux. Elle te ferme ou t'ouvre ses portes. Ou bien elle désire être aimée ou te sourire et tourne en ta direction les parures de son visage. Toujours quand nous prenions les villes il nous semblait, tant elles avaient bien été bâties en vue du visiteur, qu'elles se donnaient à nous. Portes monumentales et avenues royales, que tu sois chemineau ou conquérant, tu es toujours reçu en prince.

Mais le malaise s'empara de mes hommes quand les remparts, peu à peu grandis par l'approche, nous parurent si visiblement nous tourner le dos dans un calme de falaise, comme s'il n'était rien hors de la ville.

Nous usâmes la première journée à en faire le tour, lentement, cherchant quelque brèche, quelque défaut, ou à tout le moins quelque issue murée. Il n'en était point. Nous cheminions à portée de fusil mais aucune riposte ne rompait jamais le silence bien qu'il arrivât que quelques-uns de mes hommes dont le malaise allait s'aggravant tirassent eux-mêmes des salves de défi. Mais il en était de cette cité derrière ses remparts comme du caïman sous sa carapace qui ne daigne même pas pour toi sortir d'un songe.

D'une éminence lointaine qui, sans surplomber les remparts, permettait un regard rasant, nous observâmes une verdure serrée comme du cresson. Or, à l'extérieur des remparts, on n'eût point découvert un seul brin d'herbe. Il n'était plus, à l'infini, que sable et rocaille usés de soleil, tant les sources de l'oasis avaient été patiemment drainées pour le seul usage intérieur. Ces remparts retenaient toute végétation comme le casque une chevelure. Nous déambulions stupides à quelques pas d'un paradis trop dense, d'une éruption d'arbres, d'oiseaux, de fleurs, étranglée par la ceinture des remparts comme pour le basalte d'un cratère.

Quand les hommes eurent bien connu que le mur était sans fissures, une part d'entre eux fut prise de peur. Car cette ville jamais, de mémoire d'homme, n'avait donc ni délégué ni accueilli de caravane. Aucun voyageur n'avait apporté avec son bagage l'infection de coutumes lointaines. Aucun marchand n'y avait introduit l'usage d'un objet ailleurs familier. Aucune fille capturée au loin n'avait versé sa race dans la leur. Il semblait à mes hommes palper l'écorce d'un monstre informulable qui ne possédât rien en commun avec les peuples de la terre. Car les îles les plus perdues, des naufrages de navires les ont une fois abâtardies, et tu trouves toujours quelque chose pour établir ta parenté d'homme et forcer le sourire. Mais ce monstre, s'il se montrait, ne montrerait point de visage.

Il en est d'autres parmi les hommes qui, bien au contraire, furent tourmentés par un amour informulable et singulier. Car tu es ému par celle-là seule qui est permanente et bien fondée, ni métissée de pâte dans sa chair, ni pourrie de langage dans sa religion ou ses coutumes, et qui ne sort point de cette lessive de peuples où tout s'est mélangé et qui est glacier fondu en mare. Qu'elle était belle, cette bien-aimée si jalousement cultivée, dans ses aromates et ses jardins et ses coutumes !

Mais les uns comme les autres et moi-même, une fois le désert franchi, nous butions sur l'impénétrable. Car, qui s'oppose à toi, t'ouvre le chemin de son cœur, comme à ton épée celui de sa chair et tu peux espérer le vaincre, l'aimer ou en mourir, mais que peux-tu contre qui t'ignore ? Et c'est quand me vint ce tourment que précisément nous découvrîmes que tout autour du mur sourd et aveugle, le sable montrait une zone plus blanche d'être trop riche en ossements qui sans doute témoignaient du sort des délégations lointaines, semblable qu'elle était à la frange d'écume où se résout, le long d'une falaise, la houle que vague par vague délègue la mer.

Mais comme, le soir venu, je considérais du seuil de ma tente ce monument impénétrable qui durait au milieu de nous, je méditai et il me parut que bien plus que la ville à prendre c'était nous qui subissions un siège. Si tu incrustes une semence dure et fermée dans une terre fertile, ce n'est point ta terre qui, de l'entourer, assiège ta semence. Car ta semence quand elle craquera, sa graine établira son règne sur ta terre. « S'il est, par exemple, derrière les murs, me disais-je, tel ou tel instrument de musique ignoré de nous et s'il en est tiré des mélodies âpres ou mélancoliques, et d'un goût pour nous encore inconnu, l'expérience m'enseigne qu'une fois forcée cette réserve mystérieuse et répandus mes hommes parmi ses biens je les retrouverai plus tard, dans les soirées de mes campements s'exerçant à tirer de ces instruments peu usuels telle mélodie d'un goût neuf pour leurs chœurs. Et leurs cœurs en seront changés.

« Vainqueurs ou vaincus, me disais-je, comment saurai-je distinguer ! Tu considères cet homme muet parmi la foule. Elle l'entoure et le presse et le force. S'il est contrée vide elle l'écrase. Mais s'il est d'un homme habité et construit à l'intérieur, comme de la danseuse que je fis danser, et s'il parle, alors ayant parlé il a dans ta foule poussé ses racines, noué ses pièges, établi son pouvoir et voilà ta foule, s'il se met en marche, qui se met en marche derrière lui en multipliant sa puissance.

« Il suffit que ce territoire abrite quelque part un seul sage bien protégé par son silence, et devenu au cœur de ses méditations, pour qu'il équilibre le poids de tes armes car il est semblable à une graine. Et comment le distinguerais-tu pour le décapiter ? Il ne se montre que par son pouvoir et dans la seule mesure où son œuvre est faite. Car il en est ainsi de la vie qui est toujours en équilibre avec le monde. Et tu ne peux lutter que contre le fou qui te propose des utopies mais non contre celui qui pense et construit le présent puisque le présent est tel qu'il le montre. Il en est ainsi de toute création, car le créateur n'y apparaît point. Si de la montagne où je t'ai conduit tu vois ainsi résolus tes problèmes, et non autrement, comment te défendrais-tu contre moi ? Il faut bien que tu sois quelque part.

« Ainsi de ce barbare qui ayant crevé des remparts et forcé le palais royal fit irruption face à la reine. Or la reine ne disposait d'aucun pouvoir, tous ses hommes d'armes étant morts.

« Quand tu fais une erreur dans le jeu que tu jouais par simple goût du jeu, te voilà rouge, humilié et désireux de réparer ta faute. Cependant il n'est point de juge pour te flétrir sinon ce personnage que tel jeu déliait en toi et qui proteste. Et tu te gardes des faux pas dans la danse bien que ni l'autre danseur ni personne n'ait qualité pour te les reprocher. Ainsi pour te faire mon prisonnier je n'irai point te montrer ma puissance mais je te donnerai le goût de ma danse. Et tu viendras où je voudrai.

« C'est pourquoi la reine, se tournant vers le roi barbare quand il creva la porte et surgit en soudard la hache au poing et tout fumant de sa puissance, et plein d'un énorme désir d'étonner, car il était vaniteux et vantard, eut un sourire triste, comme de déception secrète, et d'indulgence un peu usée. Car rien ne l'étonnait sinon la perfection du silence. Et tout ce bruit, elle ne daignait point l'entendre, de même que tu ignores les travaux grossiers des égoutiers, bien que tu les acceptes comme nécessaires.

« Dresser un animal, c'est l'enseigner à agir dans la seule direction pour lui efficace. Quand tu veux sortir de chez toi tu fais le tour, sans y réfléchir, par la porte. Quand ton chien veut gagner son os, il te fera les actes sollicités de lui car il a observé peu à peu qu'ils étaient chemin le plus court vers sa récompense. Bien qu'en apparence ils n'aient point de rapport avec l'os. Cela se fonde sur l'instinct même et non sur le raisonnement. Ainsi le danseur conduit la danseuse par des règles du jeu qu'ils ignorent eux-mêmes. Qui sont langage caché comme de toi à ton cheval. Et tu ne saurais me dire exactement les mouvements qui te font obéir de ton cheval.

« Or la faiblesse du barbare étant qu'il voulait d'abord étonner la reine, son instinct lui enseigna vite qu'il n'était qu'un chemin, tous les autres chemins la rendant plus lointaine, plus indulgente et plus déçue, et il commença de jouer du silence. Ainsi commençait-elle elle-même de le changer à sa façon, préférant au bruit de la hache les révérences silencieuses. »

Ainsi me semblait-il qu'à entourer ce pôle qui nous forçait de regarder vers lui, bien qu'il fermât les yeux délibérément, nous lui faisions jouer un rôle dangereux car il recevait de notre audience le pouvoir de rayonnement d'un monastère.

C'est pourquoi, ayant réuni mes généraux, je leur dis :

« Je prendrai la ville par l'étonnement. Il importe que ceux de la ville nous interrogent sur quelque chose. »

Mes généraux assagis par l'expérience et

quoique n'ayant rien compris de mes paroles, firent divers bruits d'assentiment.

Je me souvenais également d'une réplique qu'opposa mon père à certains, qui lui objectaient que les hommes, dans les grandes choses, ne cédaient qu'à de grandes forces :

« Certes, leur avait-il répondu. Mais vous ne risquez point de vous contredire car vous dites qu'une force est grande quand elle fait céder les forts. Or voici un marchand vigoureux, arrogant et avare. Il transporte une fortune de diamants, lesquels sont cousus dans sa ceinture. Et voici un bossu chétif, pauvre et prudent qui n'est point connu du marchand, parle un autre langage que le sien, et souhaite cependant de s'attribuer les pierres. Tu ne vois point où loge la force dont il dispose ?

— Nous ne le voyons point, dirent les autres.

— Cependant, poursuivit mon père, le chétif ayant abordé le géant l'invite, comme il fait chaud, à partager son thé. Et tu ne risques rien quand tu portes des pierres cousues dans ta ceinture à partager le thé d'un bossu chétif.

— Certes, rien, dirent les autres.

— Et cependant à l'heure de la séparation, le bossu emporte les pierres, et le marchand crève de rage, muselé jusque dans ses poings par la danse que l'autre lui a dansée.

— Quelle danse ? firent les autres.

— Celle de trois dés taillés dans un os », répondit mon père.

Puis il leur expliqua :

« Il y a que le jeu est plus fort que l'objet du jeu. Toi général, tu gouvernes dix mille soldats. Ce sont les soldats qui détiennent les armes. Ils sont tous solidaires les uns des autres. Et cependant tu les envoies se jeter l'un l'autre en prison. Car tu ne vis point des choses mais du sens des choses. Quand le sens des diamants fut d'être caution des dès ils coulèrent dans la poche du bossu. »

Les généraux qui m'entouraient cependant s'enhardirent :

« Mais comment les atteindrais-tu, ceux de la ville, s'ils refusent de t'écouter ?

— Voilà bien ton amour des mots qui te fait faire un bruit stérile. S'ils peuvent parfois refuser d'écouter, où vois-tu que les hommes puissent refuser d'entendre ?

— Celui-là que je cherche à gagner à ma cause peut se faire sourd à la tentation de mes promesses s'il est assez solide de cœur.

— Certes, puisque tu te montres ! Mais s'il est sensible à telle musique et que tu la lui joues, ce n'est point toi qu'il entendra, c'est la musique. Et s'il se penche sur un problème qui le dévore et si tu lui montres la solution, il est bien contraint de la recevoir. Comment veux-tu qu'il feigne vis-à-vis de soi-même, par haine ou mépris contre toi, de continuer de chercher ? Si au joueur d'un jeu tu désignes le coup qui le sauve et qu'il a cherché sans le découvrir, tu le gouvernes car il t'obéira, bien qu'il prétende t'ignorer. Ce que tu cherches, si on te le donne, tu te l'attribues. Celle-là cherche sa bague égarée ou le mot d'un rébus. Je lui tends la bague, l'ayant retrouvée. Ou je lui souffle le mot du rébus. Elle peut bien certes refuser l'un ou l'autre de moi par excès de haine. Cependant je l'ai gouvernée car je l'ai expédiée s'asseoir. Il faudrait qu'elle fût bien folle pour continuer de chercher…

« Ceux de la ville, il faut bien qu'ils désirent, cherchent, souhaitent, protègent, cultivent quelque chose. Sinon autour de quoi bâtiraient-ils des remparts ? Si tu les bâtis autour d'un puits maigre et si au-dehors je te crée un lac, tes remparts tombent d'eux-mêmes car ils sont ridicules. Si tu les bâtis autour d'un secret et que mes soldats, autour des remparts, te crient ton secret à tue-tête, tes remparts tombent aussi car ils n'ont plus d'objet. Si tu les bâtis autour d'un diamant, et que j'en sème au-dehors comme gravats, tes remparts tombent car ils favorisent ta seule pauvreté. Et si tu les bâtis autour de la perfection d'une danse et que, la même danse, je la danse mieux que toi, tu les démoliras toi-même pour apprendre de moi à danser...

« Ceux de la ville, je veux d'abord simplement qu'ils m'entendent. Ensuite ils m'écouteront. Mais certes si je joue du clairon sous leurs murs ils se reposeront en paix sur leurs remparts et n'entendront point ma vaine soufflerie. Car tu n'entends que ce qui est pour toi. Et t'augmente. Ou te résout dans un de tes litiges.

« J'agirai donc sur eux malgré qu'ils feignent de m'ignorer. Car la grande vérité est que tu n'existes point seul. Tu ne peux demeurer permanent dans un monde qui, autour, change. Je puis sans te toucher agir sur toi car, que tu le veuilles ou non, c'est ton sens même que je change et tu ne peux le supporter. Tu étais détenteur d'un secret, il n'est plus de secret, ton sens a changé. Celui-là qui danse et déclame dans la solitude je te l'entoure en secret d'auditeurs narquois puis j'enlève le rideau : je l'interromps net dans sa danse.

« S'il danse encore c'est qu'il est fou.

« Ton sens est fait du sens des autres, que tu le veuilles ou non. Ton goût est fait du goût des autres, que tu le veuilles ou non. Ton acte est mouvement d'un jeu. Pas d'une danse. Je change le jeu ou la danse et je change ton acte en un autre.

« Tu bâtis tes remparts à cause d'un jeu, tu les détruiras toi-même à cause d'un autre.

« Car tu vis non des choses mais du sens des choses.

« Ceux de la ville je les punirai dans leur prétention car ils comptent sur leurs remparts.

« Alors que ton unique rempart, c'est la puissance de la structure qui te pétrit et que tu sers. Car le rempart du cèdre c'est le pouvoir même de sa graine, laquelle lui permettra de s'établir contre la tempête, la sécheresse et la rocaille. Et ensuite tu pourras bien l'expliquer par l'écorce mais l'écorce d'abord était fruit de la graine. Racines, écorce et feuillage sont graine qui s'est exprimée. Mais le germe de l'orge n'est que d'un faible pouvoir et l'orge oppose un rempart faible aux entreprises du temps.

« Et celui-là qui est permanent et bien fondé est près de s'épanouir dans un champ de forces selon ses lignes de force d'abord invisibles. Celui-là je le dis rempart admirable, car le temps ne l'usera point mais le bâtira. Le temps est fait pour le servir. Et peu importe s'il semble nu.

« Le cuir du caïman ne protège rien si la bête est morte. »

Ainsi considérant la ville ennemie, encastrée dans son armature de ciment, je méditais sur sa faiblesse ou sur sa force. « Est-ce elle ou moi qui menons la danse ? » Il est dangereux, dans un champ de blé, de jeter un seul grain d'ivraie, car l'être de l'ivraie domine l'être du blé, et peu importe l'apparence et le nombre. Ton nombre est porté dans la graine. Il te faut dérouler le temps pour le compter.

CLVIII

Ainsi ai-je médité longtemps sur le rempart. Le rempart véritable est en toi. Et le savent bien les soldats qui te font tournoyer leurs sabres. Et tu ne passes plus. Le lion est sans carapace mais son coup de patte va comme l'éclair. Et s'il saute sur ton bœuf, il te l'ouvre en deux comme un placard.

Certes, me diras-tu, est fragile le petit enfant, et tel qui plus tard changera le monde eût aisément été soufflé dans ses premiers jours comme une chandelle. Mais j'ai vu mourir l'enfant d'Ibrahim. Dont le sourire était au temps de sa santé comme un cadeau. « Viens », disait-on à l'enfant d'Ibrahim. Et il venait vers le vieillard. Et il lui souriait. Et le vieillard en était éclairé. Il tapotait la joue de l'enfant et ne savait trop quoi lui dire, car l'enfant était un miroir qui donnait un peu de vertige. Ou une fenêtre. Car toujours l'enfant t'intimide comme s'il détenait des connaissances. Et tu ne t'y trompes guère, car son esprit est fort avant que tu l'aies rabougri. Et de ses trois cailloux il te fait une flotte de guerre. Et certes le vieillard ne reconnaît point dans l'enfant le capitaine d'une flotte de guerre, mais il reconnaît ce pouvoir. Or, l'enfant d'Ibrahim était comme l'abeille qui puise tout autour pour faire son miel. Tout lui devenait miel. Et il te souriait de ses dents blanches. Et toi tu restais là ne sachant quoi saisir à travers ce sourire. Car il n'est point de mots pour le dire. Simplement, merveilleusement disponibles ces trésors ignorés, comme ces coups de printemps sur la mer avec une grande déchirure de soleil. Et le marin se sent brusquement changé en prière. Le navire pour cinq minutes va dans la gloire. Tu croises tes mains sur ta poitrine et tu reçois. Ainsi de l'enfant d'Ibrahim dont le sourire passait comme une occasion merveilleuse que tu n'eusses su comment saisir. Comme un règne trop court sur des territoires ensoleillés et des richesses que tu n'as même pas eu le temps de recenser. Dont tu ne pourrais rien dire. Alors c'est celui-là qui ouvrait et fermait ses paupières comme des fenêtres sur autre chose. Et, bien que peu bavard, t'enseignait. Car le véritable enseignement n'est point de te parler mais de te conduire. Et toi, vieux bétail, il te conduisait comme un jeune berger dans les invisibles prairies dont tu n'eusses rien su dire sinon que pour une minute tu te sentais comme allaité et rassasié et abreuvé. Or, c'est celui-là qui était pour toi signe d'un soleil inconnu, dont tu apprenais qu'il allait mourir. Et toute la ville se changeait en veilleuse et en couveuse. Toutes les vieilles venaient essayer leurs tisanes et leurs chansons. Les hommes se tenaient devant la porte pour empêcher qu'il y eût du bruit dans la rue. Et l'on te l'enveloppait et te le berçait et te l'éventait. Et c'est ainsi que se bâtissait entre la mort et lui un rempart qui eût pu paraître imprenable car une ville entière l'entourait de soldats pour soutenir ce siège contre la mort. Ne va pas me dire qu'une maladie d'enfant n'est qu'une lutte de faible chair dans sa faible gaine. S'il existe un remède au loin on a dépêché des cavaliers. Et voilà que ta maladie se joue aussi sur le galop de tes cavaliers dans le désert. Et sur les haltes pour les relais. Et les grandes auges où l'on fait boire. Et sur les coups de talon au ventre, car il faut gagner la mort à la course. Et certes, tu ne vois qu'un visage fermé et lisse de sueur. Et cependant ce qui se combat se combat aussi à coups d'éperon dans le ventre.

Enfant chétif ? Où vois-tu qu'il le soit ? Chétif comme le général qui mène une armée…

Et moi j'ai bien compris, le regardant, et regardant les vieilles et les vieux et les plus jeunes, tout l'essaim d'abeilles autour de la reine, tous les mineurs autour du sillon d'or, tous les soldats autour du capitaine, que s'ils ne formaient qu'un ainsi, d'un tel pouvoir, c'est que les avait drainés, comme la graine une matière disparate pour en faire arbres, tours et remparts, un sourire silencieux, penché et furtif qui les avait convoqués tous pour le combat. Il n'était point de fragilité dans cette chair d'enfant si vulnérable puisqu'elle s'augmentait de cette colonie, tout naturellement, sans même le connaître, par le seul effet de cet appel qui t'ordonne autour de toi toutes les réserves extérieures. Et une ville entière se fait serviteur de l'enfant. Ainsi des sels minéraux appelés par la graine, ordonnés par la graine et qui deviennent, dans la dure écorce, remparts du cèdre. Qu'est-ce que la fragilité du germe s'il détient le pouvoir d'assembler ses amis et de soumettre ses ennemis ? Crois-tu aux apparences, aux poings de ce géant et à la clameur qu'il peut produire ? Cela est vrai dans l'instant même. Mais tu oublies le temps. Le temps te construit des racines. Et le géant, tu ne vois point qu'il est déjà comme garrotté par une invisible structure. Et l'enfant faible, tu ne vois point qu'il marche à la tête d'une armée. Dans l'instant même le géant te l'écraserait. Mais il ne l'écrasera point. Car l'enfant n'est point une menace. Mais tu verras l'enfant poser son pied sur la tête du géant et d'un coup de talon te le détruire.

CLXI

La nuit vint et je gravis la plus haute courbe de la contrée pour regarder dormir la ville et s'éteindre autour, dans l'obscurité universelle, les taches noires de mes campements dans le désert. Et ceci afin de sonder les choses, connaissant à la fois que mon armée était pouvoir en marche, la ville pouvoir fermé comme d'une poudrière, et qu'au travers de cette image d'une armée serrée autour de son pôle, une autre image était en marche, et en construction ses racines, dont je ne pouvais rien connaître encore, liant différemment les mêmes matériaux, et je cherchais à lire dans la nuit les signes de cette gestation mystérieuse, non dans le but de la prévoir, mais afin de la gouverner, car tous, moins les sentinelles, ils sont allés dormir. Et reposent les armes. Mais voici que tu es navire dans le fleuve du temps. Et a passé sur toi cet éclairage du matin, de midi et du soir comme l'heure de la couvée, faisant quelque peu progresser les choses. Puis l'élan silencieux de la nuit après le coup de pouce du soleil. Nuit bien huilée et livrée aux songes car seuls se perpétuent les travaux qui se font tout seuls, comme d'une chair qui se répare, des sucs qui s'élaborent, du pas de routine des sentinelles, nuit livrée aux servantes car le maître est allé dormir. Nuit pour la réparation des fautes, car leur effet en est reporté au jour. Et moi, la nuit, lorsque je suis vainqueur, je remets à demain ma victoire.

Nuit des grappes qui attendent la vendange, réservées par la nuit, nuit des moissons en sursis. Nuit des ennemis cernés dont je ne prendrai livraison qu'au jour. Nuit des jeux faits, mais le joueur est allé dormir. Le marchand est allé dormir, mais il a passé les consignes au veilleur de nuit qui fait les cent pas. Le général est allé dormir mais il a passé les consignes aux sentinelles. Le chef de bord est allé dormir mais il a passé la consigne à l'homme de barre, et l'homme de barre ramène Orion qui se promène dans la mâture là où il faut. Nuit des consignes bien données et des créations suspendues.

Mais nuit aussi où l'on peut tricher. Où les maraudeurs s'emparent des fruits. Où l'incendie s'empare des granges. Où le traître s'empare des citadelles. Nuit des grands cris qui retentissent. Nuit de l'écueil pour le navire. Nuit des visitations et des prodiges. Nuit des réveils de Dieu — le voleur — car celle-là que tu aimais tu peux bien l'attendre au réveil !

Nuit où l'on entend craquer les vertèbres. Nuit dont j'ai toujours entendu craquer les vertèbres comme de l'ange ignoré que je sens épars dans mon peuple et qu'il s'agit un jour de délivrer…

Nuit des semences reçues.

Nuit de la patience de Dieu.

CLXX

Je condamne ta vanité, mais non pas ton orgueil, car si tu danses mieux qu'une autre, pourquoi te dénigrerais-tu en t'humiliant devant qui danse mal ? Il est une forme d'orgueil qui est amour de la danse bien dansée.

Mais l'amour de la danse n'est point amour de toi qui danses. Tu tires ton sens de ton œuvre, ce n'est point l'œuvre qui se prévaut de toi. Et tu ne t'achèveras jamais, sinon dans la mort. Seule la vaniteuse se satisfait, interrompt sa marche pour se contempler, et s'absorbe dans son adoration d'elle-même. Elle n'a rien à recevoir de toi, sinon tes applaudissements. Or nous méprisons de tels appétits, nous, éternels nomades de la marche vers Dieu, car rien de nous ne nous peut satisfaire.

La vaniteuse a fait halte en soi-même, croyant que l'on a pris visage avant l'heure de la mort. C'est pourquoi elle ne saurait plus ni rien recevoir ni rien donner, précisément à la façon des morts.

L'humilité du cœur n'exige point que tu t'humilies mais que tu t'ouvres. C'est la clef des échanges. Alors seulement tu peux donner et recevoir. Et je ne sais point distinguer l'un de l'autre ces deux mots pour un même chemin. L'humilité n'est point soumission aux hommes, mais à Dieu. Ainsi de la pierre soumise non aux pierres mais au temple. Quand tu sers c'est la création que tu sers. La mère est humble vis-à-vis de l'enfant et le jardinier devant la rose.

Moi, le roi, je m'irai soumettre sans gêne à l'enseignement du laboureur. Car il en sait plus long qu'un roi sur le labour. Et, lui sachant gré de m'instruire, je l'en remercierai sans croire déchoir. Car il est naturel que la science du labour aille du laboureur vers le roi. Mais, dédaignant toute vanité, je ne solliciterai point qu'il m'admire. Car le jugement va du roi vers le laboureur.

Tu as rencontré au cours de ta vie celle qui s'est prise pour idole. Que recevrait-elle de l'amour ? Tout, jusqu'à ta joie de la retrouver, lui devient hommage. Mais plus l'hommage est coûteux, plus il vaut : elle goûterait mieux ton désespoir.

Elle dévore sans se nourrir. Elle s'empare de toi pour te brûler en son honneur. Elle est semblable à un four crématoire. Elle s'enrichit, dans son avarice, de vaines captures, croyant que, sa joie, elle la trouvera dans cet empilage. Mais elle n'empile que des cendres. Car l'usage véritable de tes dons était chemin de l'un vers l'autre, et non capture.

Puisqu'elle y voit des gages elle se gardera de t'en accorder en retour. Faute d'élans qui te combleraient, sa fausse réserve te prétendra que la communion dispense des signes. C'est marque d'impuissance à aimer, non élévation de l'amour. Le sculpteur s'il méprise la glaise, il pétrit le vent. Si ton amour méprise les signes de l'amour, sous prétexte d'atteindre l'essence, il n'est plus que vocabulaire. Je te veux des souhaits et des présents et des témoignages. Saurais-tu aimer le domaine, si tu en excluais tour à tour, comme superflus, parce que trop particuliers, le moulin, le troupeau, la maison ? Comment construire l'amour qui est visage lu à travers la trame, s'il n'est point de trame sur quoi l'écrire ?

Car il n'est point de cathédrale sans cérémonial des pierres.

Et il n'est point d'amour sans cérémonial en vue de l'amour. L'essence de l'arbre je ne l'atteins que s'il a lentement pétri la terre selon le cérémonial des racines, du tronc et des branches. Alors le voilà qui est un. Tel arbre et non un autre.

Mais celle-là dédaigne les échanges dont elle naîtrait. Elle cherche dans l'amour un objet capturable. Et cet amour n'a point de signification.

Elle croit que l'amour est cadeau qu'elle peut enfermer en soi. Si tu l'aimes c'est qu'elle t'a gagné. Elle t'enferme en elle, croyant s'enrichir. Or, l'amour n'est point trésor à saisir, mais obligation de part et d'autre. Mais fruit d'un cérémonial accepté. Mais visage des chemins de l'échange.

Celle-là ne naîtra jamais. Car tu ne saurais naître que d'un réseau de liens. Elle demeurera graine avortée et d'un pouvoir inemployé, sèche d'âme et de cœur. Elle vieillira, funèbre, dans la vanité de ses captures.

Car tu ne peux rien t'attribuer. Tu n'es point un coffre. Tu es le nœud de ta diversité. Ainsi du temple, lequel est sens des pierres.

Détourne-toi d'elle. Tu n'as d'espoir ni de l'embellir ni de l'enrichir. Ton diamant lui est devenu sceptre, couronne et marque de domination. Pour admirer, ne fût-ce qu'un bijou, il faut l'humilité de cœur. Elle n'admirait point : elle enviait. L'admiration prépare l'amour, mais l'envie prépare le mépris. Elle méprisera, au nom de celui qu'elle détient enfin, tous les autres diamants de la terre. Et tu l'auras tranchée un peu plus avant d'avec le monde.

Tu l'auras tranchée d'avec toi-même, ce diamant ne lui étant point chemin de toi vers elle, ni d'elle vers toi, mais tribut de ton esclavage.

C'est pourquoi chaque hommage la fera plus dure et plus solitaire.

Dis-lui :

« Je me suis certes hâté vers toi, dans la joie de te joindre. Je t'ai fait porter des messages. Je t'ai comblée. La douceur, pour moi, de l'amour c'était cette option que je te souhaitais sur moi-même. Je t'accordais des droits afin de me sentir lié. J'ai besoin de racines et de branches. Je me proposais pour t'assister. Ainsi du rosier que je cultive. Je me soumets donc à mon rosier. Rien de ma dignité ne s'offense des engagements que je contracte. Et je me dois ainsi à mon amour.

« Je n'ai point craint de m'engager et j'ai fait le solliciteur. Je me suis librement avancé, car nul au monde n'a barre sur moi. Mais tu te trompais sur mon appel, car tu as lu dans mon appel ma dépendance : je n'étais point dépendant. J'étais généreux.

« Tu as compté mes pas vers toi, ne te nourrissant point de mon amour mais de l'hommage de mon amour. Tu t'es méprise sur la signification de ma sollicitude. Je me détournerai donc de toi pour honorer celle-là seule qui est humble et qu'illuminera mon amour. J'aiderai à grandir celle-là seule que mon amour grandira. De même que je soignerai l'infirme pour le guérir, non pour le flatter : j'ai besoin d'un chemin, non d'un mur.

« Tu prétendais non à l'amour mais à un culte. Tu as barré ma route. Tu t'es dressée sur mon chemin comme une idole. Je n'ai que faire de cette rencontre. J'allais ailleurs.

« Je ne suis ni idole à servir, ni esclave pour servir. Quiconque me revendiquera je le répudierai. Je ne suis point objet placé en gage, et nul n'a créance sur moi. Ainsi n'ai-je créance sur personne : de celle qui m'aime je reçois perpétuellement.

« À qui m'as-tu donc acheté pour revendiquer cette propriété ? Je ne suis point ton âne. Je dois à Dieu peut-être de te demeurer fidèle. Mais non à toi. »

Ainsi de l'empire, lorsqu'un soldat lui doit sa vie. Ce n'est point créance de l'empire, mais créance de Dieu. Il ordonne que l'homme ait un sens. Or, le sens de cet homme est d'être soldat de l'empire.

Ainsi des sentinelles qui me doivent les honneurs. Je les exige mais n'en retiens rien pour moi-même. À travers moi les sentinelles ont des devoirs. Je suis nœud du devoir des sentinelles.

Ainsi de l'amour.

Mais si je rencontre celle-là qui rougit et qui balbutie, et qui a besoin de présents pour apprendre à sourire, car ils lui sont vent de mer et non capture, alors je me ferai chemin qui la délivre.

Je n'irai ni m'humilier ni l'humilier dans l'amour. Je serai autour d'elle comme l'espace et en elle comme le temps. Je lui dirai : « Ne te hâte point de me connaître, il n'est rien de moi à saisir. Je suis espace et temps, où devenir. »

Si elle a besoin de moi, comme la graine de la terre pour se faire arbre, je n'irai point l'étouffer par ma suffisance.

Je ne l'honorerai point non plus pour elle-même. Je la grifferai durement des serres de l'amour. Mon amour lui sera aigle aux ailes puissantes. Et ce n'est point moi qu'elle découvrira mais, par moi, les vallées, les montagnes, les étoiles, les dieux.

Il ne s'agit point de moi. Je ne suis que celui qui transporte. Il ne s'agit point de toi : tu n'es que sentier vers les prairies au réveil du jour. Il ne s'agit point de nous : nous sommes ensemble passage pour Dieu qui emprunte un instant notre génération, et l'use.

CLXXI

Haine non de l'injustice car elle est instant de passage et devient juste.

Haine non de l'inégalité car elle est hiérarchie visible ou invisible.

Haine non du mépris de la vie car si tu te soumets à plus grand que toi le don de ta vie devient échange.

Mais haine de l'arbitraire permanent car il ruine le sens même de la vie, lequel est durée dans l'objet même de ton échange.

CLXXIII

Il n'était rien qu'une barque perdue au loin sur le calme de la mer.

Il est sans doute, Seigneur, une autre échelle d'où ce pêcheur là-bas dans sa barque me paraîtrait flamme de ferveur ou nœud de colère, tirant des eaux le pain de l'amour à cause de la femme et des enfants, ou le salaire de famine. Ou bien se montrerait à moi le mal dont peut-être il meurt et qui le remplit et qui le brûle.

Petitesse de l'homme ? Où vois-tu qu'il y ait petitesse ? Tu ne prends point mesure de l'homme avec une chaîne d'arpenteur. C'est au contraire quand j'entre dans la barque que tout devient immense.

Il Te suffit, Seigneur, pour que je me connaisse, que Tu plantes en moi l'ancre de la douleur. Tu tires sur la corde et je me réveille.

Soumis peut-être à l'injustice, l'homme de la barque ? Rien ne diffère dans le spectacle. La même barque. Le même calme jour sur les eaux. La même oisiveté du jour.

Qu'ai-je à recevoir des hommes si je ne me fais pas humble pour eux ?

Seigneur, rattachez-moi à l'arbre dont je suis. Je n'ai plus de sens si je suis seul. Qu'on appuie sur moi. Que j'appuie sur l'autre. Que Tes hiérarchies me contraignent. Je suis ici défait et provisoire.

J'ai besoin d'être.

CLXXIV

Je t'ai parlé du boulanger qui te pétrit la pâte à pain et tant que celle-ci lui cède c'est que rien ne vient. Mais voici l'heure où la pâte se noue, comme ils disent. Et les mains découvrent au travers de la masse informe des lignes de force et des tensions et des résistances. Il se développe dans la pâte à pain une musculature de racines. Le pain s'empare de la pâte comme un arbre de la terre.

Tu rumines tes problèmes et rien ne se montre. Tu vas de l'une à l'autre des solutions car il n'en est point qui te satisfasse. Tu es malheureux, faute d'agir, car la marche seule est exaltante. Et te voilà pris du dégoût de te sentir épars et divisé. Tu te tournes alors vers moi afin que je tranche tes litiges. Et je puis certes les trancher en choisissant l'une des solutions contre l'autre. Si te voilà captif de ton vainqueur, il me serait permis de te dire : si te voilà simplifié par le choix d'une part contre l'autre, certes te voilà prêt pour l'action mais tu trouves la paix de fanatique ou paix de termite ou paix de lâche. Car le courage n'est point de s'en aller donnant des coups aux porteurs d'autres vérités.

Ta souffrance certes t'oblige à sortir des conditions de ta souffrance. Mais il te faut accepter ta souffrance pour être poussé vers ton ascension. Ainsi déjà de la simple souffrance causée par un membre malade. Elle t'oblige de te soigner et de refuser ta pourriture.

Mais tel qui souffre de ses membres et s'en ampute plutôt que de s'efforcer vers le remède, je ne le dis point courageux mais fou ou lâche. Je ne souhaite point d'amputer l'homme mais de le guérir.

C'est pourquoi, de la montagne où je dominais la ville, j'adressai à Dieu cette prière :

« Ils sont là, Seigneur, sollicitant de moi leur signification. Ils attendent leur vérité de moi, Seigneur, mais elle n'est point forgée encore. Éclairez-moi. Je malaxe la pâte à pain afin que se manifestent les racines. Mais rien ne se noue encore et je connais la mauvaise conscience des nuits blanches. Mais je connais aussi l'oisiveté du fruit. Car toute création trempe dans le temps d'abord, où devenir.

« Ils m'apportent en vrac leurs souhaits, leurs désirs, leurs besoins. Ils les empilent sur mon chantier comme autant de matériaux dont je dois créer l'assemblage afin que les absorbe le temple ou le navire.

« Mais je ne sacrifierai point les besoins des uns aux besoins des autres, la grandeur des uns à celle des autres. La paix des uns à la paix des autres. Je les soumettrai tous les uns aux autres afin qu'ils deviennent temple ou navire.

« Car il m'est apparu que soumettre c'était recevoir et placer. Je soumets la pierre au temple et elle ne reste point en vrac sur le chantier. Et il n'est point de clou dont je ne serve le navire.

« Je n'écouterai pas le plus grand nombre, car ils ne voient point le navire, lequel est au-dessus d'eux. Si étaient en plus grand nombre les forgeurs de clous ils soumettraient les scieurs de planches à la vérité des forgeurs de clous et il ne naîtrait point de navire.

« Je ne créerai point la paix de la termitière par un choix vide et des bourreaux et des prisons malgré qu'ensuite viendrait la paix, car, créé par la termitière, l'homme le serait pour la termitière. Mais peu m'importe de perpétuer l'espèce si elle ne transporte point ses bagages. Le vase certes est le plus urgent, mais c'est la liqueur qui fait son prix.

« Je ne concilierai point non plus. Car concilier c'est se satisfaire de l'ignominie d'un mélange tiède où se sont conciliées des boissons glacées et brûlantes. Et je veux sauver les hommes dans leur saveur. Car tout ce qu'ils cherchent est souhaitable, leurs vérités sont toutes évidentes. C'est à moi de créer l'image qui les absorbe. Car la commune mesure de la vérité des scieurs de planches et de la vérité des forgeurs de clous, c'est le navire.

« Mais viendra l'heure, Seigneur, où Tu auras pitié de mon déchirement dont je n'ai rien refusé. Car je brigue la sérénité qui rayonne sur les litiges absorbés et non la paix du partisan qui est faite moitié d'amour moitié de haine.

« Lorsque je m'indigne, Seigneur, c'est que je n'ai point encore compris. Quand j'emprisonne ou exécute c'est que je ne sais point couvrir. Car celui-là qui se fait une vérité fragile, comme de préférer la liberté à la contrainte, ou la contrainte à la liberté, faute de dominer un langage vain dont les mots se tirent la langue, celui-là se sent bouillir de colère quand on le prétend contredire. Si tu cries fort, c'est que ton langage est insuffisant et que tu cherches à couvrir les voix des autres. Mais en quoi, Seigneur, m'indignerais-je si j'ai accédé à Ta montagne et si j'ai vu se faire le travail à travers les mots provisoires ? Celui qui me viendra, je l'accueillerai. Celui qui s'agitera contre moi, je le comprendrai dans son erreur et lui parlerai doucement afin qu'il revienne. Et rien de cette douceur ne sera concession, flagornerie ou appel du suffrage, mais de ce qu'à travers lui je lirai si clairement le pathétique de son désir. Le faisant mien puisque je l'ai lui aussi absorbé. La colère ne rend pas aveugle : elle naît d'être aveugle. Tu t'indignes contre celle-là qui montre sa hargne. Mais elle t'ouvre sa robe, tu vois ce cancer, et tu pardonnes. Pourquoi t'irriterais-tu contre ce désespoir ?

« La paix que je médite se gagne à travers la souffrance. J'accepte la cruauté des nuits blanches car je suis en marche vers toi qui es énoncé, effacement des questions, et silence. Je suis arbre lent mais je suis arbre. Et grâce à toi je drainerai les sucs de la terre.

« Ah ! j'ai bien compris de l'esprit, Seigneur, qu'il domine l'intelligence. Car l'intelligence examine les matériaux mais l'esprit seul voit le navire. Et si j'ai fondé le navire, ils me prêteront leurs intelligences pour habiller, sculpter, durcir, démontrer le visage que j'aurai créé.

« Pourquoi me refuseraient-ils ? Je n'ai rien apporté qui les brime mais les ai délivrés chacun dans son amour.

« Et pourquoi le scieur de planches scierait-il moins si la planche est planche pour navire ?

« Voici que les indifférents eux-mêmes qui n'avaient point reçu de place se convertiront vers la mer. Car tout être cherche à convertir et à absorber en soi ce qui est autour.

« Et qui saurait prévoir les hommes s'il ne sait assister au navire ? Car les matériaux n'enseignent rien sur leur démarche. Ils ne sont point nés s'ils ne sont point nés dans un être. Mais c'est une fois assemblées que les pierres peuvent agir sur le cœur de l'homme par la pleine mer du silence. Quand la terre est drainée par la graine de cèdre, je sais prévoir le comportement de la terre. Et si j'ai connu l'architecte, tels matériaux du chantier, je connais vers quoi il penche, et qu'ils aborderont des îles lointaines.

CLXXV

Je te désire permanent et bien fondé. Je te désire fidèle. Car fidèle d'abord c'est de l'être à soi-même. Tu n'as rien à attendre de la trahison car les nœuds te sont longs à nouer qui te régiront, t'animeront, te feront ton sens et ta lumière. Ainsi des pierres du temple. Je ne les répands pas en vrac chaque jour pour tâtonner vers des temples meilleurs. Si tu vends ton domaine pour un autre, meilleur peut-être en apparence, tu as perdu quelque chose de toi que tu ne retrouveras plus. Et pourquoi t'ennuies-tu dans ta maison neuve ? Plus commode, favorisant mieux ce que tu souhaitais dans ta misère de l'autre. Ton puits te fatiguait le bras et tu rêvais d'une fontaine. Voilà ta fontaine. Mais te manquent désormais le chant de la poulie et l'eau tirée du ventre de la terre qui te miroitait une fois au soleil.

Et ce n'est point que je ne désire que tu ne gravisses la montagne et ne t'élèves et ne te formes et souhaites marcher de l'avant à chaque heure. Mais autre chose est la fontaine dont tu embellis ta maison — et qui est victoire de tes mains — et ton installation dans le coquillage d'autrui. Car autre chose sont les gains successifs dans une même direction comme d'enrichir le temple, lesquels gains sont croissance d'arbre qui se développe selon son génie, et ton déménagement sans amour.

Je me méfie de toi lorsque tu tranches, car tu y risques ton bien le plus précieux, lequel n'est point des choses mais du sens des choses.

J'ai toujours connu comme tristes les émigrés.

Je te demande d'ouvrir ton esprit car tu risques d'être dupe des mots. Tel a fait son sens du voyage. Il va d'une escale à l'autre escale et je ne dis point qu'il s'appauvrisse. Sa continuité c'est le voyage. Mais l'autre aime sa maison. Sa continuité c'est la maison. Et s'il la change chaque jour il n'y sera jamais heureux. Si je parle du sédentaire, je ne parle point de celui-là qui aime d'abord sa maison. Je parle de celui qui ne l'aime plus ni ne la voit. Car ta maison aussi est perpétuelle victoire comme le sait bien ta femme qui la refait neuve au lever du jour.

Je t'enseignerai donc sur la trahison. Car tu es nœud de relations et rien d'autre. Et tu existes par tes liens. Tes liens existent par toi. Le temple existe par chacune des pierres. Tu enlèves celle-ci : il s'éboule. Tu es d'un temple, d'un domaine, d'un empire. Et ils sont par toi. Et il n'est point de toi de juger, comme on juge venu du dehors, et non noué, ce dont tu es. Quand tu juges c'est toi que tu juges. C'est ton fardeau, mais c'est ton exaltation.

Car je méprise celui-là qui, son fils ayant péché, dénigre son fils. Son fils est de lui. Il importe qu'il le semonce et le condamne — se punissant soi-même s'il l'aime — et lui assène ses vérités, mais non qu'il aille s'en plaindre de maison en maison. Car alors, s'il se désolidarise de son fils, il n'est plus un père, et il y gagne ce repos qui n'est que d'être moins et ressemble au repos des morts. Pauvres je les ai toujours trouvés ceux qui ne savaient plus de quoi ils étaient solidaires. Je les ai toujours observés qui se cherchaient une religion, un groupe, un sens, et qui faisaient la quête pour être accueillis. Mais ils ne rencontraient qu'un fantôme d'accueil. Il n'est d'accueil vrai que dans les racines. Car tu demandes à être bien planté, bien lourd de droits et de devoirs, et responsable. Mais tu ne prends pas une charge d'homme dans la vie comme une charge de maçon dans un chantier sur l'engagement d'un maître d'esclaves. Te voilà vide si tu te fais transfuge.

Me plaît le père qui, son fils ayant péché, s'en

attribue à soi le déshonneur, s'installe dans le deuil et fait pénitence. Car son fils est de lui. Mais comme le voilà noué à son fils et régi par lui il le régira. Car je ne connais point de chemin qui n'ait qu'une direction. Si tu refuses d'être responsable des défaites, tu ne le seras point des victoires.

Si tu l'aimes, celle de ta maison, qui est ta femme, et qu'elle pèche, tu n'iras point te mêler à la foule pour la juger. Elle est de toi et tu te jugeras d'abord car tu es responsable d'elle. Ton pays a failli ? J'exige que tu te juges : tu es de lui.

Car certes te viendront des témoins étrangers devant lesquels tu auras à rougir. Et pour te purger de la honte tu te désolidariseras de ses fautes. Mais il te faut bien quelque chose de quoi te faire solidaire. De ceux qui ont craché sur ta maison ? Ils avaient raison, diras-tu. Peut-être. Mais je te veux de ta maison. Tu t'écarteras de ceux qui crachaient. Tu n'as pas à cracher toi-même. Tu rentreras chez toi pour prêcher : « Honte, diras-tu, pourquoi suis-je si laid en vous ? » Car s'ils agissent sur toi et te couvrent de honte et que tu acceptes la honte, alors tu peux agir sur eux et les embellir. Et c'est toi que tu embellis.

Ton refus de cracher n'est point couverture des fautes. C'est partage de la faute pour la purger.

Ceux-là qui se désolidarisent et ameutent eux-mêmes les étrangers : « Voyez cette pourriture, elle n'est point de moi... » Mais il n'est rien dont ils soient solidaires. Ils te diront qu'ils sont solidaires des hommes, ou de la vertu ou de Dieu. Mais ce ne sont plus que mots creux, s'ils ne signifient nœuds de liens. Et Dieu descend jusqu'à la maison pour se faire maison. Et pour l'humble qui allume les cierges, Dieu est devoir de l'allumage des cierges. Et pour celui-là qui est solidaire des hommes, l'homme n'est point simple mot de son vocabulaire, l'homme c'est ceux dont il est responsable. Trop facile de s'évader et de préférer Dieu à l'allumage des cierges. Mais je ne connais point l'homme, mais des hommes. La liberté, mais des hommes libres. Le bonheur, mais des hommes heureux. La beauté, mais des choses belles. Dieu, mais la ferveur des cierges. Et ceux-là qui poursuivent l'essence autrement que comme naissance ne montrent que leur vanité et le vide de leurs cœurs. Et ils ne vivront ni ne mourront, car on ne meurt ni ne vit par des mots.

Donc celui-là qui juge et n'étant plus solidaire de rien, juge pour soi, tu butes sur sa vanité comme sur un mur. Car il s'agit de son image non de son amour. Il ne s'agit point de lui comme lien, mais de lui comme objet regardé. Et cela n'a point de sens.

Donc ceux de ta maison, de ton domaine, de ton empire, s'ils te font honte tu me prétendras faussement que tu te proclames pur pour les purifier, puisque tu es d'eux. Mais tu n'es plus d'eux devant les témoins, tu ne réhabilites que toi. Car, te dira-t-on avec raison : « S'ils sont comme toi, pourquoi ne sont-ils pas ici avec toi à cracher ?.... » Tu les renfonces dans leur honte et tu te nourris de leur misère.

Certes, tel peut être indigné par la bassesse, les vices, la honte de sa maison, de son domaine, de son empire et s'en évader pour chercher l'honneur. Et il est signe, puisqu'il en est, de l'honneur des siens. Quelque chose de vivant dans l'honneur des siens le délègue. Il est signe que d'autres tendent à remonter à la lumière. Mais voilà bien un périlleux ouvrage, car il lui faut plus de vertu que devant la mort. Il trouvera des témoins prêts qui lui diront : « Tu es, toi, de cette pourriture ! » Et s'il se considère, il répondra : « Oui, mais moi j'en suis sorti. » Et les juges diront : « Ceux qui sont propres voilà qu'ils sortent ! Ceux qui restent sont pourriture. » Et l'on t'encensera, mais toi seul. Et non les tiens en toi. Tu feras ta gloire de la gloire des autres. Mais tu seras seul, comme le vaniteux ou comme le mort.

Tu détiens, si tu pars, un périlleux message. Car tu es signe de leur bonheur puisque tu souffrais. Et voici que tu les distingues de toi.

Tu n'as d'espoir d'être fidèle que dans le sacrifice de la vanité de ton image. Tu diras : « Je pense comme eux », sans distinguer. Et l'on te méprisera.

Mais peu t'importera ce mépris, car tu es partie de ce corps. Et tu agiras sur ce corps. Et tu le chargeras de ta propre pente. Et ton honneur tu le recevras de leur honneur. Car il n'est rien d'autre à espérer.

Si tu as honte avec raison ne te montre pas. Ne parle pas. Ronge ta honte. Excellente cette indignation qui te forcera de te refaire en ta maison. Car elle dépend de toi. Mais celui-là a les membres malades : il se coupe donc les quatre membres. C'est un fou. Tu peux aller mourir pour faire en toi respecter les tiens, mais non les renier car c'est alors toi que tu renies.

Bon et mauvais ton arbre. Ne te plaisent pas tous les fruits. Mais il en est de beaux. Trop facile de te flatter des beaux et de renier les autres. Car ils sont aspects divers d'un même arbre. Trop facile de choisir les branches. Et de renier les autres branches. Sois orgueilleux de ce qui est beau. Et si le mauvais l'emporte, tais-toi. À toi de rentrer dans le tronc et de dire : « Que dois-je faire pour guérir ce tronc ? »

Celui qui émigre de cœur, le peuple le renie et lui-même reniera son peuple. Il en est ainsi nécessairement. Tu as accepté d'autres juges. Il est donc bon que tu deviennes des leurs. Mais ce n'est point la terre et tu en mourras.

C'est l'essence de toi qui fait le mal. Ton erreur est de distinguer. Il n'est rien que tu puisses refuser. Tu es mal ici. Mais c'est de toi-même.

Je renie celui qui renie sa femme, ou sa ville, ou son pays. Tu es mécontent d'eux ? Tu en fais partie. Tu es d'eux ce qui pèse vers le bien. Tu dois entraîner le reste. Non les juger de l'extérieur.

Car il est deux jugements. Celui que tu fais de toi-même, de ta part, comme juge. Et sur toi.

Car il ne s'agit point de bâtir une termitière. Tu renies une maison, tu renies toutes les maisons. Si tu renies une femme, tu renies l'amour. Tu quitteras cette femme, mais tu ne trouveras point l'amour.

CLXXX

Méprisant l'opulence ventrue je ne la tolère que comme condition de plus haut qu'elle, comme il en est de la grossièreté malodorante des égoutiers, laquelle est condition du lustrage de la ville. Ayant appris qu'il n'est point de contraires et que la perfection, c'est la mort. Je tolère ainsi les mauvais sculpteurs comme condition des bons sculpteurs, le mauvais goût comme condition du bon goût, la contrainte intérieure comme condition de la liberté, et l'opulence ventrue comme condition d'une élévation qui n'est point d'elle ni pour elle mais de ceux-là seuls et pour ceux-là qu'elle alimente. Car si, payant aux sculpteurs leur sculpture, elle assume le rôle d'entrepôt nécessaire où le bon poète puisera le grain dont il vivra, lequel grain a été pillé sur le travail du laboureur puisqu'il ne reçoit en échange qu'un poème dont il se moque, ou une sculpture qui souvent ne lui sera même point montrée, et qu'ainsi faute de pillard ne survivraient point les sculpteurs, peu m'importe que l'entrepôt porte un nom d'homme. Il n'est que véhicule, voie et passage.

Et si tu me reproches à l'entrepôt des grains d'être en retour entrepôt du poème et de la sculpture et du palais et ainsi d'en frustrer l'oreille ou le regard du peuple, je te répondrai d'abord que bien au contraire la vanité de l'opulent de ventre l'inclinera à faire étalage de ses merveilles, comme il en est de toute évidence pour le cas du palais, puisqu'une civilisation ne repose point sur l'usage des objets créés mais sur la chaleur de la création, comme il en est, t'ai-je déjà dit, de ces empires qui rayonnent de l'art de la danse, bien que ni l'opulent de ventre dans ses vitrines, ni le peuple dans son musée n'enferment la danse dansée car il n'en est point de provision.

Et si tu me reproches à l'opulent de ventre d'être dix fois contre une de goût vulgaire et favorisant les poètes de clair de lune ou les sculpteurs à ressemblance, je te répondrai que peu m'importe, puisque si je désire la fleur de l'arbre, me faut accepter l'arbre entier, et de même l'effort des dix mille mauvais sculpteurs, pour l'apparition d'un seul qui compte. J'exige donc dix mille entrepôts de mauvais goût, contre un seul qui sache discerner.

Mais certes s'il n'est point de contraires, et si la mer est condition du navire, il est cependant des navires qui sont dévorés par la mer. Et il peut être des opulents de ventre qui soient autre chose que véhicule, voie et charroi, donc condition, et dévorent le peuple pour le seul plaisir de leur digestion. Ne faut pas que la mer dévore le navire, que la contrainte dévore la liberté, que le mauvais sculpteur dévore le bon sculpteur, et que l'opulent de ventre dévore l'empire.

Tu me demanderas ici de te découvrir par ma logique un système qui nous sauvera du péril. Et il n'en est point. Tu ne demandes point comment régir les pierres pour qu'elles s'assemblent en cathédrale. La cathédrale n'est point de leur étage. Elle est de l'architecte qui a livré sa graine, laquelle draine les pierres. Faut que je sois et de mon poème fonde la pente vers Dieu, alors elle drainera et la faveur du peuple, et les graines de l'entrepôt, et les démarches de l'opulent de ventre, pour Sa Gloire.

Ne crois pas que je m'intéresse au sauvetage de l'entrepôt à cause qu'il porte un nom. Je ne sauve pas pour elle-même la mauvaise odeur de l'égoutier. L'égoutier n'est que voie, véhicule et charroi. Ne crois pas que je m'intéresse à la haine des matériaux contre quoi que ce soit qui se distingue d'eux. Mon peuple n'est que voie, véhicule et charroi. Dédaigneux et de la musique comme de la flatterie des premiers, de la haine comme des applaudissements des seconds, et ne servant que Dieu à travers, du versant de ma montagne où me voilà plus solitaire que le sanglier des cavernes, et plus immobile que l'arbre qui simplement, au cours du temps, change la rocaille en poignée de fleurs à graines qu'il livre au vent — et ainsi s'envole en lumière l'humus aveugle —, me situant à l'extérieur des faux litiges dans mon irréparable exil, n'étant ni pour les uns contre les autres, ni pour les seconds contre les premiers, dominant les clans, les partis, les factions, luttant pour l'arbre seul contre les éléments de l'arbre, et pour les éléments de l'arbre, au nom de l'arbre qui protestera contre moi ?

CLXXXIII

La graine se pourrait contempler et se dire : « Combien je suis belle et puissante et vigoureuse ! Je suis cèdre. Mieux encore, je suis cèdre dans son essence. »

Mais je dis, moi, qu'elle n'est rien encore. Elle est véhicule, voie et passage. Elle est opérateur. Qu'elle me fasse son opération ! Qu'elle conduise lentement la terre vers l'arbre. Qu'elle installe le cèdre pour la gloire de Dieu. Alors je la jugerai sur ses branchages.

Mais eux de même se considèrent. « Je suis tel ou tel. » Ils se croient provision de merveilles. Il est une porte en eux sur des trésors bien composés. Suffit de la découvrir à tâtons. Et ils te montent au hasard leurs éructations en poèmes. Mais tu les entends éructer sans bien t'émouvoir.

Ainsi du sorcier de la tribu nègre. Il rassemble au hasard et d'un air entendu tout un matériel d'herbes, d'ingrédients et d'organes bizarres. Il te remue le tout dans sa grande soupière, par nuit sans lune. Il prononce des mots et des mots et des mots. Il attend que, de sa cuisine, un pouvoir invisible émane qui culbutera ton armée, laquelle est en marche vers sa tanière. Mais rien ne se montre. Et il recommence. Et il change les mots. Et il change les herbes. Et certes, il ne se trompait point dans l'ambition de son souhait. Car j'ai vu la pâte de bois mélangée de liqueur noirâtre renverser les empires. S'agissait de ma lettre qui décidait la guerre. J'ai connu la soupière d'où sortait la victoire. On y malaxait la poudre à fusil. J'ai entendu le faible tremblement de l'air, sorti d'abord d'une simple poitrine, embraser mon peuple de proche en proche à la façon d'un incendie. Tel prêchait pour la rébellion. J'ai aussi connu des pierres convenablement disposées qui ouvraient un vaisseau de silence.

Mais je n'ai jamais rien vu sortir des matériaux de hasard s'ils ne trouvaient point en quelque esprit d'homme leur commune mesure. Et si le poème me peut émouvoir, par contre nul assemblage de caractères issu du désordre de jeux d'enfants ne m'a jamais tiré de larmes. Car n'est rien la graine non exprimée qui prétend faire admirer l'arbre à l'ascension duquel elle ne s'est point employée.

Certes tu tends vers Dieu. Mais de ce que tu puisses devenir ne déduis point que tu sois. Tes éructations ne transportent rien. Lorsque midi brûle, la graine, fût-elle de cèdre, ne me verse point d'ombre.

Les temps cruels réveillent l'archange endormi. Qu'il craque à travers nous ses langes et éclate sous les regards ! Petits langages subtils, qu'il vous absorbe et vous renoue. Qu'il nous pousse un cri véritable. Cri vers l'absente. Cri de la haine contre la meute. Cri pour le pain. Qu'il remplisse de signification le moissonneur, ou la moisson, ou le vent à la main profonde sur les blés, ou l'amour, ou quoi que ce soit qui trempe d'abord dans la lenteur.

Mais tu t'en vas, pillard, au quartier réservé de la ville chercher, par des jeux compliqués, à faire sur toi retentir l'amour, alors qu'il est du rôle de l'amour de faire retentir sur toi la main simple de la simple épouse sur ton épaule.

Certes, il n'est que magie et il est du rôle du cérémonial de te conduire vers des captures qui ne sont point de l'essence des pièges, comme il en est de la brûlure de cœur que ceux du Nord tirent une fois l'an d'un mélange de résine, de bois verni et de cire chaude. Mais je dis fausse magie et paresse et incohérence ta trituration dans ta soupière d'ingrédients de hasard, dans l'attente d'un miracle que tu n'aurais point préparé. Car, oubliant de devenir, tu prétends marcher à ta propre rencontre. Et dès lors il n'est plus d'espoir. Se referment sur toi les portes de bronze.

CLXXXIV

Mélancolique, j'étais, car je me tourmentais à propos des hommes. Chacun tourné vers soi et ne sachant plus quoi souhaiter. Car quels biens souhaiterais-tu si tu désires te les soumettre et qu'ils t'augmentent ? L'arbre, certes, cherche les sucs du sol pour s'en nourrir et les transformer en soi-même. La bête l'herbe ou quelque autre bête qu'elle transformera en soi-même. Et toi aussi tu te nourris. Mais hors ta nourriture que souhaiteras-tu dont tu puisses toi-même faire usage ? De ce que l'encens plaît à l'orgueil, tu loues des hommes pour t'acclamer. Et ils t'acclament. Et voici que les acclamations te sont vaines. De ce que les tapis de haute laine font douces les demeures, tu les fais acheter par la ville. Tu en encombres ta maison. Et voici qu'ils te sont stériles. Tu jalouses ton voisin de ce que son domaine est royal. Tu l'en dépouilles. Tu t'y installes. Et il n'a rien à te livrer qui t'intéresse. Il est tel poste que tu brigues. Et tu intrigues pour l'obtenir. Et tu l'obtiens. Et il n'est lui-même que maison vide. Car une maison, ne suffit point, pour en être heureux, qu'elle soit luxueuse ou commode ou ornementale et que tu t'y puisses étaler, la croyant tienne. D'abord parce qu'il n'est rien qui soit tien puisque tu mourras et qu'il importe non qu'elle soit de toi — car c'est elle qui s'en trouve embellie ou diminuée — mais que tu sois d'elle car alors elle te mène quelque part, comme il en est de la maison qui abritera ta dynastie. Tu ne te réjouis point des objets mais des routes qu'ils t'ouvrent. Ensuite parce qu'il serait trop aisé que tel vagabond égoïste et morne se puisse offrir une vie d'opulence et de faste rien qu'en cultivant l'illusion d'être prince en marchant de long en large devant le palais du roi : « Voici mon palais », dirait-il. Et en effet, au seigneur véritable non plus, le palais, dans son opulence, ne lui sert de rien dans l'instant. Il n'occupe qu'une salle à la fois. Il lui arrive de fermer les yeux ou de lire ou de conserver et ainsi, de cette salle même, de ne rien voir. De même qu'il se peut que, se promenant dans le jardin, il tourne le dos à l'architecture. Et cependant il est le maître du palais, et orgueilleux et peut-être ennobli de cœur, et contenant en soi jusqu'au silence de la salle oubliée du Conseil, et jusqu'aux mansardes et jusqu'aux caves. Donc il pourrait être du jeu du mendiant, puisque rien, hors l'idée, ne le distingue du seigneur, de s'en imaginer le maître et de se pavaner lentement de long en large comme revêtu d'une âme à traîne. Et cependant peu efficace sera le jeu, et les sentiments inventés participeront de la pourriture du rêve. À peine jouera sur lui le faible mimétisme qui te fait rentrer les épaules si je décris un carnage, ou te réjouir du vague bonheur que te raconte telle chanson.

Ce qui est de ton corps tu te l'attribues et le changes en toi. Mais c'est faussement que tu prétends agir de même en ce qui concerne l'esprit et le cœur. Car peu riches en vérités sont tes joies tirées de tes digestions. Mais, bien plus, tu ne digères ni le palais, ni l'aiguière d'argent, ni l'amitié de ton ami. Le palais restera palais et l'aiguière restera aiguière. Et les amis continueront leur vie.

Or, moi, je suis l'opérateur qui, d'un mendiant en apparence semblable au roi, puisqu'il contemple le palais, ou mieux que le palais, la mer, ou mieux que la mer, la Voie Lactée, mais ne sait rien extraire pour soi de ce morne coup d'œil sur l'étendue, tire un roi véritable malgré que rien, dans les apparences, ne soit changé. Et, en effet, il n'y aurait rien à changer dans les apparences, puisque sont les mêmes seigneur et mendiant, sont les mêmes celui-là qui aime et celui-là qui pleure l'amour perdu, s'ils sont assis au seuil de leur demeure, dans la paix du soir. Mais l'un des deux, et peut-être le mieux portant, et le plus riche, et le plus orné d'esprit et de cœur, s'ira, ce soir, si nul ne le retient, plonger dans la mer. Donc pour, de toi qui es l'un, tirer l'autre, point n'est besoin de rien te procurer qui soit visible et matériel, ou te modifier en quoi que ce soit. Suffit que je t'enseigne le langage qui te permette de lire en ce qui est autour de toi et en toi tel visage neuf et brûlant pour le cœur, comme il en est, si te voilà morne, de quelques pièces de bois grossier, disposées au hasard sur une planche, mais qui, si je t'ai élevé à la science du jeu d'échecs, te verseront le rayonnement de leur problème.

C'est pourquoi je les considère dans le silence de mon amour sans leur reprocher leur ennui qui n'est point d'eux-mêmes, mais de leur langage, sachant que, du roi victorieux qui respire le vent du désert et du mendiant qui s'abreuve à la même rivière ailée, il n'est rien qu'un langage qui les distingue, mais qu'injuste je serais si je reprochais au mendiant, sans l'avoir d'abord tiré hors de soi, de ne point éprouver les sentiments d'un roi victorieux dans sa victoire.

Je donne les clefs de l'étendue.

CLXXXVI

Ceux-là n'ont point le sens du temps. Ils veulent cueillir des fleurs, lesquelles ne sont point devenues : et il n'est point de fleurs. Ou bien ils en trouvent une éclose ailleurs, laquelle n'est point pour eux aboutissement du cérémonial du rosier, mais ni plus ni moins qu'objet de bazar. Et quel plaisir leur procurerait-elle ?

Moi, je m'achemine vers le jardin. Il laisse dans le vent le sillage d'un navire chargé de citrons doux, ou d'une caravane pour les mandarines, ou encore de l'île à gagner qui embaume la mer.

J'ai reçu non une provision mais une promesse. Il en est du jardin comme de la colonie à conquérir ou de l'épouse non encore possédée mais qui ploie dans les bras. Le jardin s'offre à moi. Il est, derrière le petit mur, une patrie de mandariniers et de citronniers où sera reçue ma promenade. Cependant nul n'habite en permanence ni l'odeur des citronniers, ni celle des mandariniers, ni le sourire. Pour moi qui sais, tout conserve une signification. J'attends l'heure du jardin ou de l'épouse.

Ceux-là ne savent point attendre et ne comprendront aucun poème, car leur est ennemi le temps qui répare le désir, habille la fleur ou mûrit le fruit. Ils cherchent à tirer leur plaisir des objets, quand il ne se tire que de la route qui se lit au travers. Moi je vais, je vais, et je vais. Et quand me voici dans le jardin qui m'est une patrie d'odeurs, je m'assieds sur le banc. Je regarde. Il est des feuilles qui s'envolent et des fleurs qui se fanent. Je sens tout qui meurt et se recompose. Je n'en éprouve point de deuil. Je suis vigilance, comme en haute mer. Non patience, car il ne s'agit point d'un but, le plaisir étant de la marche. Nous allons, mon jardin et moi, des fleurs vers les fruits. Mais à travers les fruits vers les graines. Et à travers les graines vers les fleurs de l'année prochaine. Je ne me trompe point sur les objets. Ils ne sont jamais qu'objets d'un culte. Je touche aux instruments du cérémonial et leur trouve couleur de prière. Mais ceux-là qui ignorent le temps butent contre. L'enfant lui-même leur devient un objet qu'ils ne saisissent point dans sa perfection (car il est chemin pour un Dieu que l'on ne saurait retenir). Ils le voudraient fixer dans sa grâce enfantine comme s'il était des provisions. Mais moi, si je croise un enfant, je le vois qui tente un sourire et qui rougit et cherche à fuir. Je connais ce qui le déchire. Et je pose la main sur son front, comme pour calmer la mer.

CLXXXVIII

N'est rien à espérer si te voilà aveugle à cette lumière qui n'est point des choses mais du sens des choses. Et je te retrouve devant ta porte :

« Que fais-tu là ? »

Et tu ne sais, et te plains de la vie.

« La vie ne m'apporte plus rien. Dort ma femme, repose mon âne, mûrit mon blé. Je ne suis rien qu'attente stupide et m'y ennuie. »

Enfant sans jeu qui ne sait plus lire à travers. Je m'assieds près de toi et t'enseigne. Tu baignes dans le temps perdu, et t'assiège l'angoisse de ne point devenir.

Car d'autres disent : « Il faut un but. » Ta nage est belle qui te crée un rivage lentement désenseveli de la mer. Et la poulie grinçante qui te crée l'eau à boire. Ainsi du blé doré qui est rivage du noir labour. Ainsi du sourire de l'enfant qui est rivage de l'amour domestique. Ainsi du vêtement au filigrane d'or lentement cousu pour la fête. Et que deviens-tu en toi-même si tu tournes la manivelle pour le seul bruit de la poulie, si tu couds le vêtement pour le vêtement, si tu fais l'amour pour l'amour ? Vite ils s'épuisent, car ils n'ont rien à te donner.

Mais je te l'ai dit de mon bagne où j'enferme ceux qui n'ont plus qualité d'homme. Et leur coup de pioche vaut pour la pioche. Et ils te donnent ce coup de pioche après ce coup de pioche. Et rien ne change de leur substance. Nage sans rivage et qui tourne en rond. Et il n'est point de création, ils ne sont point route et charroi vers quelque lumière. Mais, que soient le même soleil, la même route dure, la même sueur, mais que te soit donné d'extraire une fois l'an le diamant pur, et te voilà religieux dans ta lumière. Car ton coup de pioche a sens de diamant qui n'est point de la même nature. Et te voilà dans la paix de l'arbre et le sens de la vie, lequel est de t'élever d'étage en étage à la gloire de Dieu.

Tu laboures pour le blé et tu couds pour la fête et tu brises la gangue pour le diamant. Et ceux-là qui te semblent heureux que possèdent-ils de plus que toi sinon la connaissance du nœud divin qui noue les choses ?

Tu ne trouveras point la paix si tu ne transformes rien selon toi. Si tu ne te fais véhicule, voie et charroi. Alors seulement circule le sang dans l'empire. Mais tu te veux considéré et honoré pour toi-même. Et tu prétends arracher au monde quelque chose à saisir qui soit pour toi. Et tu ne trouveras rien car tu n'es rien. Et tu jettes tes objets en vrac dans la fosse à ordures.

Tu attendais l'apparition venue du dehors, comme un archange qui t'eût ressemblé. Et qu'eusses-tu tiré de sa visite plus que de celle du voisin ? Mais, d'avoir remarqué que ne sont point les mêmes tel qui marche vers l'enfant malade, tel qui marche vers la bien-aimée, tel qui marche vers la maison vide, bien que dans l'instant ils paraissent semblables, je me fais rendez-vous ou rivage, au travers des choses qui sont, et tout est changé. Je me fais blé au-delà du labour, homme au-delà de l'enfant, fontaine au-delà du désert, diamant au-delà de la sueur.

Je te contrains de bâtir en toi une maison.

La maison faite, vient l'habitant qui brûle ton cœur.

CXC

Me vint la connaissance de ce que point ne sont de la même essence l'acceptation du risque de mort et l'acceptation de la mort. Et j'ai connu des jeunes gens qui superbement défiaient la mort. Et c'est en général qu'il était des femmes pour les applaudir. Tu reviens de la guerre et te plaît le cantique que te chantent leurs yeux. Et tu acceptes l'épreuve du fer où tu mets en jeu ta virilité, car cela seul existe que tu offres et risques de perdre. Et le savent bien les joueurs qui hasardent leur fortune aux dés, car rien de leur fortune ne les sert dans l'instant mais voici qu'elle devient caution d'un dé et toute pathétique dans la main, et tu lances sur la table grossière tes cubes d'or qui deviennent déroulement des plaines, des pâturages et des moissons de ton domaine.

L'homme donc revient déambulant dans la lumière de sa victoire, l'épaule lourde du poids des armes qu'il a conquises, et peut-être même fleuries de sang. Et voici qu'il rayonne pour un temps seulement, peut-être, mais pour un temps. Car tu ne peux vivre de ta victoire.

Donc l'acceptation du risque de mort, c'est l'acceptation de la vie. Et l'amour du danger, c'est l'amour de la vie. De même que ta victoire, c'était ton risque de défaite surmonté par ta création, et tu n'as jamais vu l'homme, régnant sans risque sur les animaux domestiques, se prévaloir d être vainqueur.

Mais j'exige plus de toi, si je te veux soldat fertile pour l'empire. Bien qu'il soit ici un seuil difficile à franchir, car une chose est d'accepter le risque de mort, autre chose d'accepter la mort.

Je te veux d'un arbre et soumis à l'arbre. Je veux que ton orgueil loge dans l'arbre. Et ta vie, afin qu'elle prenne un sens.

L'acceptation du risque n'est cadeau qu'à toi-même. Tu aimes respirer pleinement et dominer les filles par ton éclat. Et cette acceptation du risque, tu as besoin de la raconter, elle est marchandise pour échange. Ainsi vantards mes caporaux. Mais ils n'honorent encore qu'eux-mêmes.

Autre chose de perdre ta fortune aux dés pour l'avoir voulu ressentir et bloquer toute dans ta main, pour avoir voulu la sentir dans ta main, concrète et substantielle, et toute présente dans l'instant même, avec son poids de chaumes et d'épis engrangés, et de bêtes dans leurs pâturages, et de villages aux respirations de fumée légère qui sont signe de la vie de l'homme, et autre chose tes mêmes granges, tes mêmes bêtes, tes mêmes villages, de t'en dépouiller pour vivre plus loin. Autre chose d'aiguiser ta fortune et de la faire brûlante dans l'instant du risque, et de la renoncer, comme tel qui se dépouille un à un de ses vêtements, et dédaigneusement se décortique de ses sandales sur la plage, afin d'épouser, nu, la mer.

Te faut mourir pour épouser.

Te faut survivre à la façon des vieilles qui s'usent les yeux à la couture des draps d'église dont elles habillent leur Dieu. Elles se font vêtement d'un Dieu. Et la tige de lin, par le miracle de leurs doigts, se fait prière.

Car tu n'es que voie et passage et ne peux réellement vivre que de ce que tu transformes. L'arbre, la terre en branches. L'abeille, la fleur en miel. Et ton labour, la terre noire en incendie de blé.

M'importe donc d'abord que ton Dieu te soit plus réel que le pain où tu plantes les dents. Alors t'enivrera jusqu'à ton sacrifice, lequel sera mariage dans l'amour.

Mais tu as tout détruit et tout dilapidé, ayant perdu le sens de la fête, et croyant t'enrichir de distribuer tes provisions au jour le jour. Car tu te trompes sur le sens du temps. Sont venus tes historiens, tes logiciens et tes critiques. Ont considéré les matériaux et, de ne rien lire au travers, t'ont conseillé d'en jouir. Et tu as refusé le jeûne qui était condition du repas de fête. Tu as refusé l'amputation de la part de blé qui, d'être brûlé pour la fête, créait la lumière du blé.

Et tu ne conçois plus qu'il soit un instant qui vaille la vie, aveuglé que tu es par ta misérable arithmétique.

CXCI

Me vint donc de méditer sur l'acceptation de la mort. Car logiciens, historiens et critiques ont célébré pour eux-mêmes les matériaux qui servent à tes basiliques (et tu as cru qu'il s'agissait d'eux, alors qu'une anse d'aiguière d'argent, si la courbe s'en montre heureuse, vaut plus que l'aiguière d'or tout entière et te caresse mieux l'esprit et le cœur). Voici donc que, mal éclairé dans la direction de tes désirs, tu imagines tirer ton bonheur de la possession et t'essouffles à empiler en tas les pierres qui eussent été ailleurs pierres de basilique, et dont tu fais la condition de ton bonheur. Alors que d'une seule pierre tel autre se réchauffe l'esprit et le cœur s'il y taille le visage de son dieu.

Tu es semblable au joueur qui, d'ignorer le jeu des échecs, cherche son plaisir dans l'empilage de pièces d'or et d'ivoire, et n'y trouve que l'ennui, alors que l'autre, que la divinité des règles a réveillé au jeu subtil, fera sa lumière de simples copeaux d'un bois grossier. Car l'envie de tout dénombrer te fait t'attacher aux matériaux et non au visage qu'ils composent et qu'il importe d'abord de reconnaître. C'est pourquoi il s'ensuit nécessairement que tu tiennes d'abord à la vie comme à l'empilage des jours, alors que si le temple est pur de lignes, tu serais bien fou de regretter qu'il n'ait pas assemblé plus de pierres.

Ne me décompte donc pas, pour m'éblouir, le nombre des pierres de ta maison, des pâturages de ton domaine, des bêtes de tes troupeaux, des bijoux de ta femme, ni même des souvenirs de tes amours. Peu m'importe. Je veux connaître la qualité de la maison bâtie, la ferveur de la religion de ton domaine, et si le repas s'y déroule joyeux au soir du travail accompli. Et quel amour tu as construit, et contre quoi, de plus durable que toi-même, s'est échangée ton existence. Je te veux devenu. Je te veux lire à ta création, non aux matériaux inemployés dont tu fais ta vaine gloire.

Mais tu me viens avec ce litige sur l'instinct.

Car il te pousse à fuir la mort et tu as observé de tout animal qu'il cherche à vivre. « La vocation de survivre, me diras-tu, domine toute vocation. Le présent de la vie est inestimable et je me dois d'en sauver en moi la lumière. » Et tu combattras avec héroïsme pour te sauver, certes. Tu montreras le courage du siège, ou de la conquête, ou du pillage. Tu t'enivreras de l'ivresse du fort qui accepte de tout jeter dans la balance afin de mesurer qu'il pèse. Mais tu n'iras point mourir en silence dans le secret du don consenti.

Cependant je te montrerai le père qui vient de plonger dans la vocation du gouffre, à cause que son fils s'y débat et que son visage apparaît encore par intervalles, de plus en plus pâle, comme de l'apparition de la lune dans les déchirures du nuage. Et je te dirai : « Le père, donc, n'est pas dominé par l'instinct de vivre…

— Oui, diras-tu. Mais l'instinct va plus loin. Il vaut pour le père et le fils. Il vaut pour la garnison qui délègue ses membres. Le père est lié au fils… »

Et plus souhaitable, et complexe, et lourde de mots est ta réponse. Mais je te dirai encore pour t'instruire :

« Certes, il est un instinct vers la vie. Mais il n'est qu'un aspect d'un instinct plus fort. L'instinct essentiel est l'instinct de la permanence. Et celui-là qui a été bâti vivant de chair, cherche sa permanence dans la permanence de sa chair. Et celui-là qui a été bâti dans l'amour de l'enfant, cherche sa permanence dans le sauvetage de l'enfant. Et celui-là qui a été bâti dans l'amour de Dieu cherche sa permanence dans son ascension en Dieu. Tu ne cherches point ce que tu ignores, tu cherches à sauver les conditions de ta grandeur dans la mesure où tu la sens. De ton amour dans la mesure où tu éprouves l'amour. Et je puis t'échanger ta vie contre plus haut qu'elle, sans que rien te soit enlevé. »

CXCII

Car tu n'as rien deviné de la joie si tu crois que l'arbre lui-même vit pour l'arbre qu'il est, enfermé dans sa gaine. Il est source de graines ailées et se transforme et s'embellit de génération en génération. Il marche, non à ta façon, mais comme un incendie au gré des vents. Tu plantes un cèdre sur la montagne et voilà ta forêt qui lentement, au long des siècles, déambule.

Que croirait l'arbre de soi-même ? Il se croirait racines, tronc et feuillages. Il croirait se servir en plantant ses racines, mais il n'est que voie et passage. La terre à travers lui se marie au miel du soleil, pousse des bourgeons, ouvre des fleurs, compose des graines, et la graine emporte la vie, comme un feu préparé mais invisible encore.

Si je sème au vent j'incendie la terre. Mais tu regardes au ralenti. Tu vois ce feuillage immobile, ce poids de branches bien installées, et tu crois l'arbre sédentaire, vivant de soi, muré en soi. Myope et le nez contre, tu vois de travers. Te suffit de te reculer et d'accélérer le pendule des jours, pour voir de ta graine jaillir la flamme et de la flamme d'autres flammes et marcher ainsi l'incendie se dévêtant de ses dépouilles de bois consumé, car la forêt brûle en silence. Et tu ne vois plus cet arbre-ci ni l'autre. Et tu comprends bien, des racines, qu'elles ne servaient ni l'un ni l'autre, mais ce feu dévorant en même temps que constructeur, et la masse de feuillage sombre qui habille ta montagne n'est plus que terre fécondée par le soleil. Et s'installent les lièvres dans la clairière, et dans les branches les oiseaux. Et tu ne sais plus, de ses racines, dire qui d'abord elles servent. Il n'est plus qu'étapes et passages. Et pourquoi voudrais-tu croire de l'arbre ce que tu ne crois point de la semence ? Tu ne dis point : « La semence vit pour soi. Elle est accomplie. La tige vit pour soi. Elle est accomplie. La fleur en quoi elle se change vit pour soi, elle est accomplie. La semence qu'elle a composée vit pour soi, elle est accomplie. » Et de même une fois encore du germe neuf qui pousse sa tige têtue entre les pierres. Quelle étape me vas-tu choisir pour la faire aboutissement ? Moi, je ne connais rien qu'ascension de la terre dans le soleil.

Ainsi de l'homme et de mon peuple dont j'ignore où il va. Closes sont les granges et murées les demeures quand vient la nuit. Dorment les enfants, dorment les vieilles et les vieux, que saurais-je dire de leur chemin ? Si difficile à démêler, si imparfaitement précisé par la démarche d'une saison, laquelle n'ajoute qu'une ride à la vieille, laquelle n'ajoute que quelques mots au langage de l'enfant, laquelle à peine change le sourire. Laquelle ne change rien de la perfection ni de l'imperfection de l'homme. Et cependant, mon peuple, je te vois, si j'embrasse des générations, t'éveiller à toi-même et te reconnaître.

Mais certes nul ne pense hors de soi. Et cela est bien ainsi. Importe que le ciseleur cisèle l'argent sans se distraire. Que le géomètre songe géométrie. Que le roi règne. Car ils sont condition de la marche. De même que les forgeurs de clous chantent les cantiques des forgeurs de clous, et les scieurs de planches, les cantiques des scieurs de planches, bien qu'ils président à la naissance du navire. Mais salutaire leur est la connaissance du voilier par le poème. N'en aimeront pas moins leurs planches et leurs clous, bien au contraire, ceux qui auront ainsi compris qu'ils se retrouvent et s'achèvent dans ce long cygne ailé et nourri des vents de la mer.

Ainsi, bien que ton but ne t'épargne point, du fait même de sa grandeur, de balayer une fois de plus ta chambre au petit jour, ou de semer cette poignée d'orge après tant d'autres, ou de refaire tel geste de travail, ou d'instruire ton fils d'un mot de plus ou d'une prière — de même que la connaissance du voilier te doit faire chérir et non dédaigner tes planches et tes clous — ainsi je te veux connaissant avec certitude qu'il ne s'agit ni de ton repas, ni de ta prière, ni de ton labour, ni de ton enfant, ni de ta fête auprès des tiens, ni de l'objet dont tu honores ta maison, car ils ne sont que condition, voie et passage. Sachant que, de t'en avertir, loin de te les faire mépriser je te les ferai honorer mieux les uns et les autres, de même que le chemin et ses détours, et l'odeur de ses églantiers et ses sillons et ses pentes au fil des collines, tu l'en chériras et connaîtras mieux s'il est, non méandre stérile où tu t'ennuies, mais route vers la mer.

Et je ne te permets point de dire : « À quoi me sert ce balayage, ce fardeau à traîner, cet enfant à nourrir, ce livre à connaître ? » Car s'il est bon que tu t'endormes, rêves de soupe et non d'empire, à la façon des sentinelles, il est bon que tu te tiennes prêt pour la visite, laquelle ne s'annonce point, mais fait pour un instant ta clarté d'œil et d'oreille, et change ton balayage triste en service d'un culte qu'il n'est point de mots pour contenir.

Ainsi chaque battement de ton cœur, chaque souffrance, chaque désir, chaque mélancolie du soir, chaque repas, chaque effort de travail, chaque sourire, chaque lassitude au fil des jours, chaque réveil, chaque douceur de t'endormir, ont sens du dieu qui se lit au travers.

Vous ne trouverez rien si vous vous changez en sédentaires, croyant être provision faite, vous-mêmes, parmi vos provisions. Car il n'est point de provision et, qui cesse de croître, meurt.

CXCIV

Point n'est surprenant que tu t'épuises dans la recherche d'une culture du sédentaire car il n'en est point.

« Faire don de la culture, disait mon père, c'est faire don de la soif. Le reste viendra de soi-même. » Mais tu ravitailles en breuvage de confection des ventres repus.

L'amour est appel vers l'amour. Ainsi de la

culture. Elle réside dans la soif même. Mais comment cultiver la soif ?

Tu ne réclames que les conditions de ta permanence. Celui-là qu'a fondé l'alcool réclame l'alcool. Non que l'alcool lui soit profitable, car il en meurt. Celui-là qu'a fondé ta civilisation réclame ta civilisation. Il n'est d'instinct que de la permanence. Cet instinct domine l'instinct de vivre.

Car j'en ai vu beaucoup qui préféraient la mort à la vie laissée hors de leur village. Et tu l'as vu des gazelles mêmes ou des oiseaux, lesquels, si tu les captures, se laissent mourir.

Et si l'on t'arrache à ta femme, à tes enfants, à tes coutumes ou que l'on éteigne dans le monde la lumière dont tu vivais — car même du creux d'un monastère elle rayonne — alors il se peut que tu en meures.

Si alors je te veux sauver de la mort suffit que je t'invente un empire spirituel où ta bien-aimée est comme en réserve pour t'accueillir. Alors te voilà continuant de vivre car ta patience est infinie. La maison dont tu es te sert dans ton désert, quoique lointaine. La bien-aimée te sert quoique lointaine et quoique endormie.

Mais tu ne supportes point qu'un nœud se défasse, répandant ses objets en vrac. Et tu meurs si meurent tes dieux. Car tu en vis. Et de cela seul dont tu peux mourir tu peux vivre.

Si je t'éveille à quelque sentiment pathétique tu le transporteras de génération en génération. Tu enseigneras tes enfants à lire ce visage au travers des choses, comme le domaine à travers les matériaux du domaine, lequel est seul à aimer.

Car tu ne mourrais point pour les matériaux. Ce sont eux qui se doivent, non à toi car tu n'es que voie et passage, mais au domaine. Et tu les lui soumets. Mais si un domaine est devenu, alors tu mourras pour sauver son intégrité.

Tu mourras pour le sens du livre, non pour l'encre ni le papier.

Car tu es nœud de relations et ton identité ne repose point sur ce visage, cette chair, cette propriété, ce sourire, mais sur telle construction qui, à travers toi, s'est bâtie, mais sur tel visage apparu qui est de toi et qui te fonde. Son unité se lie à travers toi, mais en retour tu es de lui.

Rarement tu peux en parler · il n'est point de mots pour le transporter à autrui. Ainsi de ta bien-aimée. Si tu me dis son nom, ces syllabes n'ont point pouvoir de transporter en moi l'amour. Me faut me la montrer. Ce qui est de l'empire des actes. Non des paroles.

Mais tu connais le cèdre. Et si je dis « un cèdre » je transporte en toi sa majesté. Car on t'a éveillé au cèdre, lequel est, en plus du tronc, des branches, des racines et du feuillage.

Je ne connais d'autre moyen pour fonder l'amour que de te faire sacrifier à l'amour. Mais eux reçoivent leur mangeaille sur leur litière, quels sont leurs dieux ?

Tu prétends me les augmenter en les engraissant de présents, mais ils en meurent. Tu ne peux vivre que de cela que tu transformes, et dont un peu chaque jour, puisque tu t'échanges contre, tu meurs.

Le savent bien mes vieilles qui s'usent les yeux aux jeux d'aiguille. Tu leur dis de sauver leurs yeux. Et leurs yeux ne leur servent plus. Tu as ruiné leur échange.

Mais eux contre quoi s'échangent-ils, ceux que tu prétends rassasier ?

Tu peux fonder la soif de la possession, mais la possession n'est point échange. Tu peux fonder la soif de l'empilage des étoffes brodées. Mais tu ne fondes que l'âme d'entrepôt. Comment fonderas-tu la soif d'user les yeux aux jeux d'aiguille ? Car celle-là seule est soif de véritable vie.

Moi, dans le silence de mon amour, j'ai bien observé mes jardiniers et mes fileuses de laine. J'ai remarqué qu'il leur était donné peu de chose, et beaucoup demandé.

Comme si reposait sur eux, comme sur elles, le sort du monde.

Chaque sentinelle je la veux responsable de tout l'empire. Et celui-là, de même, contre les chenilles, au seuil du jardin. Et l'autre qui coud la chasuble d'or ne répand peut-être qu'une faible lumière, mais elle fleurit son Dieu et c'est un Dieu mieux fleuri que la veille qui rayonne sur elle à son tour.

Je ne sais point ce que signifie élever l'homme s'il ne s'agit point de l'enseigner à lire des visages au travers des choses. Je perpétue les dieux. Ainsi du plaisir du jeu des échecs. Je le sauve en sauvant les règles mais tu leur veux fournir des esclaves qui leur gagnent leurs parties d'échecs.

Tu veux faire cadeau des lettres d'amour, ayant observé de certains qu'ils pleuraient s'ils en recevaient, et tu t'étonnes de ne point leur tirer de larmes.

Ne te suffit point de donner. Eût fallu bâtir celui qui reçoit. Pour le plaisir d'échecs eût fallu bâtir le joueur. Pour l'amour eût fallu bâtir la soif d'amour. Ainsi l'autel d'abord pour recevoir le dieu. Moi j'ai bâti l'empire dans le cœur de mes sentinelles en les contraignant à faire les cent pas sur les remparts.

CXCVI

L'autre qui exige la reconnaissance : il a fait pour eux ceci ou cela… mais il n'est point non plus de don récolté et provision faite. Ton don est circulation de l'un en l'autre : Si tu ne donnes plus, tu n'as rien donné. Tu me diras : « J'ai été méritoire hier et j'en garde le bénéfice. » Et je répondrai : « Non ! Tu serais mort ayant ce mérite si tu étais mort hier, certes, mais tu n'es pas mort hier. Compte seul ce que tu es devenu à l'heure de la mort. Du généreux que tu étais hier, tu as tiré de toi ce ladre d'aujourd'hui. Celui qui mourra sera ladrerie. »

Tu es racine d'un arbre qui vit de toi. Tu es lié à l'arbre. Il est devenu ton devoir. Mais la racine dit : « J'ai trop expédié de sève ! » L'arbre alors meurt. La racine se peut-elle flatter d'avoir droit à la reconnaissance du mort ?

La sentinelle, si elle se lasse de surveiller l'horizon et qu'elle s'endorme, la ville meurt. Il n'est point de provision de rondes déjà accomplies. Il n'est point de provision de battements réservés quelque part par ton cœur. Ton grenier lui-même n'est point provision. Il est escale. Et tu laboures la terre dans le même temps que tu le pilles. Mais tu te trompes en toutes choses. Tu t'imagines te reposer de la création par l'empilage des objets créés dans le musée. Tu y empiles ton peuple lui-même. Mais il n'est point d'objets. Il est des sens divers de ce même objet dans divers langages. N'est point la même, la perle noire, pour le plongeur, la courtisane ou le marchand. Le diamant vaut quand tu l'extrais, quand tu le vends, quand tu le donnes, quand tu le perds, quand tu le retrouves, quand il pare un front pour une fête. Je ne sais rien du diamant usuel. Le diamant de tous les jours n'est que caillou vide. Et le savent bien celles qui le détiennent. Elles l'enferment dans le coffre le plus secret afin qu'il y dorme. Elles ne l'en tirent que le jour de l'anniversaire du roi. Il devient alors mouvement d'orgueil. Elles l'ont reçu au soir du mariage. Il était mouvement d'amour. Il a été une fois miracle pour qui a rompu sa gangue.

Les fleurs valent pour les yeux. Mais les plus belles sont celles dont j'ai fleuri la mer pour honorer des morts. Et nul jamais ne les contemplera.

Celui-là parle au nom de son passé. Il me dit : « Je suis celui qui... » J'accepte donc de l'honorer à condition qu'il soit mort. Mais, du seul véritable géomètre mon ami, je n'ai jamais entendu qu'il se prévalût de ses triangles. Il était serviteur des triangles et jardinier d'un jardin de signes. Une nuit que je lui disais : « Te voilà fier de ton travail, tu as beaucoup donné aux hommes... », il se tut d'abord, puis me répondit :

« Il ne s'agit point de donner, je méprise qui donne ou reçoit. Comment vénérerais-je l'insatiable appétit du prince qui revendique les présents ! De même de ceux qui se laissent dévorer. Ainsi la grandeur du prince nie leur grandeur. Il est à choisir entre l'une ou l'autre. Mais le prince qui m'abaisse je le méprise. Je suis de sa maison et il se doit de me grandir. Et si je suis grand je grandis mon prince.

« Qu'ai-je donné aux hommes ? Je suis d'entre eux. Je suis leur part de méditation sur les triangles. Les hommes à travers moi ont médité sur les triangles. À travers eux chaque jour j'ai mangé mon pain. Et j'ai bu le lait de leurs chèvres. Et je me suis chaussé du cuir de leurs bœufs. »

Je donne aux hommes, mais reçois tout des hommes. Où loge la préséance de l'un sur l'autre ? Si je donne plus, je reçois plus. Je me fais d'un plus noble empire. Tu le vois bien de tes financiers les plus vulgaires. Ils ne peuvent vivre d'eux-mêmes. Ils chargent quelque courtisane de leur fortune d'émeraudes. Elle rayonne. Ils sont, dès lors, de ce rayonnement. Les voilà satisfaits de si bien reluire. Et cependant pauvres ils sont : ils ne sont que d'une courtisane. Tel autre a tout donné au roi. « De qui es-tu ? — Je suis du roi. » Le voilà véritablement qui resplendit.

CXCIX

Le cracheur d'encre, qui jamais ne bâtira rien, préfère, car il est délicat, le cantique du navire au cantique des forgeurs de clous et scieurs de planches, de même que, une fois le navire gréé et lancé et joufflu de vent, en place de me parler de son litige de chaque instant avec la mer, il me célébrera déjà l'île à musique, laquelle, certes, est signification des planches et des clous, puis du litige avec la mer, mais à condition que tu n'aies rien négligé des mues successives dont elle naîtra. Mais celui-là, d'emblée à la vue de ton premier clou, pataugeant dans la pourriture du rêve, me chantera des oiseaux de couleur et des crépuscules sur le corail, lesquels d'abord m'écœureront, car je préfère le pain craquant à ces confitures, lesquelles de plus m'apparaîtront comme suspectes, car il est des îles de pluie où les oiseaux sont gris et je désirais, une fois l'île gagnée, afin d'en éprouver l'amour, entendre le cantique qui me fît retentir sur le cœur le ciel gris d'oiseaux sans couleur.

Mais moi qui ne prétends point bâtir sans pierres ma cathédrale et qui n'atteins l'essence que comme couronnement de la diversité, moi qui ne saisirais rien de la fleur s'il n'en était point de particulière, de tel nombre de pétales et non d'un autre, de tel choix de couleurs et non d'un autre, moi qui ai forgé les clous, scié les planches, et absorbé un à un les coups d'épaule redoutables de la mer, je puis te chanter l'île pétrie et substantielle que j'ai de mes propres mains tirée des mers.

Ainsi de l'amour. Si mon cracheur d'encre me le célèbre dans sa plénitude universelle, qu'en connaîtrai-je ? Mais telle qui est particulière m'ouvre un chemin. Elle parle ainsi, non autrement. Son sourire est tel, non un autre. Nulle ne lui ressemble. Et voici cependant que, le soir, si je m'accoude à ma fenêtre, loin de buter contre le mur particulier, c'est Dieu qu'il me semble que je découvre. Car il te faut des sentiers véritables, avec telles inflexions, telle couleur de la terre, et tels églantiers sur les bords. Alors seulement tu vas quelque part. Qui meurt de soif fait des pas de rêve vers les fontaines. Mais il meurt.

Ainsi de ma pitié. Te voilà qui déclames sur les tortures d'enfants et tu me surprends à bâiller. Mais tu ne m'as conduit nulle part. Tu me dis : « Tel naufrage a noyé dix enfants… », mais je ne comprends rien à l'arithmétique et ne pleurerai pas deux fois plus fort si le nombre est deux fois plus grand. D'ailleurs, bien qu'ils soient morts par centaines de milliers depuis l'origine de l'empire, il t'arrive de goûter la vie et d'être heureux.

Mais je pleurerai sur tel si tu peux me conduire à lui par le sentier particulier, et, de même qu'à travers telle fleur j'accède aux fleurs, il se trouve qu'à travers lui je retrouverai tous les enfants, pleurerai, et non seulement sur tous les enfants mais sur tous les hommes.

Tu m'as un jour raconté celui-là, le tachu, le boiteux, l'humilié, et que haïssaient ceux du village, car il y vivait en parasite, abandonné, venu un soir d'on ne sait où.

On lui criait :

« Tu es vermine de notre beau village. Tu es champignon sur notre racine ! »

Mais, le rencontrant, tu lui disais :

« Toi, le tachu, tu n'as donc point de père ? »

Et il ne répondait pas.

Ou bien, car il n'avait d'amis que les bêtes ou les arbres :

« Pourquoi ne joues-tu point avec les garçons de ton âge ? »

Et il haussait les épaules sans te répondre. Car ceux de son âge lui lançaient des pierres, vu qu'il boitait et qu'il venait de loin, où tout est mal.

S'il se hasardait vers les jeux, les beaux garçons, les mieux taillés se campaient devant lui :

« Tu marches comme un crabe et ton village t'a vomi ! tu enlaidis le nôtre ! c'était un beau village, marchant bien droit ! »

Alors tu le voyais qui faisait simplement demi-tour et s'éloignait, tirant la jambe.

Tu lui disais, si tu le rencontrais :

« Toi, le tachu, tu n'as donc point de mère ? »

Mais il ne te répondait pas. Il te regardait, le temps d'un éclair, et rougissait.

Cependant, comme tu l'imaginais amer et triste, tu ne comprenais point sa douceur tranquille. Ainsi était-il. Tel et non un autre.

Vint le soir où ceux du village le voulurent chasser à coups de bâton :

« Cette graine de boiterie, qu'elle s'en aille se planter ailleurs ! »

Tu lui dis alors, l'ayant protégé :

« Toi, le tachu, tu n'as donc point de frère ? »

Alors son visage s'illumina, et il te regarda droit dans les yeux :

« Oui ! j'ai un frère ! »

Et tout rouge d'orgueil il te raconta le frère aîné, tel frère, et non un autre.

Capitaine quelque part dans l'empire. Dont le cheval était de telle couleur, et non d'une autre, et sur lequel il fut pris en croupe, lui le boiteux, lui le tachu, un jour de gloire. Tel jour et non un autre. Et une fois encore réapparaîtrait le frère aîné. Et ce frère aîné le prendrait encore en croupe, lui le tachu, lui le boiteux, à la face du village. « Mais, te disait l'enfant, je lui demanderai cette fois-ci de m'installer au-devant de lui, sur l'encolure, et il voudra bien ! Et c'est moi qui regarderai. Et c'est moi qui proposerai : à gauche, à droite, plus vite !.... Pourquoi mon frère refuserait-il ? Il est content s'il me voit rire. Alors nous serons deux ! »

Car il est autre chose qu'objet bancal enlaidi de taches de rousseur. Il est d'autre chose que de soi-même et de sa laideur. Il est d'un frère. Et il a fait sa promenade en croupe, sur un cheval de guerre, un jour de gloire !

Et vient l'aube du retour. Et l'enfant, tu le trouves assis sur le mur bas, les jambes pendantes. Et les autres lui lancent des pierres :

« Eh ! toi qui ne sais point courir, bigle de jambes ! » Mais il te regarde et te sourit. Tu es lié à lui par un pacte. Tu es le témoin de l'infirmité de ceux-là qui ne voient en lui que le tachu, que le boiteux, car il est d'un frère au cheval de guerre.

Et le frère aujourd'hui le lavera de ces crachats et lui fera rempart, de sa gloire, contre les pierres. Et lui le chétif sera purifié par le grand vent d'un cheval au galop. Et l'on ne verra plus sa laideur, car son frère est beau. Sera lavée son humiliation car son frère est de joie et de gloire. Et lui le tachu se réchauffera dans son soleil. Et désormais les autres, l'ayant reconnu, l'inviteront à tous leurs jeux : « Toi qui es de ton frère, viens courir avec nous... tu es beau en ton frère. » Et il priera son frère de les faire monter eux aussi, tour à tour, sur l'encolure de son cheval de guerre, afin qu'ils soient, à leur tour, abreuvés de vent. Il ne saurait tenir rigueur à ce petit peuple de son ignorance. Il les aimera et leur dira : « À chaque retour de mon frère je vous réunirai et il vous racontera ses batailles… » Donc il se serre contre toi car tu sais. Et en toi il n'est point si difforme, car tu vois son frère aîné au travers.

Mais tu venais lui dire d'oublier qu'il est un paradis et une rédemption et un soleil. Tu venais le priver de l'armure qui le faisait courageux sous les pierres. Tu venais le soumettre à sa boue. Tu venais lui dire : « Mon petit d'homme, cherche autrement à exister, car il n'est point à espérer de promenade en croupe sur un cheval de guerre. » Et comment lui annoncerais-tu que son frère a été chassé de l'armée, qu'il s'achemine honteux vers le village, et qu'il boite si bas, sur la route, qu'on lui jette des pierres ?

Et si, maintenant, tu me dis :

« Je l'ai moi-même désenseveli, mort, de la mare où il se noya, car il ne pouvait plus vivre, faute de soleil… »

Alors je pleurerai sur la misère des hommes. Et, par la grâce de tel visage tachu, non d'un autre, de tel cheval de guerre, non d'un autre, de telle promenade en croupe un jour de gloire, et non d'une autre, de telle honte au seuil d'un village, non d'une autre, de telle mare enfin dont tu m'as raconté les canards et la pauvre lessive qui séchait sur les bords, voici que je rencontre Dieu, tant va loin ma pitié au travers des hommes, car tu m'as guidé sur le véritable sentier en me parlant de cet enfant-ci et non d'un autre.

Ne cherche point d'abord une lumière qui soit un objet parmi des objets, celle du temple couronne les pierres.

CCI

Tu me sers quand tu me condamnes. Certes je me suis trompé en décrivant le pays entrevu. J'ai mal situé ce fleuve et j'ai oublié tel village. Tu t'en viens donc, triomphant bruyamment, me contredire dans mes erreurs. Et moi j'approuve ton travail. Ai-je le temps de tout mesurer, de tout dénombrer ? M'importait que tu juges le monde de la montagne que j'ai choisie. Tu te passionnes à ce travail, tu vas plus loin que moi dans ma direction. Tu m'épaules là où j'étais faible. Me voilà satisfait.

Car tu te trompes sur ma démarche quand tu crois me nier. Tu es de la race des logiciens, des historiens et des critiques, lesquels discutent les matériaux du visage et ne connaissent point le visage. Que m'importent les textes de loi et les ordonnances particulières ? C'est à toi de les inventer. Si je désire fonder en toi la pente vers la mer je décris le navire en marche, les nuits d'étoiles et l'empire que se taille une île dans la mer par le miracle des odeurs. « Vient le matin, te dis-je, où tu entres, sans que rien ne change pour les yeux, dans un monde habité. L'île invisible encore, comme un panier d'épices, installe son marché sur la mer. Tu retrouves tes matelots, non plus hirsutes et durs, mais brûlants, et ils ignorent eux-mêmes pourquoi, de convoitises tendres. Car on songe à la cloche avant de l'entendre qui tinte, la conscience grossière exige beaucoup de bruit alors que les oreilles déjà sont informées. Et me voilà déjà heureux, lorsque je marche vers le jardin, aux lisières du climat des roses... C'est pourquoi tu éprouves sur mer, selon les vents, le goût de l'amour, ou du repos, ou de la mort. »

Mais toi tu me reprends. Le navire que j'ai décrit n'est pas à l'épreuve de l'orage et il importe de le modifier selon tel détail ou tel autre. Et moi j'approuve. Change-le donc ! Je n'ai rien à connaître des planches et des clous. Puis tu me nies les épices que j'ai promises. Ta science me démontre qu'elles seront autres. Et moi j'approuve. Je n'ai rien à connaître de tes problèmes de botanique. M'importe exclusivement que tu bâtisses un navire et me cueilles des îles lointaines au large des mers. Tu navigueras donc pour me contredire. Tu me contrediras. Je respecterai ton triomphe. Mais plus tard, lentement, dans le silence de mon amour, je m'en irai visiter, après ton retour, les ruelles du port.

Fondé par le cérémonial des voiles à hisser, des étoiles à lire et du pont à laver à grande eau, tu seras revenu, et, de l'ombre où je me tiendrai, je t'écouterai chanter à tes fils, afin qu'ils naviguent, le cantique de l'île qui installe son marché sur la mer. Et je m'en retournerai satisfait.

Tu ne peux espérer ni me prendre en défaut, ni véritablement me nier dans l'essentiel. Je suis source et non conséquence. Prétends-tu démontrer au sculpteur qu'il eût dû sculpter tel visage de femme plutôt que tel buste de guerrier ? Tu subis la femme ou le guerrier. Ils sont, en face de toi, tout simplement. Si je me tourne vers les étoiles je ne regrette point la mer. Je pense étoiles. Lorsque je crée, peu me surprend ta résistance car j'ai pris tes matériaux pour construire un autre visage. Et tu protesteras d'abord. « Cette pierre, me diras-tu, est d'un front et non d'une épaule. — Cela est possible, te répondrai-je. Cela était. — Cette pierre, me diras-tu, est d'un nez et non d'une oreille. — Cela est possible, te répondrai-je. Cela était. — Ces yeux… », me diras-tu, mais à force de me contredire et de reculer et d'avancer, et de te pencher de gauche à droite pour me critiquer mes opérations, viendra bien l'instant où se montrera dans sa lumière l'unité de ma création, tel visage et non un autre. Alors se fera en toi le silence.

Peu m'importent les erreurs que tu me reproches. La vérité loge au-delà. Les paroles l'habillent mal et chacune d'elles est critiquable. L'infirmité de mon langage m'a souvent fait me contredire. Mais je ne me suis point trompé. Je n'ai point confondu le piège et la capture. Elle est commune mesure des éléments du piège. Ce n'est point la logique qui noue les matériaux mais le même dieu qu'ils servent ensemble. Mes paroles sont maladroites et d'apparence incohérente : non moi au centre. Je suis, tout simplement. Si j'ai habillé un corps véritable, je n'ai pas à me soucier de la vérité des plis de la robe. Lorsque la femme est belle, si elle marche, les plis se détruisent et se recomposent, mais ils se répondent les uns aux autres nécessairement.

Je ne connais point de logique des plis de la robe. Mais tels, et non d'autres, font battre mon cœur et m'éveillent au désir.

CCII

Mon cadeau sera par exemple de t'offrir, en te parlant d'elle, la Voie Lactée qui domine la ville. Car d'abord mes cadeaux sont simples. Je t'ai dit : « Voici distribuées les demeures des hommes sous les étoiles. » Cela est vrai. En effet, là où tu vis, si tu marches vers la gauche, tu trouves l'étable et ton âne. À droite la maison et l'épouse. Devant toi le jardin d'olives. En arrière la maison du voisin. Voici les directions de tes démarches dans l'humilité des jours tranquilles. S'il te plaît de connaître l'aventure d'autrui afin d'en augmenter la tienne — car alors elle prend un sens — tu vas frapper à la porte de ton ami. Et son enfant guéri est direction de guérison pour ton enfant. Et son râteau, qui lui fut volé durant la nuit, augmente la nuit de tous les voleurs aux pas de velours. Et ta veille devient vigilance. Et la mort de ton ami te fait mortel. Mais s'il te plaît de consommer l'amour, tu te retournes vers ta propre maison, et tu souris d'apporter en présent l'étoffe au filigrane d'or, ou l'aiguière neuve, ou le parfum, ou quoi que ce soit que l'on change en rire comme l'on alimente la gaieté d'un feu d'hiver en y versant le bois muet. Et si, l'aube venue, il te faut travailler, alors tu t'en vas, un peu lourd, réveiller dans l'étable l'âne endormi debout, et, l'ayant caressé à l'encolure, le pousses devant toi vers le chemin.

Si maintenant simplement tu respires, n'usant ni des uns ni des autres, ne tendant ni vers l'un ni vers l'autre, tu baignes cependant dans un paysage aimanté où il est des pentes, des appels, des sollicitations et des refus. Où les pas tireraient de toi des états divers. Tu possèdes dans l'invisible un pays de forêts et de déserts et de jardins et tu es, bien qu'absent de cœur dans l'instant présent, de tel cérémonial, et non d'un autre.

Si maintenant j'ajoute une direction à ton empire, car tu regardais devant, en arrière, à droite et à gauche, si je t'ouvre cette voûte de cathédrale qui te permet, dans le quartier de ta misère où peut-être tu meurs étouffé, la démarche d'esprit du marin de mer, si je déroule un temps plus lent que celui qui mûrit ton seigle, et te fais ainsi vieux de mille années, ou jeune d'une heure, ô mon seigle d'homme, sous les étoiles, alors une direction nouvelle s'ajoutera aux autres. Si tu te tournes vers l'amour, tu t'en iras d'abord laver ton cœur à ta fenêtre. Tu diras à ta femme, du fond de ce quartier de misère où tu meurs étouffé : « Nous voici seuls, toi et moi, sous les étoiles. » Et tant que tu respireras tu seras pur. Et tu seras signe de vie, comme la jeune plante poussée sur le plateau désert entre le granit et les étoiles, semblable à un réveil, et fragile et menacée, mais lourde d'un pouvoir qui se distribuera au long des siècles. Tu seras chaînon de la chaîne et plein de ton rôle. Ou si encore, chez ton voisin, tu t'accroupis auprès de son feu pour écouter le bruit que fait le monde (oh ! si humble, car sa voix te racontera la maison voisine, ou le retour de quelque soldat, ou le mariage de quelque fille) alors j'aurai bâti en toi une âme plus apte à recevoir ces confidences. Le mariage, la nuit, les étoiles, le retour du soldat, le silence seront pour toi musique nouvelle

CCV

Je fus ainsi éclairé sur la fête, laquelle est de l'instant où tu passes d'un état à l'autre, quand l'observation du cérémonial t'a préparé une naissance. Et je te l'ai dit du navire. D'avoir été longtemps maison à bâtir à l'étage des planches et des clous, il devint, une fois gréé, marié pour la mer. Et tu le maries. C'est l'instant de fête. Mais tu ne t'installes pas, pour en vivre, dans le lancement du navire.

Je te l'ai dit de ton enfant. De fête est sa naissance. Mais tu ne vas pas chaque jour, des années durant, te frottant les mains de ce qu'il soit né. Tu attendras, pour l'autre fête, tel changement d'état, comme il en sera du jour où le fruit de ton arbre se fera souche d'un arbre nouveau et plantera plus loin ta dynastie. Je te l'ai dit de la graine récoltée. Vient la fête de l'engrangement. Puis des semailles. Puis la fête du printemps qui te change tes semailles en herbe douce comme un bassin d'eau fraîche. Puis tu attends encore, et c'est la fête de la moisson, puis encore une fois de l'engrangement. Et ainsi de suite, de fête en fête, jusqu'à la mort, car il n'est point de provisions. Et je ne connais point de fête à laquelle tu n'accèdes venant de quelque part, et par laquelle tu n'ailles ailleurs. Tu as marché longtemps. La porte s'ouvre. C'est l'instant de fête. Mais tu ne vivras point de cette salle-ci plus que de l'autre. Cependant je veux que tu te réjouisses de franchir le seuil qui va quelque part, et réserve ta joie pour l'instant où tu briseras ta chrysalide. Car tu es foyer de faible pouvoir, et n'est point de chaque minute l'illumination de la sentinelle. Je la réserve, s'il se peut, pour les jours de clairons et de tambours et de victoire. Faut bien que se répare en toi quelque chose qui ressemble au désir, et exige souvent le sommeil.

Moi j'avance lentement, un pas lent sur la dalle d'or, un pas lent sur la dalle noire, dans les profondeurs de mon palais. Me paraît citerne, à midi, à cause de la fraîcheur captive. Et me berce mon propre pas : je suis rameur inépuisable vers où je vais. Car je ne suis plus de cette patrie.

S'écoulent lentement les murs du vestibule et, si je lève les yeux vers la voûte, je la vois balancer doucement comme l'arche d'un pont. Un pas lent sur un carreau d'or, un pas lent sur un carreau noir je fais lentement mon travail, comme l'équipe du puits en forage qui te remonte les gravats. Ils scandent l'appel de la corde à muscles doux. Je connais où je vais et je ne suis plus de cette patrie.

De vestibule en vestibule, je poursuis mon voyage. Et tels sont les murs. Et tels sont les ornements suspendus au mur. Et je contourne la grande table d'argent où sont les candélabres. Et je frôle de la main tel pilier de marbre. Il est froid. Toujours. Mais je pénètre dans les territoires habités. M'en viennent les bruits comme dans un rêve car je ne suis plus de cette patrie.

Douces cependant me sont les rumeurs domestiques. Te plaît toujours le chant confidentiel du cœur. Rien ne dort tout à fait. Et, de ton chien lui-même, s'il dort, il arrive qu'il aboie en rêve, à petits coups, et s'agite un peu par souvenir. Ainsi de mon palais bien que mon midi l'ait endormi. Et il est une porte qui bat, on ne sait où, dans le silence. Et tu songes au travail des servantes, des femmes. Car sans doute est-ce de leur domaine ? Elles t'ont plié le linge frais dans leurs corbeilles. Elles ont navigué deux par deux pour les transporter. Et, maintenant qu'elles l'ont rangé, elles referment les hautes armoires. Il est là-bas un geste révolu. Une obligation a été respectée. Quelque chose vient de s'accomplir. Sans doute est-ce maintenant le repos, mais que saurai-je ? Je ne suis plus de cette patrie.

De vestibule en vestibule, de carreau noir en carreau d'or, je contourne lentement le quartier des cuisines. Je reconnais le chant des porcelaines. Puis d'une aiguière d'argent que l'on m'a heurtée. Puis cette faible rumeur d'une porte profonde. Puis le silence. Puis un bruit de pas précipités. Quelque chose a été oublié qui exige soudain ta présence, comme il en est du lait qui bout, ou de l'enfant qui pousse un cri, ou plus simplement de l'extinction inattendue d'un ronronnement familier. Quelque pièce vient de se coincer dans la pompe, la broche, ou le moulin pour la farine. Tu cours remettre en marche l'humble prière…

Mais le bruit de pas s'est évanoui car le lait a été sauvé, l'enfant a été consolé, la pompe, la broche ou le moulin ont repris la récitation de leur litanie. On a paré à une menace. On a guéri une blessure. On a réparé un oubli. Lequel ? Je ne sais rien. Je ne suis plus de cette patrie.

Voici que je pénètre dans le royaume des odeurs. Mon palais ressemble à un cellier qui prépare lentement le miel de ses fruits, l'arôme de ses vins. Et je navigue comme à travers d'immobiles provinces. Ici de coings mûrs. Je ferme les yeux, se prolonge loin leur influence. Ici du santal des coffres de bois. Ici plus simplement de dalles fraîchement lavées. Chaque odeur s'est taillé un empire depuis des générations, et l'aveugle s'y pourrait reconnaître. Et sans doute mon père régnait-il déjà sur ces colonies. Mais je vais, sans bien y songer. Je ne suis plus de cette patrie.

L'esclave, selon le rituel des rencontres, s'est effacé contre le mur à mon passage. Mais je lui ai dit dans ma bonté : « Montre-moi ta corbeille », afin qu'il se sentît important dans le monde. Et, de l'anse de ses bras luisants, il l'a descendue avec précaution de sur sa tête. Et il m'a présenté, les yeux baissés, son hommage de dattes, de figues et de mandarines. J'ai bu l'odeur. Puis j'ai souri. Son sourire alors s'est élargi et il m'a regardé droit dans les yeux contre le rituel des rencontres. Et, de l'anse de ses bras, il a remonté sa corbeille, me tenant droit dans son regard : « Qu'est-il, me suis-je dit, de cette lampe allumée ? car vont comme des incendies les rébellions ou l'amour ! Quel est le feu secret qui brûle dans les profondeurs de mon palais, derrière ces murs ? » Et j'ai considéré l'esclave, comme s'il eût été abîme des mers. « Eh ! me suis-je dit, vaste est le mystère de l'homme ! » Et j'ai poursuivi mon chemin, sans résoudre l'énigme, car je n'étais plus de cette patrie.

J'ai traversé la salle du repos. J'ai traversé la salle du Conseil où mon pas s'est multiplié. Puis j'ai descendu à pas lents, de marche en marche, l'escalier qui conduit au dernier vestibule. Et, quand j'ai commencé de l'arpenter, j'ai entendu un grand bruit sourd et un cliquetis d'armes. J'ai souri dans mon indulgence : dormaient sans doute mes sentinelles, mon palais de midi étant comme une ruche en sommeil, toute ralentie, à peine remuée par la courte agitation des capricieuses qui ne trouvent pas le repos, des oublieuses qui courent à leur oubli, ou de l'éternel brouillon qui toujours te rajuste, te perfectionne et te démantibule quelque chose. Et ainsi, du troupeau de chèvres, il en est toujours une qui bêle, de la ville endormie il te monte toujours un appel incompréhensible, et, dans la nécropole la plus morte, il est encore le veilleur de nuit qui déambule. De mon pas lent, j'ai donc poursuivi mon chemin, la tête penchée pour ne point voir mes sentinelles en hâte se rajuster, car peu m'importe : je ne suis plus de cette patrie.

Donc s'étant durcis, ils me saluent, m'ouvrent le vantail à deux battants et je plisse les paupières dans la cruauté du soleil, et demeure un instant sur le seuil. Car là sont les campagnes. Les collines rondes qui chauffent au soleil mes vignes. Mes moissons taillées en carré. L'odeur de craie des terres. Et une autre musique qui est d'abeilles, de sauterelles et de grillons. Et je passe d'une civilisation à une autre civilisation. Car j'allais respirer midi sur mon empire.

Et je viens de naître.

CCVI

De ma visite au seul véritable géomètre mon ami.

Car m'émut de le voir si attentif au thé et à la braise, et à la bouilloire, et au chant de l'eau, puis au goût d'un premier essai... puis à l'attente, car le thé livre lentement son arôme. Et me plut que durant cette courte méditation, il fût plus distrait par le thé que par un problème de géométrie :

« Toi qui sais, tu ne méprises point l'humble travail... »

Mais il ne me répondait pas. Cependant quand il eut, tout satisfait, empli nos verres :

« Moi qui sais... qu'entends-tu par là ? Pourquoi le joueur de guitare dédaignerait-il le cérémonial du thé pour la seule raison qu'il connaît quelque chose sur les relations entre les notes ? Je connais quelque chose sur les relations entre les lignes d'un triangle. Cependant me plaît le chant de l'eau et le cérémonial qui honorera le roi, mon ami... »

Il songea, puis :

« Que sais-je... je ne crois pas que mes triangles m'éclairent beaucoup sur le plaisir du thé. Mais il se peut que le plaisir du thé m'éclaire un peu sur les triangles...

— Que me dis-tu là, géomètre !

— Si j'éprouve, me vient le besoin de décrire. Celle-là que j'aime, je te parlerai sur ses cheveux, et sur ses cils, et sur ses lèvres, et sur son geste qui est musique pour le cœur. Parlerais-je sur les gestes, les lèvres, les cils, les cheveux, s'il n'était point tel visage de femme lu à travers ? Je te montre en quoi son sourire est doux. Mais d'abord était le sourire...

« Je n'irai point te remuer un tas de pierres pour y trouver le secret des méditations. Car la méditation ne signifie rien à l'étage des pierres. Il faut que soit un temple. Alors me voilà changé de cœur. Et je m'irai, réfléchissant sur la vertu des relations entre les pierres...

« Je n'irai point chercher dans les sels de la terre l'explication de l'oranger. Car l'oranger n'a point de signification à l'étage des sels de la terre. Mais, d'assister à l'ascension de l'oranger, j'expliquerai par lui l'ascension des sels de la terre.

« Que d'abord j'éprouve l'amour. Que je contemple l'unité. J'irai ensuite méditant les matériaux et les assemblages. Mais je n'irai point enquêter sur les matériaux si rien ne les domine, vers quoi je tende. J'ai d'abord contemplé le triangle. Puis j'ai cherché, en le triangle, les obligations qui régissent les lignes. Tu as d'abord aimé, toi aussi, une image de l'homme, de telle ferveur intérieure. Et tu en as déduit ton cérémonial afin qu'elle y fût contenue, comme la capture dans le piège, et ainsi perpétuée dans l'empire. Mais quel sculpteur s'intéressera pour eux-mêmes au nez, à l'œil et à la barbe ? Et quel rite du cérémonial imposeras-tu pour lui-même ? Et qu'irai-je déduire sur les lignes si elles ne sont point d'un triangle ?

« Je me soumets d'abord à la contemplation. Je raconterai ensuite, si je puis. Je n'ai donc jamais refusé l'amour : le refus de l'amour n'est que prétention. Certes j'ai honoré telle ou telle qui ne savait rien sur les triangles. Mais elle en savait plus long que moi sur l'art du sourire. As-tu vu sourire ?

— Certes, géomètre...

— Celle-là, des fibres de son visage et de ses cils et de ses lèvres qui sont matériaux sans signification encore, te bâtissait sans effort un chef-d'œuvre inimitable et, d'être témoin d'un tel sourire, tu habitais la paix des choses et l'éternité de l'amour. Puis elle te défaisait son chef-d'œuvre dans le temps qu'il te faut pour ébaucher un geste et t'enfermer dans une autre patrie où le désir te venait d'inventer l'incendie dont tu l'eusses sauvée, toi le rédempteur, tant elle se montrait pathétique. Et, de ce que sa création ne laissait point ces traces dont on peut enrichir les musées, pourquoi l'eussé-je méprisée ? Je sais formuler quelque chose sur les cathédrales bâties, mais elle me bâtissait les cathédrales...

— Mais que t'enseignait-elle sur les relations entre les lignes ?

— Peu importent les objets reliés. Je dois d'abord apprendre à lire les liaisons. Je suis vieux. J'ai donc vu mourir qui j'aimais, ou guérir. Vient le soir où la bien-aimée, la tête penchée vers l'épaule, décline l'offre du bol de lait à la façon du nouveau-né déjà tranché d'avec le monde et qui refuse le sein, car le lait lui est devenu amer. Elle a comme un sourire d'excuse car elle te peine de ne plus se nourrir de toi. Elle n'a plus besoin de toi. Et tu vas contre la fenêtre cacher tes larmes. Et là sont les campagnes. Alors tu sens, comme un cordon ombilical, ton lien avec les choses. Les champs d'orge, les champs de blé, l'oranger fleuri qui prépare la nourriture de ta chair, et le soleil qui te fait tourner depuis l'origine des siècles le moulin des fontaines. Et te vient le bruit du charroi de l'aqueduc en construction qui désaltérera la ville, en place de l'autre, que le temps a usé, ou, plus simplement, de la carriole, ou du pas de l'âne qui porte le sac. Et tu sens circuler la sève universelle qui fait durer les choses. Et tu reviens à pas lents vers le lit. Tu éponges le visage qui luit de sueur. Elle est là encore, auprès de toi, mais toute distraite de mourir. Les campagnes ne chantent plus pour elle leur chant d'aqueduc en construction, ou de carriole, ou d'âne qui trottine. L'odeur des orangers n'est plus pour elle, ni ton amour.

« Alors tu te souviens de tels camarades qui s'aimaient.

« L'un venait chercher l'autre, au cœur de la nuit, par simple besoin de ses plaisanteries, de ses conseils, ou plus simplement encore de sa présence. Et l'un manquait à l'autre s'il voyageait. Mais un malentendu absurde les a brouillés. Et ils feignent de ne point se voir, s'ils se rencontrent. Le miracle est ici qu'ils ne regrettent rien. Le regret de l'amour, c'est l'amour. Ce qu'ils recevaient l'un de l'autre, cependant ils ne le recevront de nul au monde. Car chacun plaisante, conseille, ou simplement respire à sa propre façon et non d'une autre. Donc les voilà amputés, diminués, mais incapables d'en rien connaître. Et même tout fiers et comme enrichis du temps disponible. Et ils te vont flânant devant les étalages, chacun pour soi. Ils ne perdent plus leur temps avec l'ami ! Ils refuseront tout effort qui les rattacherait au grenier où ils puisaient leur nourriture. Car est morte la part d'eux-mêmes qui en vivait, et comment cette part réclamerait-elle, puisqu'elle n'est plus ?

« Mais toi, tu passes en jardinier. Et tu vois ce qui manque à l'arbre. Non du point de vue de l'arbre, car du point de vue de l'arbre rien ne lui manque : il est parfait. Mais de ton point de vue de dieu pour arbre qui greffe les branches là où il faut. Et tu rattaches le fil rompu et le cordon ombilical. Tu réconcilies. Et les voilà qui repartent dans leur ferveur.

« Moi aussi j'ai réconcilié et j'ai connu le matin frais où la bien-aimée te réclame le lait de chèvre et le pain tendre. Et te voilà penché sur elle, une main soutenant la nuque, l'autre haussant le bol jusqu'aux lèvres pâles, et toi regardant boire. Tu es chemin, véhicule et charroi. Il te semble, non que tu la nourrisses, ni même que tu la guérisses, mais que tu la recouses à ce dont elle était, ces campagnes, ces moissons, ces fontaines, ce soleil. Un peu pour elle désormais, le soleil fait tourner le moulin chantant des fontaines. Un peu pour elle on construit l'aqueduc. Un peu pour elle la carriole fait son grelot. Et, car elle te semble enfantine ce matin, et non désireuse de sagesse profonde, mais bien plutôt des nouvelles de la maison et des jouets, et des amis, tu lui dis donc : “Écoute…” Et elle reconnaît l'âne qui trottine. Alors elle rit et se tourne vers toi, son soleil, car elle a soif d'amour.

« Et moi qui suis vieux géomètre, j'ai ainsi été à l'école car il n'est de relations que celles auxquelles tu as songé. Tu dis : "Il en est de même..." Et une question meurt. J'ai rendu à tel la soif de l'ami : je l'ai réconcilié. J'ai rendu à telle la soif du lait et de l'amour. Et j'ai dit : "Il en est de même..." Je l'ai guérie. Et, d'énoncer telle relation entre la pierre qui tombe et les étoiles, qu'ai-je fait d'autre ? J'ai dit : "Il en est de même..." Et d'énoncer ainsi telle relation entre des lignes, j'ai dit : "En le triangle cela ou ceci c'est la même chose..." Et ainsi, de mort des questions en mort des questions, je m'achemine doucement vers Dieu en qui nulle question n'est plus posée. »

Et, quittant mon ami, je m'en fus de mes pas lents, moi qui me guéris de mes colères, à cause que, de la montagne que je gravis, se fait une paix véritable qui n'est point de conciliation, de renoncement, de mélange, ni de partage. Car je vois condition là où ils voient litige. Comme il en est de ma contrainte qui est condition de ma liberté, ou de mes règles contre l'amour qui sont condition de l'amour, ou de mon ennemi bien-aimé qui est condition de moi-même, car le navire n'aurait point de forme sans la mer.

D'ennemi concilié en ennemi concilié — mais d'ennemi nouveau en ennemi nouveau —

je m'achemine moi aussi le long de la pente que je gravis, vers le calme en Dieu — sachant qu'il ne s'agit point, pour le navire, de se faire indulgent aux assauts de la mer, ni pour la mer de se faire douce au navire, car, des premiers, ils sombreront, et des seconds, ils s'abâtardiront en bateaux plats pour laveuses de linge — mais sachant qu'il importe de ne point fléchir, ni pactiser par faux amour, au cours d'une guerre sans merci qui est condition de la paix, abandonnant sur le chemin des morts qui sont condition de la vie, acceptant des renoncements qui sont condition de la fête, des paralysies de chrysalides qui sont condition des ailes, car il se trouve que Tu me noues en plus haut que moi-même, Seigneur, selon Ta volonté, et que je ne connaîtrai point la paix ni l'amour hors de Toi, car en Toi seul celui-là qui régnait au nord de mon empire, lequel j'aimais, et moi-même seront conciliés, parce qu'accomplis, car en Toi seul tel que j'ai dû châtier malgré mon estime, et moi-même, serons conciliés parce qu'accomplis, car il se trouve qu'en Toi seul se confondent enfin dans leur unité sans litige l'amour, Seigneur, et les conditions de l'amour.

CCVIII

Donc se leva le jour. Et j'étais là comme le marin, les bras croisés, et qui respire la mer. Telle mer à labourer et non une autre. J'étais là comme le sculpteur devant la glaise. Telle glaise à pétrir et non une autre. J'étais là, tel, sur la colline, et j'adressai à Dieu cette prière :

« Seigneur, se lève le jour sur mon empire. Il m'est ce matin délivré, prêt pour le jeu, comme une harpe. Seigneur, naît à la lumière tel lot de villes, de palmeraies, de terres arables et de plantations d'orangers. Et voici, sur ma droite, le golfe de mer pour navires. Et voici, sur ma gauche, la montagne bleue, aux versants bénis de moutons à laine, qui plante les griffes de ses derniers rocs dans le désert. Et au-delà, le sable écarlate où fleurit seul le soleil.

« Mon empire est de tel visage et non d'un autre. Et certes, il est de mon pouvoir d'infléchir quelque peu la courbe de tel fleuve afin d'en irriguer le sable, mais non dans l'instant. Il est de mon pouvoir de fonder ici une ville neuve, mais non dans l'instant. Il est de mon pouvoir de délivrer, rien qu'en soufflant sa graine, une forêt de cèdres victorieuse, mais non dans l'instant. Car j'hérite dans l'instant d'un passé révolu, lequel est tel et non un autre. Telle harpe, prête à chanter.

« De quoi me plaindrais-je, Seigneur, moi qui pèse dans ma sagesse patriarcale cet empire où tout est en place, comme le sont des fruits de couleur dans la corbeille. Pourquoi éprouverais-je la colère, l'amertume, la haine ou la soif de vengeance ? Telle est ma trame pour mon travail. Tel est mon champ pour mon labour. Telle est ma harpe pour chanter.

« Quand va le maître du domaine par ses terres au lever du jour, tu le vois, s'il en trouve, qui ramasse la pierre et arrache la ronce. Il ne s'irrite ni contre la ronce ni contre la pierre. Il embellit sa terre et n'éprouve rien, sinon l'amour.

« Quand celle-là ouvre sa maison au lever du jour, tu la vois balayer la poussière. Elle ne s'irrite point contre la poussière. Elle embellit une maison et n'éprouve rien, sinon l'amour.

« Me plaindrais-je de ce que telle montagne couvre telle frontière et non l'autre ? Elle refuse, ici, avec le calme d'une paume, les tribus qui remontent du désert. Cela est bien. Je bâtirai plus loin, là où l'empire est nu, mes citadelles.

« Et pourquoi me plaindrais-je des hommes ? Je les reçois, dans cette aube-ci, tels qu'ils sont. Certes, il en est qui préparent leur crime, qui méditent leur trahison, qui fourbissent leur mensonge, mais il en est d'autres qui se harnachent pour le travail ou la pitié ou la justice. Et certes, moi aussi, pour embellir ma terre arable, je rejetterai la pierre ou la ronce, mais sans haïr ni la ronce ni la pierre, n'éprouvant rien, sinon l'amour.

« Car j'ai trouvé la paix, Seigneur, au cours de ma prière. Je viens de Toi. Je me sens jardinier qui marche à pas lents vers ses arbres. »

Certes, j'ai moi aussi éprouvé, au cours de ma vie, la colère, l'amertume, la haine et la soif de vengeance. Au crépuscule des batailles perdues, comme des rébellions, chaque fois que je me suis découvert impuissant, et comme enfermé en moi-même, faute de pouvoir agir, selon ma volonté, sur mes troupes en vrac que ma parole n'atteignait plus, sur mes généraux séditieux qui s'inventaient des empereurs, sur les prophètes déments qui nouaient des grappes de fidèles en poings aveugles, j'ai connu alors la tentation de l'homme de colère.

Mais tu veux corriger le passé. Tu inventes trop tard la décision heureuse. Tu recommences le pas qui t'eût sauvé, mais participe, puisque l'heure en est révolue, de la pourriture du rêve. Et certes, il est un général qui t'a conseillé, selon ses calculs, d'attaquer à l'ouest. Tu réinventes l'histoire. Tu escamotes le donneur de conseils. Tu attaques au nord. Autant chercher à t'ouvrir une route en soufflant contre le granit d'une montagne. « Ah ! te dis-tu dans la corruption de ton songe, si tel n'avait point agi, si tel n'avait point parlé, si tel n'avait point dormi, si tel n'avait point cru ou refusé de croire, si tel avait été présent, si tel s'était trouvé ailleurs, alors je serais vainqueur ! »

Mais ils te narguent d'être impossibles à effacer, comme la tache de sang du remords. Et te vient le désir de les broyer dans les supplices, pour t'en défaire. Mais empilerais-tu sur eux toutes les meules de l'empire que tu n'empêcherais point qu'ils aient été.

Faible es-tu, de même que lâche, si tu cours ainsi dans la vie à la poursuite de responsables, réinventant un passé révolu dans la pourriture de ton rêve. Et il se trouve que tu livreras, d'épuration en épuration, ton peuple entier au fossoyeur.

Tels ont peut-être été véhicules de la défaite, mais pourquoi tels autres, qui eussent été véhicules de la victoire, n'ont-ils point dominé les premiers ? À cause que le peuple ne les soutenait point ? Alors pourquoi ton peuple a-t-il préféré les mauvais bergers ? Parce qu'ils mentaient ? Mais les mensonges sont toujours exprimés, car tout, toujours est dit, et la vérité et le mensonge. Parce qu'ils payaient ? Mais l'argent est toujours offert, car il est toujours des corrupteurs.

Ceux de tel empire, s'ils sont bien fondés,

mon corrupteur y fait sourire. La maladie que je leur offre n'est point pour eux. Si ceux de tel autre sont usés de cœur, la maladie que je leur offre fera son entrée par tel et tel qui succomberont les premiers. Et, progressant de l'un en l'autre, elle pourrira tous ceux de l'empire, car ma maladie était pour eux. Les premiers touchés sont-ils responsables de la pourriture de l'empire ? Tu ne prétends point, dans l'empire le plus sain, que n'existent point les porteurs de chancre ! Ils sont là, mais comme en réserve pour les heures de décadence. Alors seulement se répandra la maladie, laquelle n'avait pas besoin d'eux. Elle en eût trouvé d'autres. Si la maladie pourrit la vigne de racine en racine, je n'accuse point la première racine. L'eussé-je brûlée l'année d'auparavant qu'une autre racine eût servi de porte à la pourriture.

Si l'empire se corrompt, tous ont collaboré à la corruption. Si le plus grand nombre tolère, en quoi n'est-il point responsable ? Je te dis meurtrier si l'enfant se noie dans ta mare, et que tu négliges de le secourir.

Stérile je serai donc si je tente, dans la pourriture du rêve, de sculpter après coup un passé révolu, décapitant les corrupteurs comme les complices de corruption, les lâches comme les complices de lâcheté, les traîtres comme les complices de trahison, car, de conséquence en conséquence, j'anéantirai jusqu'aux meilleurs puisqu'ils auront été inefficaces, et qu'il me restera à leur reprocher leur paresse, ou leur indulgence, ou leur sottise. En fin de compte j'aurai prétendu anéantir de l'homme ce qui est susceptible d'être malade et d'offrir une terre fertile à telle semence, et tous peuvent être malades. Et tous sont terre fertile pour toutes semences. Et il me faudra les supprimer tous. Alors sera parfait le monde, puisque purgé du mal. Mais moi je dis que la perfection est vertu des morts. L'ascension use pour engrais des mauvais sculpteurs comme du mauvais goût. Je ne sers point la vérité en exécutant qui se trompe car la vérité se construit d'erreur en erreur. Je ne sers point la création en exécutant quiconque manque la sienne, car la création se construit d'échec en échec. Je n'impose point telle vérité en exécutant qui en sert une autre, car ma vérité est arbre qui vient. Et je ne connais rien que terre arable, laquelle n'a point encore alimenté mon arbre. Je viens, je suis présent. Je reçois le passé de mon empire en héritage. Je suis le jardinier en marche vers sa terre. Je n'irai point lui reprocher de nourrir des cactus et des ronces. Je me moque bien des cactus et des ronces, si je suis semence du cèdre.

Je méprise la haine, non par indulgence, mais parce que, venant de Toi, Seigneur, où tout est présent, l'empire m'est présent dans chaque instant. Et dans chaque instant, je commence.

Je me souviens de l'enseignement de mon père : « Ridicule est la graine qui se plaint de ce que la terre à travers elle se fasse salade plutôt que cèdre. Elle n'est donc que graine de salade. »

Il disait de même : « Le bigle a souri à la jeune fille. Elle s'est retournée vers ceux qui plantent droit leur regard. Et le bigle va racontant que ceux dont le regard est droit corrompent les jeunes filles. »

Bien vaniteux les justes qui s'imaginent ne rien devoir aux tâtonnements, aux injustices, aux erreurs, aux hontes qui les transcendent. Ridicule le fruit qui méprise l'arbre !

CCIX

De même que celui-là qui croit trouver sa joie dans la richesse du tas d'objets, impuissant qu'il est à l'en extirper car elle n'y réside point, multiplie ses richesses et empile les objets en pyramides et s'en va s'agiter parmi eux dans leurs caves, pareil à ces sauvages qui te démontent les matériaux du tambour, afin de capturer le bruit.

De même ceux-là, qui d'avoir connu que les

relations de mots contraignantes te soumettent à mon poème, que les structures contraignantes te soumettent à la sculpture de mon sculpteur, que les relations contraignantes entre les notes de la guitare te soumettent à l'émotion du guitariste, croyant que le pouvoir réside dans les mots du poème, les matériaux de la sculpture, les notes de la guitare, te les agitent dans un désordre inextricable et, de n'y point retrouver ce pouvoir, puisqu'il n'y réside point, exagèrent, pour se faire entendre, leur tintamarre, charriant au plus en toi l'émotion que tu tireras d'une pile de vaisselle qui se brise, laquelle d'abord est de qualité discutable, laquelle ensuite est de discutable pouvoir, et serait autrement efficace, te régissant, te gouvernant, te provoquant autrement mieux, si tu la tirais de la pesanteur de mon gendarme, quand il t'écrase l'orteil.

Et si je désire te gouverner en te disant « soleil d'octobre » ou « sabres de neige », faut bien que je construise un piège qui emprisonne une capture, laquelle n'est point de son essence. Mais si je désire t'émouvoir par les objets mêmes du piège, faute d'oser te dire mélancolie, crépuscule, bien-aimée, mots de poème achetés tout faits dans le bazar, lesquels te font vomir, je n'en jouerai pas moins sur la faible action de mimétisme, laquelle te fait moins jubilant si je te dis « cadavre » que « corbeille de roses » bien que ni l'un ni l'autre ne te régissent en profondeur, et je sortirai de l'habituel pour te décrire des supplices dans leur dernier raffinement. Et faute d'ailleurs d'en tirer l'émotion qui n'y réside point, car est faible le pouvoir des mots qui te versent à peine une salive acide lorsque je fais jouer la mécanique du souvenir, tu commences de t'agiter frénétiquement, et de multiplier les tortures et les détails sur la torture et les odeurs de la torture, pour finalement peser moins sur moi que le bon pied de mon gendarme.

De chercher ainsi à te surprendre, par le léger pouvoir de choc de l'inhabituel, et certes je te surprendrai si j'entre à reculons dans la salle d'audience où je te reçois, ou si, plus généralement, je fais appel à quoi que ce soit d'incohérent et d'inattendu, de m'agiter ainsi je ne suis que pillard et je tire mon bruit de la destruction, car certes, à la seconde audience, tu ne t'étonneras plus de mon entrée à reculons et, une fois habitué, non seulement à tel geste absurde, mais à l'imprévu dans l'absurde, tu ne t'étonneras plus de rien. Et bientôt tu t'accroupiras, morne et sans langage, dans l'indifférence d'un monde usé. Mais la seule poésie qui te pourra tirer encore un mouvement de plainte sera celle de l'énorme chaussure cloutée de mon gendarme.

Car il n'est point de réfractaire. Il n'est point

d'individu seul. Il n'est point d'homme qui se retranche véritablement. Plus naïfs sont ceux-là que les fabricants de mirlitonneries qui te mélangent sous prétexte de poésie l'amour, le clair de lune, l'automne, les soupirs et la brise.

« Je suis ombre, dit ton ombre, et je méprise la lumière. » Mais elle en vit.

CCX

Je t'accepte tel que tu es. Se peut que la maladie te tourmente d'empocher les bibelots d'or qui tombent sous tes yeux, et que par ailleurs tu sois poète. Je te recevrai donc par amour de la poésie. Et, par amour de mes bibelots d'or, je les enfermerai.

Se peut qu'à la façon d'une femme tu considères les secrets qui te sont confiés comme diamants pour ta parure. Elle va à la fête. Et l'objet rare qu'elle exhibe la fait glorieuse et importante. Il se peut que, par ailleurs, tu sois danseur. Je te recevrai donc par respect pour la danse, mais, par respect pour les secrets, je les tairai.

Mais il se peut que tout simplement tu sois mon ami. Je te recevrai donc par amour pour toi, tel que tu es. Si tu boites je ne te demanderai point de danser. Si tu hais tel ou tel je ne te les infligerai point comme convives. Si tu as besoin de nourriture, je te servirai.

Je n'irai point te diviser pour te connaître. Tu n'es ni cet acte-ci, ni tel autre, ni leur somme. Ni cette parole-ci, ni telle autre, ni leur somme. Je ne te jugerai ni selon ces paroles ni selon ces actes. Mais je jugerai ces actes comme ces paroles selon toi.

J'exigerai ton audience en retour. Je n'ai que faire de l'ami qui ne me connaît pas et réclame des explications. Je n'ai point le pouvoir de me transporter dans le faible vent des paroles. Je suis montagne. La montagne se peut contempler. Mais la brouette ne te l'offrira point.

Comment t'expliquerai-je ce qui n'est point d'abord entendu par l'amour ? Et souvent comment parlerai-je ? Il est des paroles indécentes. Je te l'ai dit de mes soldats dans le désert. Je les considère en silence, aux veilles de combat. L'empire repose sur eux. Ils mourront pour l'empire. Et leur mort leur sera payée dans cet échange. Je connais donc leur ferveur véritable. Que m'enseignerait le vent des paroles ? Qu'ils se plaignent des ronces, qu'ils haïssent le caporal, que la nourriture est avare, que leur sacrifice est amer ?... Ainsi doivent-ils parler ! Je me méfie du soldat trop lyrique. S'il souhaite de mourir pour son caporal, probable est qu'il ne mourra point, trop occupé à te débiter son poème. Je me méfie de la chenille qui se croit amoureuse des ailes. Celle-là n'ira point mourir à soi-même dans la chrysalide. Mais sourd au vent de ses paroles, à travers mon soldat je vois qui il est, non qui il dit. Et celui-là, dans le combat, couvrira son caporal de sa poitrine. Mon ami est un point de vue. J'ai besoin d'entendre parler d'où il parle car en cela il est empire particulier et provision inépuisable. Il peut se taire et me combler encore. Je considère alors selon lui et je vois autrement le monde. De même j'exige de mon ami qu'il sache d'abord d'où je parle. Alors seulement il m'entendra. Car les mots toujours se tirent la langue.

CCXI

Me revint voir ce prophète aux yeux durs, qui, nuit et jour, couvait une fureur sacrée, et qui, par surcroît, était bigle.

« Il convient, me dit-il, de sauver les justes.

— Certes, lui répondis-je, il n'est point de raison évidente qui motive leur châtiment.

— De les distinguer d'avec les pécheurs.

— Certes, lui répondis-je. Le plus parfait doit être érigé en exemple. Tu choisis pour le piédestal la meilleure statue du meilleur sculpteur. Tu lis aux enfants les meilleurs poèmes. Tu souhaites pour reines les plus belles. Car la perfection est une direction qu'il convient de montrer, bien qu'il soit hors de ton pouvoir de l'atteindre. »

Mais le prophète s'enflammant :

« Et une fois triée la tribu des justes, il importe de la sauver seule et ainsi, une fois pour toutes, d'anéantir la corruption.

— Eh ! lui dis-je, là tu vas trop fort. Car tu me prétends diviser la fleur d'avec l'arbre. Ennoblir la moisson en supprimant l'engrais. Sauver les grands sculpteurs en décapitant les mauvais sculpteurs. Et moi je ne connais que des hommes plus ou moins imparfaits et, de la tourbe vers la fleur, l'ascension de l'arbre. Et je dis que la perfection de l'empire repose sur les impudiques.

— Tu honores l'impudicité !

— J'honore tout autant ta sottise, car il est bon que la vertu soit offerte comme un état de perfection parfaitement souhaitable et réalisable. Et que soit conçu l'homme vertueux, bien qu'il ne puisse exister, d'abord parce que l'homme est infirme, ensuite parce que la perfection absolue, où qu'elle réside, entraîne la mort. Mais il est bon que la direction prenne figure de but. Autrement tu te lasserais de marcher vers un objet inaccessible. J'ai durement peiné dans le désert. Il apparaît d'abord comme impossible à vaincre. Mais je fais de cette dune lointaine l'escale bienheureuse. Et je l'atteins, et elle se vide de son pouvoir. Je fais alors d'une dentelure de l'horizon l'escale bienheureuse. Et je l'atteins, et elle se vide de son pouvoir. Je me choisis alors un autre point de mire. Et, de point de mire en point de mire, j'émerge des sables.

« L'impudeur, ou bien elle est un signe de simplicité et d'innocence, comme il en est de celle des gazelles, et, si tu daignes l'informer, tu la changeras en candeur vertueuse, ou bien elle tire ses joies de l'agression à la pudeur. Et elle repose sur la pudeur. Et elle en vit et elle la fonde. Et quand passent les soldats ivres, tu vois les mères couvrir leurs filles et leur interdire de se montrer. Alors que les soldats de ton empire d'utopie, ayant pour coutume de baisser chastement les yeux, il en serait comme s'ils étaient absents et tu ne verrais point d'inconvénient à ce que les filles de chez toi se baignassent nues. Mais la pudeur de mon empire est autre chose qu'absence d'impudeur (car les plus pudiques, alors, sont les morts). Elle est ferveur secrète, réserve, respect de soi-même et courage. Elle est protection du miel accompli, en vue d'un amour. Et s'il passe quelque part un soldat ivre, il se trouve qu'il fonde chez moi la qualité de la pudeur.

— Tu souhaites donc que tes soldats ivres crient leurs ordures..

— Il se trouve que, bien au contraire, je les

châtie afin de fonder leur propre pudeur. Mais il se trouve également que, mieux je l'ai fondée, plus l'agression se fait attrayante. Te procure plus de joie de gravir le pic élevé que la colline ronde. De vaincre un adversaire qui te résiste, que tel benêt qui ne se défend point. Là seulement où les femmes sont voilées te brûle le désir de lire leur visage. Et je juge de la tension des lignes de force de l'empire à la dureté du châtiment qui y équilibre l'appétit. Si je barre un fleuve dans la montagne, me plaît de jauger l'épaisseur du mur. Il est signe de ma puissance. Car, certes, contre la maigre mare me suffit d'un rempart de carton. Et pourquoi souhaiterais-je des soldats châtrés ? Je les veux pesant contre la muraille, car alors seulement ils seront grands dans le crime ou la création qui transcende le crime.

— Tu les souhaites donc gonflés de leurs désirs de stupre...

— Non. Tu n'as rien compris », lui dis-je.

CCXII

Mes gendarmes, dans leur opulente stupidité, me vinrent circonvenir :

« Nous avons découvert la cause de la décadence de l'empire. S'agit de telle secte qu'il faut extirper.

— Eh ! dis-je. À quoi reconnais-tu qu'ils sont liés les uns aux autres ? »

Et ils me racontèrent les coïncidences dans leurs actes, leur parenté selon tel ou tel signe, et le lieu de leurs réunions.

« Et à quoi reconnaissez-vous qu'ils sont une menace pour l'empire ? »

Et ils me décrivirent leurs crimes et la concussion de certains d'entre eux, et les viols commis par certains autres, et la lâcheté de plusieurs, ou leur laideur.

« Eh ! dis-je, je connais une secte plus dangereuse encore, car nul jamais ne s'est avisé de la combattre !

— Quelle secte ? » se hâtèrent de dire mes gendarmes.

Car le gendarme, étant né pour cogner, s'étiole s'il manque d'aliments.

« Celle des hommes, leur répondis-je, qui portent un grain de beauté sur la tempe gauche. »

Mes gendarmes, n'ayant rien compris, m'approuvèrent par un grognement. Car le gendarme peut cogner sans comprendre. Il cogne avec ses poings, lesquels sont vides de cervelle.

Cependant l'un d'entre eux qui était ancien charpentier toussa deux ou trois fois :

« Ils ne montrent point leur parenté. Ils n'ont point de lieu de réunion.

— Certes, lui répondis-je. Là est le danger. Car ils passent inaperçus. Mais à peine aurai-je publié le décret qui les désignera à la fureur publique, tu les verras se chercher l'un l'autre, s'unir l'un à l'autre, vivre en commun et, se dressant contre la justice du peuple, prendre conscience de leur caste.

— Cela n'est que trop vrai », approuvèrent mes gendarmes.

Mais l'ancien charpentier toussa encore :

« J'en connais un. Il est doux. Il est généreux. Il est honnête. Et il a gagné trois blessures à la défense de l'empire...

— Certes, lui répondis-je. De ce que les femmes sont écervelées, en déduis-tu qu'il n'en soit aucune qui fasse preuve de raison ? De ce que les généraux sont sonores, en déduis-tu qu'il n'en existe point un, par-ci par-là, qui soit timide ? Ne t'arrête pas sur les exceptions. Une fois triés les porteurs du signe, fouille leur passé. Ils ont été source de crimes, de rapts, de viols, de concussions, de trahisons, de gloutonnerie et d'impudeur. Prétends-tu qu'ils sont purs de tels vices ?

— Certes non, s'écrièrent les gendarmes, l'appétit s'étant éveillé dans leurs poings.

— Or, quand un arbre forme des fruits pourris, reproches-tu la pourriture aux fruits ou à l'arbre ?

— À l'arbre, s'écrièrent les gendarmes.

— Et quelques fruits sains le font-ils absoudre ?

— Non ! non ! s'écrièrent les gendarmes qui, bien heureusement, aimaient leur métier, lequel n'est point d'absoudre.

— Donc serait équitable de me purger l'empire de ces porteurs d'un grain de beauté sur la tempe gauche. »

Mais l'ancien charpentier toussa encore :

« Formule ton objection », lui dis-je, cependant que ses compagnons guidés par leur flair jetaient des coups d'œil lourds d'allusions dans la direction de sa tempe.

L'un d'eux s'enhardit, toisant le suspect :

« Celui qu'il dit avoir connu... ne serait-ce point son frère... ou son père... ou quelqu'un des siens ? »

Et tous grognèrent leur assentiment.

Alors flamba ma colère :

« Plus dangereuse encore est la secte de ceux qui portent un grain de beauté sur la tempe droite ! Car nous n'y avons même pas songé ! Donc elle se dissimule mieux encore. Plus dangereuse encore que celle-là est la secte de ceux qui ne portent point de grain de beauté, car ceux-là vont dans le camouflage, invisibles comme des conjurés. Et en fin de compte, de secte en secte, je condamne la secte des hommes tout entière, car elle est, de toute évidence, source de crimes, de rapts, de viols, de concussions, de gloutonnerie et d'impudeur. Et comme il se trouve que les gendarmes, outre qu'ils sont gendarmes, sont hommes, je commencerai à travers eux, usant d'une telle commodité, l'épuration nécessaire. C'est pourquoi je donne l'ordre au gendarme qui est en vous de jeter l'homme qui est en vous sur le fumier des cachots de mes citadelles ! »

Et s'en furent mes gendarmes, reniflant de perplexité et réfléchissant sans grand résultat, car il se trouve qu'ils réfléchissent avec les poings.

Mais je retins le charpentier, lequel baissait les yeux et faisait le modeste.

« Toi, je te destitue ! lui dis-je. La vérité pour charpentier, laquelle est subtile et contradictoire à cause que le bois lui résiste, n'est point vérité pour gendarme. Si le manuel classe en noir les porteurs de grain sur la tempe, me plaît que mes gendarmes, rien qu'à entendre parler d'eux, sentent croître leurs poings. Me plaît de même que l'adjudant te pèse selon ta science au demi-tour. Car l'adjudant, s'il a droit de juger, il t'excusera dans ta maladresse à cause que tu es grand poète. De même pardonnera-t-il à ton voisin, car il est pieux. Et au voisin de ton voisin, car celui-là est modèle de chasteté. Ainsi régnera la justice. Mais que survienne en guerre la feinte subtile d'un demi-tour et voilà mes soldats empêtrés du coup les uns dans les autres, dans l'éclat d'un grand tintamarre, qui appellent sur eux le carnage. Seront bien consolés par l'estime de leur adjudant ! Je te renvoie donc à tes charpentes, de peur que ton amour de la justice, là où elle n'a que faire, répande un jour le sang inutile. »

CCXIII

Et m'étant retiré, j'adressai à Dieu cette prière :

« J'accepte comme provisoires, Seigneur, et bien qu'il ne soit point de mon étage d'en distinguer la clef de voûte, les vérités contradictoires du soldat qui cherche à blesser et du médecin qui cherche à guérir. Je ne concilie point, en breuvage tiède, des boissons glacées et brûlantes. Je ne souhaite point que modérément l'on blesse et soigne. Je châtie le médecin qui refuse ses soins, je châtie le soldat qui refuse ses coups. Et peu m'importe si les mots se tirent la langue. Car il se trouve que ce piège seul, dont les matériaux sont divers, saisit ma capture dans son unité, laquelle est tel homme, de telle qualité et non un autre.

« Je recherche à tâtons tes divines lignes de

force, et faute d'évidences qui ne sont point pour mon étage, je dis que j'ai raison dans le choix des rites du cérémonial s'il se trouve que je m'y délivre et y respire. Ainsi de mon sculpteur, Seigneur, que satisfait tel coup de pouce vers la gauche, bien qu'il ne sache dire pourquoi. Car ainsi seulement il lui semble qu'il charge sa glaise de pouvoir.

« Je vais à Toi à la façon de l'arbre qui se développe selon les lignes de force de sa graine. L'aveugle, Seigneur, ne connaît rien du feu. Mais il est, du feu, des lignes de force sensibles aux paumes. Et il marche à travers les ronces, car toute mue est douloureuse. Seigneur, je vais à Toi, selon Ta grâce, le long de la pente qui fait devenir.

« Tu ne descends pas vers Ta création, et je n'ai rien à espérer pour m'instruire qui soit autre chose que chaleur du feu ou tension de graine. De même de la chenille qui ne sait rien des ailes. Je n'espère point d'être informé par le guignol des apparitions d'archanges, car ne me dirait rien qui vaille la peine. Inutile de parler d'ailes à la chenille comme de navire au forgeur de clous. Suffit que soient, par la passion de l'architecte, les lignes de force du navire. Par la semence, les lignes de force des ailes. Par la graine, les lignes de force de l'arbre. Et Tu sois, Seigneur, tout simplement.

« Glaciale, Seigneur, est quelquefois ma solitude. Et je réclame un signe dans le désert de l'abandon. Mais Tu m'as enseigné au cours d'un songe. J'ai compris que tout signe est vain, car si Tu es de mon étage Tu ne m'obliges point de croître. Et qu'ai-je à faire de moi, Seigneur, tel que je suis ?

« C'est pourquoi je marche, formant des prières auxquelles il n'est point répondu, et n'ayant pour guide, tant je suis aveugle, qu'une faible chaleur sur mes paumes flétries, et Te louant cependant, Seigneur, de ce que Tu ne me répondes point, car si j'ai trouvé ce que je cherche, Seigneur, j'ai achevé de devenir.

« Si Tu faisais vers l'homme, gratuitement, le pas d'archange, l'homme serait accompli. Il ne scierait plus, ne forgerait plus, ne combattrait plus, ne soignerait plus. Il ne balaierait plus sa chambre ni ne chérirait la bien-aimée. Seigneur, s'égarerait-il à T'honorer de sa charité à travers les hommes, s'il Te contemplait ? Quand le temple est bâti, je vois le temple, non les pierres.

Seigneur, me voilà vieux et de la faiblesse des arbres quand vente l'hiver. Las de mes ennemis comme de mes amis. Non satisfait dans ma pensée d'être contraint de tuer, à la fois, et de guérir, car me vient de Toi le besoin de dominer tous les contraires qui me fait si cruel mon sort. Et cependant ainsi contraint de monter, de mort de questions en mort des questions, vers Ton silence.

« Seigneur, de celui-là qui repose au nord de mon empire et fut l'ennemi bien-aimé, du géomètre, le seul véritable, mon ami, et de moi-même qui ai, hélas, passé la crête et laisse en arrière ma génération comme sur le versant désormais révolu d'une montagne, daigne faire l'unité pour Ta gloire, en m'endormant au creux de ces sables déserts où j'ai bien travaillé. »

CCXV

Immobile êtes-vous, car, à la façon d'un navire qui délivre, ayant accosté, sa cargaison, laquelle habille les quais du port de couleurs vives, et en effet sont là les étoffes dorées et les épices rouges et vertes et les ivoires, voici que le soleil, comme un fleuve de miel sur les sables, livre le jour. Et vous demeurez sans mouvement, surpris par la qualité de l'aurore, sur les versants du tertre qui domine le puits. Et les bêtes aux grandes ombres sont immobiles aussi. Aucune ne s'agite : elles connaissent qu'une à une elles vont boire. Mais un détail suspend encore la procession. Point n'est encore distribuée l'eau. Manquent les grandes auges que l'on apporte. Et les poings sur les hanches, tu regardes au loin et tu dis : « Que font-ils ? »

Ceux que tu as remontés des entrailles du puits désensablé ont déposé leurs instruments et croisent leurs bras sur la poitrine. Leur sourire t'a renseigné. L'eau est présente. Car l'homme, dans le désert, est animal au museau maladroit, qui cherche à tâtons sa mamelle. Rassuré, tu as donc souri. Et les chameliers t'ayant vu sourire sourient à leur tour. Et voici que tout est sourire. Les sables dans leur lumière et ton visage et le visage de tes hommes et peut-être même quelque chose des bêtes, sous leur écorce, car elles connaissent qu'elles vont boire et sont là, immobiles, toutes résignées dans le plaisir. Et il en est de cette minute comme sur mer quand une déchirure du nuage verse le soleil. Et tu sens tout à coup la présence de Dieu, sans comprendre pourquoi, à cause peut-être du goût répandu de récompense (car il en est d'un puits vivant dans le désert comme d'un cadeau, jamais tout à fait escompté, jamais tout à fait promis), à cause aussi de l'attente de la communion en l'eau prochaine, qui vous tient toujours immobile. Car ceux-là, leurs bras croisés sur la poitrine, n'ont point bougé. Car toi, les poings sur les hanches, au sommet du tertre, tu regardes toujours le même point de l'horizon. Car les bêtes aux grandes ombres organisées en processions sur les versants de sable ne se sont point encore mises en marche. Puisque ceux-là qui apportent les grandes auges où faire boire n'apparaissent point encore, et que tu continues de te demander : « Que font-ils ? » Tout est suspendu encore et cependant tout est promis.

Et vous habitez la paix d'un sourire. Et certes, vous vous réjouirez bientôt de boire mais il ne s'agira plus que de plaisir, alors qu'il s'agit maintenant d'amour. Alors que maintenant, hommes, sables, bêtes et soleil sont comme noués dans leur signification par un simple trou entre des pierres, et qu'ils ne figurent plus autour de toi, dans leur diversité, que les objets d'un même culte, que les éléments d'un cérémonial, que les mots d'un cantique.

Et toi le grand prêtre qui présidera, toi le général qui ordonnera, toi le maître de cérémonies, immobile, les poings sur les hanches, retenant encore ta décision, tu interroges l'horizon d'où l'on t'apporte les grandes auges où faire boire. Car manque encore un objet pour le culte, un mot pour le poème, un pion pour la victoire, une épice pour le festin, un hôte d'honneur pour la cérémonie, une pierre à la basilique afin qu'elle éclate sous les regards. Et cheminent quelque part ceux qui apportent comme clef de voûte les grandes auges et auxquels tu crieras quand ils apparaîtront : « Eh ! vous de là-bas, hâtez-vous donc ! » Ils ne répondront pas. Ils graviront le tertre. Ils s'agenouilleront pour installer leurs ustensiles. Alors tu ne feras qu'un geste. Et commencera de crier la corde qui accouche la terre, commenceront les bêtes de mettre en branle, lentement, leur procession. Et commenceront les hommes de les gouverner dans l'ordre prévu, à coups de triques, et de pousser contre elles les cris gutturaux du commandement. Ainsi commencera de se dérouler, selon son rituel, la cérémonie du don de l'eau sous la lente ascension du soleil.

CCXIX

J'ai désiré fonder en toi l'amour pour le frère. Et du même coup j'ai fondé la tristesse de la séparation d'avec le frère. J'ai désiré fonder en toi l'amour pour l'épouse. Et j'ai fondé en toi la tristesse de la séparation d'avec l'épouse. J'ai désiré fonder en toi l'amour pour l'ami. Et du même coup j'ai fondé en toi la tristesse de la séparation d'avec l'ami, de même que celui-là qui bâtit les fontaines bâtit leur absence.

Mais de te découvrir tourmenté par la séparation plus que par tout autre mal, j'ai voulu te guérir et t'enseigner sur la présence. Car la fontaine absente est plus douce encore pour qui meurt de soif qu'un monde sans fontaines. Et même si t'en voilà exilé au loin pour toujours, quand ta maison brûle tu pleures.

Je connais des présences généreuses comme des arbres, lesquels étendent loin leurs branches pour verser l'ombre. Car je suis celui qui habite et te montrerai ta demeure.

Souviens-toi du goût de l'amour quand tu embrasses ton épouse à cause que le petit jour a rendu leur couleur aux légumes dont tu installes sur ton âne la pyramide un peu branlante car tu te mets en route pour les vendre au marché. Ta femme donc te sourit. Elle demeure là sur le seuil prête, ainsi que toi, pour son travail, car elle balaiera la maison et lustrera les ustensiles et s'emploiera à la cuisson de ton repas, songeant à toi, à cause de tel régal dont elle mijote la surprise, se disant à soi-même : « Qu'il ne revienne pas trop tôt car il me gâterait mon plaisir à me surprendre… » Rien donc ne la sépare de toi bien qu'en apparence tu t'en ailles au loin et qu'elle souhaite ton retard. Et il en est pour toi de même, car ton voyage servira la maison dont il faut bien que tu répares l'usure et alimentes la gaieté. Et tu as prévu sur ton gain quelque tapis de haute laine et, pour ton épouse, tel collier d'argent. C'est pourquoi tu chantes sur la route et habites la paix de l'amour, bien qu'en apparence tu t'exiles. Tu bâtis ta maison, à petits pas de ta baguette, en guidant l'âne, en rajustant les corbeilles, en te frottant les yeux car il est tôt. Tu es solidaire de ta femme mieux qu'aux heures d'oisiveté quand tu te tournes vers l'horizon, du seuil de chez toi, ne songeant même pas à te retourner pour savourer quoi que ce soit de ton royaume, car tu rêves alors d'un mariage lointain où tu souhaites de te rendre, ou de telle corvée, ou de tel ami.

Et maintenant que vous voilà mieux réveillés, s'il arrive à ton âne d'essayer un peu de montrer son zèle, tu écoutes le trot peu durable qui fait comme un chant de cailloux et tu médites ta matinée. Et tu souris. Car tu as choisi déjà la boutique où tu marchanderas le bracelet d'argent. Tu connais le vieux boutiquier. Il se réjouira de ta visite car tu es son meilleur ami. Il s'informera sur ta femme. Il te questionnera sur sa santé, car ta femme est précieuse et fragile. Il t'en dira tant de bien et tant de bien, et d'une voix si pénétrée, que le passant le moins subtil, rien qu'à entendre de telles louanges, l'estimerait digne du bracelet d'or. Mais tu pousseras un soupir. Car ainsi est la vie. Tu n'es point roi. Tu es maraîcher pour légumes. Et le marchand de même poussera un soupir. Et, quand vous aurez bien soupiré en hommage à l'inaccessible bracelet d'or, il t'avouera, de ceux d'argent, qu'il les préfère. « Un bracelet, t'expliquera-t-il, avant tout se doit d'être lourd. Et ceux d'or sont toujours légers. Le bracelet a sens mystique. S'agit là du premier chaînon de la chaîne qui vous lie l'un à l'autre. Il est doux, dans l'amour, de sentir le poids de la chaîne. Au bras joliment soulevé, quand la main rajuste le voile, le bijou doit peser car il informe ainsi le cœur. » Et l'homme te reviendra de son arrière-boutique avec le plus pesant de ses anneaux et il te priera d'essayer l'effet de son poids en le balançant les yeux fermés et en méditant sur la qualité de ton plaisir. Et tu subiras l'expérience. Tu approuveras. Et tu pousseras un autre soupir. Car ainsi est la vie. Tu n'es point capitaine d'une riche caravane. Mais ânier d'un âne. Et tu montreras l'âne, lequel attend devant la porte et n'est guère vigoureux ! et tu diras : « Mes richesses sont si peu de chose que ce matin, sous leur fardeau, il a trotté. » Le marchand donc poussera aussi un soupir. Et quand vous aurez bien soupiré en hommage à l'inaccessible bracelet lourd, il t'avouera des bracelets légers qu'après tout ils l'emportent par la qualité de la ciselure, laquelle est plus fine. Et il te montrera celui de ton souhait. Car depuis des jours tu as décidé, selon ta sagesse, comme un chef d'État. Il est à réserver une part des gains du mois pour le tapis de haute laine, et une autre pour le râteau neuf, une autre enfin pour la nourriture de tous les jours…

Et maintenant commence la danse véritable, car le marchand connaît les hommes. S'il devine que son hameçon est bien planté, il ne te rendra point de corde. Mais tu lui dis que le bracelet est trop coûteux et tu prends congé. Il te rappelle donc. Il est ton ami. À la beauté de ton épouse il consentira un sacrifice. L'attristerait si fort de se défaire de son trésor entre les mains d'une laideronne. Tu reviens donc mais à pas lents. Tu règles ton retour comme une flânerie. Tu fais la moue. Tu soupèses le bracelet. N'ont pas grande valeur s'ils ne sont point lourds. Et l'argent ne brille guère. Tu hésites donc entre un maigre bijou et la belle étoffe de couleur que tu as remarquée dans l'autre boutique. Mais ne faut point non plus que tu fasses trop le dédaigneux, car s'il désespère de te rien vendre il te laissera t'éloigner. Et tu rougiras du mauvais prétexte dans lequel tu t'embrouilleras pour lui revenir.

Et certes, celui-là qui ne connaîtrait rien des hommes regarderait danser la danse de l'avarice, alors qu'elle est danse de l'amour et croirait, à l'entendre parler d'âne et de légumes, ou philosopher sur l'or et l'argent, la quantité ou la finesse, et retarder ainsi ton retour par de longues et lointaines démarches, que te voilà très loin de ta maison, alors que tu l'habites véritablement dans l'instant même. Car il n'est point d'absence hors de la maison ou de l'amour si tu fais les pas du cérémonial de l'amour ou de la maison. Ton absence ne te sépare point mais te lie, ne te retranche point mais te confond. Et peux-tu me dire où loge la borne au-delà de laquelle l'absence est coupure ? Si le cérémonial est bien noué, si tu contemples bien le dieu en lequel vous

vous confondez, si ce dieu est assez brûlant, qui te séparera de la maison ou de l'ami ? J'ai connu des fils qui me disaient : « Mon père est mort n'ayant point achevé de bâtir l'aile gauche de sa demeure. Je la bâtis. N'ayant point achevé de planter ses arbres. Je les plante. Mon père est mort en déléguant le soin de poursuivre plus loin son ouvrage. Je le poursuis. Ou de demeurer fidèle à son roi. Je suis fidèle. » Et je n'ai point senti dans ces maisons-là que le père fût mort.

De ton ami et de toi-même, si tu cherches ailleurs qu'en toi ou ailleurs qu'en lui la racine commune, s'il est pour vous deux, lu à travers le disparate des matériaux, quelque nœud divin qui noue les choses, il n'est ni distance ni temps qui vous puissent séparer, car de tels dieux, en quoi votre unité se fonde, se rient et des murs et des mers.

J'ai connu un vieux jardinier qui me parlait de son ami. Tous deux avaient longtemps vécu en frères avant que la vie les séparât, buvant le thé du soir ensemble, célébrant les mêmes fêtes, et se cherchant l'un l'autre pour se demander quelques conseils ou se délivrer de confidences. Et certes, ils avaient peu à se dire et bien plutôt on les voyait se promener, le travail fini, considérant sans prononcer un mot les fleurs, les jardins, le ciel et les arbres. Mais si l'un d'eux hochait la tête en tâtant du doigt quelque plante, l'autre se penchait à son tour et, reconnaissant la trace des chenilles, hochait la sienne. Et les fleurs bien ouvertes leur procuraient à tous les deux le même plaisir.

Or il arriva qu'un marchand ayant engagé l'un des deux, il l'associa pour quelques semaines à sa caravane. Mais les pillards de caravanes puis les hasards de l'existence, et les guerres entre les empires, et les tempêtes, et les naufrages, et les ruines, et les deuils, et les métiers pour vivre ballottèrent celui-là des années durant, comme un tonneau la mer, le repoussant de jardin en jardin, jusqu'aux confins du monde.

Or voici que mon jardinier, après une vieillesse de silence, reçut une lettre de son ami. Dieu sait combien d'années elle avait navigué. Dieu sait quelles diligences, quels cavaliers, quels navires, quelles caravanes l'avaient tour à tour acheminée avec cette même obstination des milliers de vagues de la mer jusqu'à son jardin. Et ce matin-là, comme il rayonnait de son bonheur et le voulait faire partager, il me pria de lire, comme l'on prie de lire un poème, la lettre qu'il avait reçue. Et il guettait sur mon visage l'émotion de ma lecture. Et certes il n'était là que quelques mots car les deux jardiniers se trouvaient être plus habiles à la bêche qu'à l'écriture. Et je lus simplement : « Ce matin j'ai taillé mes rosiers... », puis méditant ainsi sur l'essentiel, lequel me paraissait informulable, je hochai la tête comme ils l'eussent fait.

Voici donc que mon jardinier ne connut plus le repos. Tu l'eusses pu entendre qui s'informait sur la géographie, la navigation, les courriers et les caravanes et les guerres entre les empires. Et trois années plus tard vint le jour de hasard de quelque ambassade que j'expédiai de l'autre côté de la terre. Je convoquai donc mon jardinier : « Tu peux écrire à ton ami. » Et mes arbres en souffrirent un peu et les légumes du potager, et ce fut fête chez les chenilles, car il te passait les journées chez soi, à griffonner, à raturer, à recommencer la besogne, tirant la langue comme un enfant sur son travail, car il se connaissait quelque chose d'urgent à dire et il lui fallait se transporter tout entier, dans sa vérité, chez son ami. Il lui fallait construire sa propre passerelle sur l'abîme, rejoindre l'autre part de soi à travers l'espace et le temps. Il lui fallait dire son amour. Et voici que tout rougissant, il me vint soumettre sa réponse afin de guetter cette fois encore sur mon visage un reflet de la joie qui illuminerait le destinataire, et d'essayer ainsi sur moi le pouvoir de ses confidences. Et (car il n'était rien en vérité de plus important à faire connaître, puisqu'il s'agissait là pour lui de ce en quoi d'abord il s'échangeait, à la façon des vieilles qui s'usent les yeux aux jeux d'aiguille pour fleurir leur dieu) je lus qu'il confiait à l'ami, de son écriture appliquée et malhabile, comme une prière toute convaincue, mais de mots humbles : « Ce matin, moi aussi, j'ai taillé mes rosiers... » Et je me tus, sur ma lecture, méditant sur l'essentiel qui commençait de m'apparaître mieux, car ils Te célébraient, Seigneur, se joignant en Toi, au-dessus des rosiers, sans le connaître.

Ah ! Seigneur, je prierai pour moi-même, ayant de mon mieux enseigné mon peuple. À cause que j'ai reçu de Toi trop de travail pour rejoindre en particulier tel ou tel que j'eusse pu aimer, et qu'il a bien fallu que je me sevrasse d'un commerce qui procure seul les plaisirs du cœur, car sont doux les retours ici et non ailleurs et les sons de voix particuliers et les confidences enfantines de telle qui croit pleurer son bijou perdu, quand elle pleure déjà la mort qui sépare de tous les bijoux. Mais Tu m'as condamné au silence afin qu'au-delà du vent des paroles j'en entendisse la signification, puisqu'il est de mon rôle de me pencher sur l'angoisse des hommes dont j'ai décidé de les guérir.

Certes, Tu m'as voulu économiser le temps que j'eusse usé en bavardage, et l'enfer des paroles sur le bijou perdu (et nul ne sortira jamais de ces litiges puisqu'il ne s'agit point ici d'un bijou mais de la mort) comme sur l'amitié ou sur l'amour. Car amour ou amitié ne se nouent véritablement qu'en Toi seul et il est de Ta décision de ne me permettre d'y accéder qu'à travers ton silence.

Que recevrai-je, puisque je sais qu'il n'est point de Ta dignité, ni même de Ta sollicitude, de me visiter à mon étage et que je n'attends rien du guignol des apparitions d'archanges ? Car moi qui m'adresse non à tel ou tel, mais au laboureur comme au berger, j'ai beaucoup à donner mais je n'ai rien à recevoir. Et, s'il se trouve que mon sourire puisse enivrer la sentinelle, puisque je suis le roi et qu'en moi l'empire se noue qui est fait de leur sang, et qu'ainsi en retour l'empire à travers moi paie leur propre sang par mon sourire, qu'ai-je, Seigneur, à attendre du sourire de celle-là ? Des uns comme des autres je ne sollicite point pour moi l'amour, et peu m'importe s'ils m'ignorent ou me haïssent, à condition qu'ils me respectent comme le chemin vers Toi, car l'amour je le sollicite pour Toi seul dont ils sont — et dont je suis — nouant la gerbe de leurs mouvements d'adoration, et Te la déléguant de même que je délègue à l'empire, non à moi, la génuflexion de ma sentinelle, car je ne suis point mur mais opération de graine qui de la terre tire des branchages pour soleil.

Me vient donc quelquefois, puisqu'il n'est point de roi pour moi qui me puisse rembourser par un sourire, qu'il convient que j'aille ainsi jusqu'à l'heure où Tu daigneras me recevoir et me confondre avec ceux-là de mon amour, me vient donc, de temps à autre, la lassitude d'être seul, et le besoin de rejoindre ceux de mon peuple, car, sans doute, je ne suis point encore assez pur.

De juger heureux le jardinier qui communiquait avec son ami me vient donc parfois le désir de me lier ainsi, selon leur dieu, aux jardiniers de mon empire. Et il m'arrive de descendre à pas lents, un peu avant l'aube, les marches de mon palais vers le jardin. Je m'achemine dans la direction des roseraies. J'observe ici et là, et me penche attentif sur quelque tige, moi qui, midi venu, déciderai le pardon ou la mort, la paix ou la guerre. La survie ou la destruction des empires. Puis, me relevant de mon travail avec effort, car je me fais vieux, je dis simplement, en mon cœur, afin de les rejoindre par la seule voie qui soit efficace, à tous les jardiniers vivants et morts : « Moi aussi, ce matin, j'ai taillé mes rosiers. » Et peu importe, d'un tel message, s'il chemine ou non des années durant, s'il parvient ou non à tel ou tel. Là n'est point l'objet du message. Pour rejoindre mes jardiniers j'ai simplement salué leur dieu, lequel est rosier au lever du jour.

Seigneur, ainsi de mon ennemi bien-aimé que je ne rejoindrai qu'au-delà de moi-même. Et pour qui, car il me ressemble, il en est également ainsi. Donc je rends la justice selon ma sagesse. Il rend la justice selon la sienne. Elles paraissent contradictoires et, si elles s'affrontent, nourrissent nos guerres. Mais lui et moi, par des chemins contraires, nous suivons de nos paumes les lignes de force du même feu. En Toi seul, Seigneur, elles se retrouvent.

J'ai donc, mon travail achevé, embelli l'âme de mon peuple. Il a, son travail achevé, embelli l'âme de son peuple. Et moi qui pense à lui, et lui qui pense à moi, bien que nul langage ne nous soit offert pour nos rencontres, quand nous avons jugé, ou dicté le cérémonial, ou puni ou pardonné, nous pouvons dire, lui pour moi, comme moi pour lui : « Ce matin j'ai taillé mes rosiers... »

Car Tu es, Seigneur, la commune mesure de l'un et de l'autre. Tu es le nœud essentiel d'actes divers.

INDEX

Fables et paraboles

DU MÊME AUTEUR

COURRIER SUD, *roman* (Folio n° 80)

VOL DE NUIT, *roman* (Folio n° 4)

TERRE DES HOMMES, *récit* (Folio n° 21)

PILOTE DE GUERRE, *récit* (Folio n° 824)

LETTRE À UN OTAGE, *essai*

LE PETIT PRINCE, *récit, illustré par l'auteur* (Folio n° 3200. *Nouvelle édition réalisée à partir de l'édition américaine de 1943*)

CITADELLE, *essai* (Folio n° 108 et n° 3367, nouvelle édition)

LETTRES DE JEUNESSE

CARNETS (Folio n° 3157)

LETTRES À SA MÈRE. *Édition revue et augmentée en 1984* (Folio n° 2927)

ÉCRITS DE GUERRE 1939-1944 (Folio n° 2573)

Cahiers Saint-Exupéry

CAHIERS I, II ET III

« CHER JEAN RENOIR », *enregistrements transcrits* (« Les Cahiers de la NRF », Série Saint-Exupéry, IV)

Dans la « Bibliothèque de la Pléiade »

ŒUVRES I, II, *édition publiée sous la direction de Michel Autrand et Michel Quesnel.*

En CD-ROM

LE PETIT PRINCE. *Adaptation et mise en scène de Romain Victor-Pujebet, avec la voix de Sami Frey.*

En CD audio

Saint-Exupéry raconte TERRE DES HOMMES à Jean Renoir. *Conception de Prune Berge et Alban Cerisier avec la collaboration de J.-P. Dauphin, Alfred Willis et Josy Vercken*

COLLECTION FOLIO

Dernières parutions

3548. Philippe Beaussant	*Stradella.*
3549. Michel Cyprien	*Le chocolat d'Apolline.*
3550. Naguib Mahfouz	*La Belle du Caire.*
3551. Marie Nimier	*Domino.*
3552. Bernard Pivot	*Le métier de lire.*
3553. Antoine Piazza	*Roman fleuve.*
3554. Serge Doubrovsky	*Fils.*
3555. Serge Doubrovsky	*Un amour de soi.*
3556. Annie Ernaux	*L'événement.*
3557. Annie Ernaux	*La vie extérieure.*
3558. Peter Handke	*Par une nuit obscure, je sortis de ma maison tranquille.*
3559. Angela Huth	*Tendres silences.*
3560. Hervé Jaouen	*Merci de fermer la porte.*
3561. Charles Juliet	*Attente en automne.*
3562. Joseph Kessel	*Contes.*
3563. Jean-Claude Pirotte	*Mont Afrique.*
3564. Lao She	*Quatre générations sous un même toit III.*
3565. Dai Sijie	*Balzac et la petite tailleuse chinoise.*
3566. Philippe Sollers	*Passion fixe.*
3567. Balzac	*Ferragus, chef des Dévorants.*
3568. Marc Villard	*Un jour je serai latin lover.*
3569. Marc Villard	*J'aurais voulu être un type bien.*
3570. Alessandro Baricco	*Soie.*
3571. Alessandro Baricco	*City.*
3572. Ray Bradbury	*Train de nuit pour Babylone.*
3573. Jerome Charyn	*L'Homme de Montezuma.*
3574. Philippe Djian	*Vers chez les blancs.*
3575. Timothy Findley	*Le chasseur de têtes.*
3576. René Fregni	*Elle danse dans le noir.*
3577. François Nourissier	*À défaut de génie.*
3578. Boris Schreiber	*L'excavatrice.*

3579. Denis Tillinac — *Les masques de l'éphémère.*
3580. Frank Waters — *L'homme qui a tué le cerf.*
3581. Anonyme — *Sindbâd de la mer* et autres contes.
3582. François Gantheret — *Libido Omnibus.*
3583. Ernest Hemingway — *La vérité à la lumière de l'aube.*
3584. Régis Jauffret — *Fragments de la vie des gens.*
3585. Thierry Jonquet — *La vie de ma mère !*
3586. Molly Keane — *L'amour sans larmes.*
3587. Andreï Makine — *Requiem pour l'Est.*
3588. Richard Millet — *Lauve le pur.*
3589. Gina B. Nahai — *Roxane,* ou *Le saut de l'ange.*
3590. Pier Paolo Pasolini — *Les Anges distraits.*
3591. Pier Paolo Pasolini — *L'odeur de l'Inde.*
3592. Sempé — *Marcellin Caillou.*
3593. Bruno Tessarech — *Les grandes personnes.*
3594. Jacques Tournier — *Le dernier des Mozart.*
3595. Roger Wallet — *Portraits d'automne.*
3596. Collectif — *Le Nouveau Testament.*
3597. Raphaël Confiant — *L'archet du colonel.*
3598. Remo Forlani — *Émile à l'Hôtel.*
3599. Chris Offutt — *Le fleuve et l'enfant.*
3600. Marc Petit — *Le Troisième Faust.*
3601. Roland Topor — *Portrait en pied de Suzanne.*
3602. Roger Vailland — *La fête.*
3603. Roger Vailland — *La truite.*
3604. Julian Barnes — *England, England.*
3605. Rabah Belamri — *Regard blessé.*
3606. François Bizot — *Le portail.*
3607. Olivier Bleys — *Pastel.*
3608. Larry Brown — *Père et fils.*
3609. Albert Camus — *Réflexions sur la peine capitale.*
3610. Jean-Marie Colombani — *Les infortunes de la République.*
3611. Maurice G. Dantec — *Le théâtre des opérations.*
3612. Michael Frayn — *Tête baissée.*
3613. Adrian C. Louis — *Colères sioux.*
3614. Dominique Noguez — *Les Martagons.*
3615. Jérôme Tonnerre — *Le petit Voisin.*
3616. Victor Hugo — *L'Homme qui rit.*
3617. Frédéric Boyer — *Une fée.*
3618. Aragon — *Le collaborateur* et autres nouvelles.

3619. Tonino Benacquista	*La boîte noire* et autres nouvelles.
3620. Ruth Rendell	*L'Arbousier.*
3621. Truman Capote	*Cercueils sur mesure.*
3622. Francis Scott Fitzgerald	*La Sorcière rousse,* précédé de *La coupe de cristal taillé.*
3623. Jean Giono	*Arcadie...Arcadie...,* précédé de *La pierre.*
3624. Henry James	*Daisy Miller.*
3625. Franz Kafka	*Lettre au père.*
3626. Joseph Kessel	*Makhno et sa juive.*
3627. Lao She	*Histoire de ma vie.*
3628. Ian McEwan	*Psychopolis* et autres nouvelles.
3629. Yukio Mishima	*Dojoji* et autres nouvelles.
3630. Philip Roth	*L'habit ne fait pas le moine,* précédé de *Défenseur de la foi.*
3631. Leonardo Sciascia	*Mort de l'Inquisiteur.*
3632. Didier Daeninckx	*Leurre de vérité* et autres nouvelles.
3633. Muriel Barbery	*Une gourmandise.*
3634. Alessandro Baricco	*Novecento : pianiste.*
3635. Philippe Beaussant	*Le Roi-Soleil se lève aussi.*
3636. Bernard Comment	*Le colloque des bustes.*
3637. Régine Detambel	*Graveurs d'enfance.*
3638. Alain Finkielkraut	*Une voix vient de l'autre rive.*
3639. Patrice Lemire	*Pas de charentaises pour Eddy Cochran.*
3640. Harry Mulisch	*La découverte du ciel.*
3641. Boualem Sansal	*L'enfant fou de l'arbre creux.*
3642. J.B. Pontalis	*Fenêtres.*
3643. Abdourahman A. Waberi	*Balbala.*
3644. Alexandre Dumas	*Le Collier de la reine.*
3645. Victor Hugo	*Notre-Dame de Paris.*
3646. Hector Bianciotti	*Comme la trace de l'oiseau dans l'air.*
3647. Henri Bosco	*Un rameau de la nuit.*
3648. Tracy Chevalier	*La jeune fille à la perle.*
3649. Rich Cohen	*Yiddish Connection.*
3650. Yves Courrière	*Jacques Prévert.*
3651. Joël Egloff	*Les Ensoleillés.*

3652. René Frégni — *On ne s'endort jamais seul.*
3653. Jérôme Garcin — *Barbara, claire de nuit.*
3654. Jacques Lacarrière — *La légende d'Alexandre.*
3655. Susan Minot — *Crépuscule.*
3656. Erik Orsenna — *Portrait d'un homme heureux.*
3657. Manuel Rivas — *Le crayon du charpentier.*
3658. Diderot — *Les Deux Amis de Bourbonne.*
3659. Stendhal — *Lucien Leuwen.*
3660. Alessandro Baricco — *Constellations.*
3661. Pierre Charras — *Comédien.*
3662. François Nourissier — *Un petit bourgeois.*
3663. Gérard de Cortanze — *Hemingway à Cuba.*
3664. Gérard de Cortanze — *J. M. G. Le Clézio.*
3665. Laurence Cossé — *Le Mobilier national.*
3666. Olivier Frébourg — *Maupassant, le clandestin.*
3667. J. M. G. Le Clézio — *Cœur brûle* et autres romances.
3668. Jean Meckert — *Les coups.*
3669. Marie Nimier — *La Nouvelle Pornographie.*
3670. Isaac B. Singer — *Ombres sur l'Hudson.*
3671. Guy Goffette — *Elle, par bonheur, et toujours nue.*
3672. Victor Hugo — *Théâtre en liberté.*
3673. Pascale Lismonde — *Les arts à l'école. Le Plan de Jack Lang et Catherine Tasca.*
3674. Collectif — *« Il y aura une fois ». Une anthologie du Surréalisme.*
3675. Antoine Audouard — *Adieu, mon unique.*
3676. Jeanne Benameur — *Les Demeurées.*
3677. Patrick Chamoiseau — *Écrire en pays dominé.*
3678. Erri De Luca — *Trois chevaux.*
3679. Timothy Findley — *Pilgrim.*
3680. Christian Garcin — *Le vol du pigeon voyageur.*
3681. William Golding — *Trilogie maritime, 1. Rites de passage.*
3682. William Golding — *Trilogie maritime, 2. Coup de semonce.*
3683. William Golding — *Trilogie maritime, 3. La cuirasse de feu.*
3684. Jean-Noël Pancrazi — *Renée Camps.*
3686. Jean-Jacques Schuhl — *Ingrid Caven.*

3687. *Positif*, revue de cinéma	*Alain Resnais.*
3688. Collectif	*L'amour du cinéma. 50 ans de la revue* Positif.
3689. Alexandre Dumas	*Pauline.*
3690. Le Tasse	*Jérusalem libérée.*
3691. Roberto Calasso	*la ruine de Kasch.*
3692. Karen Blixen	*L'éternelle histoire.*
3693. Julio Cortázar	*L'homme à l'affût.*
3694. Roald Dahl	*L'invité.*
3695. Jack Kerouac	*Le vagabond américain en voie de disparition.*
3696. Lao-tseu	*Tao-tö king.*
3697. Pierre Magnan	*L'arbre.*
3698. Marquis de Sade	*Ernestine. Nouvelle suédoise.*
3699. Michel Tournier	*Lieux dits.*
3700. Paul Verlaine	*Chansons pour elle* et autres poèmes érotiques.
3701. Collectif	*« Ma chère maman... »*
3702. Junichirô Tanizaki	*Journal d'un vieux fou.*
3703. Théophile Gautier	*Le capitaine Fracassse.*
3704. Alfred Jarry	*Ubu roi.*
3705. Guy de Maupassant	*Mont-Oriol.*
3706. Voltaire	*Micromégas. L'Ingénu.*
3707. Émile Zola	*Nana.*
3708. Émile Zola	*Le Ventre de Paris.*
3709. Pierre Assouline	*Double vie.*
3710. Alessandro Baricco	*Océan mer.*
3711. Jonathan Coe	*Les Nains de la Mort.*
3712. Annie Ernaux	*Se perdre.*
3713. Marie Ferranti	*La fuite aux Agriates.*
3714. Norman Mailer	*Le Combat du siècle.*
3715. Michel Mohrt	*Tombeau de La Rouërie.*
3716. Pierre Pelot	*Avant la fin du ciel.*
3718. Zoé Valdès	*Le pied de mon père.*
3719. Jules Verne	*Le beau Danube jaune.*
3720. Pierre Moinot	*Le matin vient et aussi la nuit.*
3721. Emmanuel Moses	*Valse noire.*
3722. Maupassant	*Les Sœurs Rondoli* et autres nouvelles.
3723. Martin Amis	*Money, money.*
3724. Gérard de Cortanze	*Une chambre à Turin.*

3725. Catherine Cusset *La haine de la famille.*
3726. Pierre Drachline *Une enfance à perpétuité.*
3727. Jean-Paul Kauffmann *La Lutte avec l'Ange.*
3728. Ian McEwan *Amsterdam.*
3729. Patrick Poivre d'Arvor *L'Irrésolu.*
3730. Jorge Semprun *Le mort qu'il faut.*
3731. Gilbert Sinoué *Des jours et des nuits.*
3732. Olivier Todd *André Malraux. Une vie.*
3733. Christophe de Ponfilly *Massoud l'Afghan.*
3734. Thomas Gunzig *Mort d'un parfait bilingue.*
3735. Émile Zola *Paris.*
3736. Félicien Marceau *Capri petite île.*
3737. Jérôme Garcin *C'était tous les jours tempête.*
3738. Pascale Kramer *Les Vivants.*
3739. Jacques Lacarrière *Au cœur des mythologies.*
3740. Camille Laurens *Dans ces bras-là.*
3741. Camille Laurens *Index.*
3742. Hugo Marsan *Place du Bonheur.*
3743. Joseph Conrad *Jeunesse.*
3744. Nathalie Rheims *Lettre d'une amoureuse morte.*
3745. Bernard Schlink *Amours en fuite.*
3746. Lao She *La cage entrebâillée.*
3747. Philippe Sollers *La Divine Comédie.*
3748. François Nourissier *Le musée de l'Homme.*
3749. Norman Spinrad *Les miroirs de l'esprit.*
3750. Collodi *Les Aventures de Pinocchio.*
3751. Joanne Harris *Vin de bohème.*
3752. Kenzaburô Ôé *Gibier d'élevage.*
3753. Rudyard Kipling *La marque de la Bête.*
3754. Michel Déon *Une affiche bleue et blanche.*
3755. Hervé Guibert *La chair fraîche.*
3756. Philippe Sollers *Liberté du XVIIIème.*
3757. Guillaume Apollinaire *Les Exploits d'un jeune don Juan.*
3758. William Faulkner *Une rose pour Emily* et autres nouvelles.
3759. Romain Gary *Une page d'histoire.*
3760. Mario Vargas Llosa *Les chiots.*
3761. Philippe Delerm *Le Portique.*
3762. Anita Desai *Le jeûne et le festin.*
3763. Gilles Leroy *Soleil noir.*

3764. Antonia Logue — *Double cœur.*
3765. Yukio Mishima — *La musique.*
3766. Patrick Modiano — *La Petite Bijou.*
3767. Pascal Quignard — *La leçon de musique.*
3768. Jean-Marie Rouart — *Une jeunesse à l'ombre de la lumière.*
3769. Jean Rouaud — *La désincarnation.*
3770. Anne Wiazemsky — *Aux quatre coins du monde.*
3771. Lajos Zilahy — *Le siècle écarlate. Les Dukay.*
3772. Patrick McGrath — *Spider.*
3773. Henry James — *Le Banc de la désolation.*
3774. Katherine Mansfield — *La Garden-Party* et autres nouvelles.
3775. Denis Diderot — *Supplément au Voyage de Bougainville.*
3776. Pierre Hebey — *Les passions modérées.*
3777. Ian McEwan — *L'Innocent.*
3778. Thomas Sanchez — *Le Jour des Abeilles.*
3779. Federico Zeri — *J'avoue m'être trompé. Fragments d'une autobiographie.*
3780. François Nourissier — *Bratislava.*
3781. François Nourissier — *Roman volé.*
3782. Simone de Saint-Exupéry — *Cinq enfants dans un parc.*
3783. Richard Wright — *Une faim d'égalité.*
3784. Philippe Claudel — *J'abandonne.*
3785. Collectif — «*Leurs yeux se rencontrèrent...*». *Les plus belles rencontres de la littérature.*
3786. Serge Brussolo — *Trajets et itinéraires de l'oubli.*
3787. James M. Cain — *Faux en écritures.*
3788. Albert Camus — *Jonas ou l'artiste au travail* suivi de *La pierre qui pousse.*
3789. Witold Gombrovicz — *Le festin chez la comtesse Fritouille* et autres nouvelles.
3790. Ernest Hemingway — *L'étrange contrée.*
3791. E. T. A Hoffmann — *Le Vase d'or.*
3792. J. M. G. Le Clezio — *Peuple du ciel* suivi de *Les Bergers.*
3793. Michel de Montaigne — *De la vanité.*

Composé par l'imprimerie Floch.
et imprimé par la Société Nouvelle Firmin-Didot.
à Mesnil-sur-l'Estrée, le 11 février 2003.
Dépôt légal : février 2003.
1er dépôt légal dans la collection : mai 2000.
Numéro d'imprimeur : 62955.

ISBN 2-07-040747-0/Imprimé en France.